«Monroe connaît ses [illegible] et les portraits qu'elle trace des filles de l'été sont subtils, réalistes et soigneusement conçus. Ces portraits sont tout à fait convaincants.»

— *Publisher's Weekly*

«*Les Filles de l'été* est bien plus que le portrait magnifique et émouvant de trois sœurs qui trouvent leur voix et se retrouvent après des années de séparation. C'est un roman qui attaque de front des questions délicates et importantes, et elles sont tissées si serrées avec la trame narrative que j'ai souvent dû interrompre ma lecture pour comprendre pleinement la teneur de ce que je venais de lire. Ainsi, si jamais vous êtes un ou une environnementaliste qui apprécie un bon roman, vous y trouverez votre compte, et bien plus encore.»

— Cassandra King, auteure à succès du *New York Times*

«Dans ce roman, on retrouve du drame, de l'humour et de l'amour, comme dans toute bonne lecture d'été. Mais en plus, il contient un message en matière de soins et de traitement des dauphins. Monroe sait parfaitement comment concilier tous ces aspects et Les Filles de l'été est l'une de ses meilleures œuvres.»

— *The Huffington Post*

«Un éloge des Grands dauphins, qui font la joie des hommes et des femmes qui contemplent les criques et les rivières de la côte de la Caroline du Sud chaque soir.»

— Pat Conroy, auteur à succès du *New York Times*

«Mary Alice Monroe à son meilleur [...]. Les Filles de l'été m'ont rappelé ce que j'aime tant dans la littérature du Sud.»

— *Heroes and Heartbreakers*

«Une histoire captivante sur l'océan et un dauphin plein de charme, et la façon dont ceux-ci réunissent trois sœurs dans l'environnement écologique merveilleux de la côte de la Caroline du Sud. Cette histoire m'a touchée personnellement, mais en plus, elle nous rappelle avec puissance à quel point il est important de protéger les dauphins et l'environnement dans lequel ils vivent.»

— Patricia Fair, directrice du Marine Mammal Program, NOAA[1]

1. N.d.T.: National Oceanic and Atmospheric Administration (Administration océanique et atmosphérique nationale).

Les étés sur la côte

LE VENT D'ÉTÉ

Les étés sur la côte

LE VENT D'ÉTÉ

Mary Alice Monroe

Traduit de l'anglais par
Sophie Beaume et Youness Azzouz (CPRL)

ADA éditions

Ce livre est une œuvre de fiction. Les noms, les personnages, les lieux et les événements sont le produit de l'imagination de l'auteure ou sont utilisés dans un cadre fictif. Toute ressemblance avec des événements, des lieux ou des personnes mortes ou vivantes est le résultat du hasard.

Titre original anglais : The Summer Wind

Éditeur : François Doucet
Traduction : Sophie Beaume det Youness Azzouz (CPRL)
Révision linguistique : Isabelle Veillette
Correction d'épreuves : Nancy Coulombe, Carine Paradis
Conception de la couverture : Matthieu Fortin
Photo de la couverture : © Thinkstock
Mise en pages : Mathieu C. Dandurand
ISBN papier 978-2-89752-719-8
ISBN PDF numérique 978-2-89752-720-4
ISBN ePub 978-2-89752-721-1
Première impression : 2015
Dépôt légal : 2015
Bibliothèque et Archives nationales du Québec
Bibliothèque Nationale du Canada

Éditions AdA Inc.
1385, boul. Lionel-Boulet
Varennes, Québec, Canada, J3X 1P7
Téléphone : 450-929-0296
Télécopieur : 450-929-0220
www.ada-inc.com
info@ada-inc.com

Diffusion

Canada :	Éditions AdA Inc.
France :	D.G. Diffusion Z.I. des Bogues 31750 Escalquens — France Téléphone : 05.61.00.09.99
Suisse :	Transat — 23.42.77.40
Belgique :	D.G. Diffusion — 05.61.00.09.99

Imprimé au Canada

Participation de la SODEC.
Nous reconnaissons l'aide financière du gouvernement du Canada par l'entremise du Fonds du livre du Canada (FLC) pour nos activités d'édition.
Gouvernement du Québec — Programme de crédit d'impôt pour l'édition de livres — Gestion SODEC.

Catalogage avant publication de Bibliothèque et Archives nationales du Québec et Bibliothèque et Archives Canada

Monroe, Mary Alice

[Summer girls. Français]

Le vent d'été

(Les étés sur la côte ; 2)

Traduction de : The summer wind.
ISBN 978-2-89752-719-8
I. Beaume, Sophie, 1968- . II. Titre. III. Titre : Summer wind. Français
IV. Collection : Monroe, Mary Alice. Étés sur la côte ; 2.

PS3563.O511S93214 2015 813'.54 C2015-940761-3

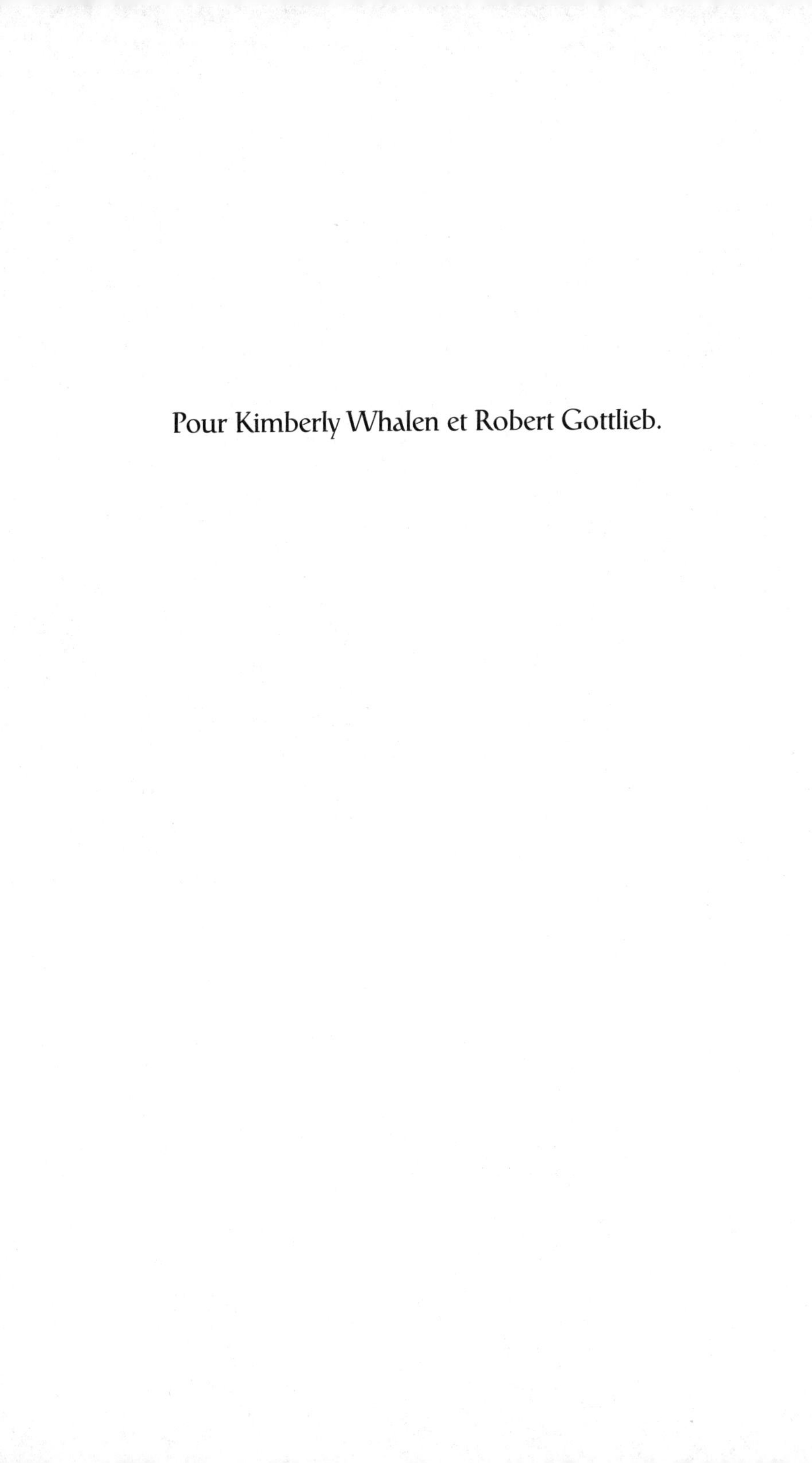

Pour Kimberly Whalen et Robert Gottlieb.

CHAPITRE 1

SEA BREEZE, SULLIVAN'S ISLAND, CAROLINE DU SUD

On disait qu'à Charleston, juillet était le mois le plus chaud et après avoir supporté 80 étés du Sud, Marietta Muir, ou Mamaw[1], comme on l'appelait affectueusement dans sa famille, était tout à fait d'accord. Avec son mouchoir, elle épongea délicatement sa lèvre supérieure et son front avant de remuer la main pour chasser un moustique qui l'ennuyait. Les étés du Sud, c'était de la chaleur, de l'humidité et des insectes. Mais le fait d'être à Sullivan's Island, assise à l'ombre d'un chêne en train déguster du thé glacé en attendant que, de temps à autre, souffle le vent du large, était, pour elle, l'exacte définition de l'été. Elle soupira lourdement. Le chêne vénérable projetait ses membres puissants si loin et si amplement que Marietta se sentait bercée dans son embrassement protecteur. Tout de même, l'air était particulièrement lourd ce matin, tellement pesant et parfumé de l'odeur écœurante du jasmin qu'elle devait lutter pour empêcher ses paupières de se fermer. Un coup de vent venu de l'océan apporta la douce

1. N.d.T.: Mot tendre utilisé en Caroline du Sud pour dire « grand-mère ».

odeur du gazon et rafraîchit ses cheveux humides le long de son cou.

Elle posa sa broderie sur ses genoux pour retirer ses lunettes et se frotter les yeux. Quelle malédiction de vieillir ! Elle avait de plus en plus de difficulté à voir ses points, pensa-t-elle en soupirant. Puis, jetant un coup d'œil vers Lucille à ses côtés sur la véranda de la dépendance que celle-ci considérait comme son foyer, elle vit son amie penchée sur le squelette d'un panier de glycéries, ses mains puissantes en train de tisser les tiges fragiles en un même motif et de coudre chaque rangée bien serrée avec des feuilles de palmier nain. Une petite pile de ces herbes reposait sur ses genoux, tandis qu'un tas généreux se trouvait à ses pieds dans un sac plastique, avec en plus un sac d'aiguilles de pin des marais.

Le fait de voir les mains de sa vieille amie occupées à tresser ces herbes disparates avec amour pour en faire un objet de beauté fit de nouveau penser à Marietta à quel point son défi de cet été était essentiel : faire renouer de nouveau ses trois petites-filles si différentes à Sea Breeze. Ses *filles de l'été.*

Mamaw soupira doucement pour elle-même. Elles n'étaient plus guère des filles aujourd'hui, Dora ayant 36 ans, Carson, 33, et Harper, 28, mais des femmes. Auparavant, quand elles étaient petites et qu'elles passaient leurs étés toutes ensemble, elles avaient été proches l'une de l'autre, comme devraient l'être des sœurs. Au fil des années, cependant, elles étaient devenues davantage des inconnues les unes pour les autres que des sœurs. Enfin, des demi-sœurs, se corrigea Marietta en tremblant à la nuance de ce terme. Comme si, du fait qu'elles n'avaient que leur père en commun, le lien entre ces femmes en avait été diminué. Or, après tout, des sœurs sont des sœurs et le sang est le sang. En juin, elle avait réussi à rassembler les trois femmes pour l'été, mais voilà qu'à peine seulement en juillet, Carson était déjà partie pour la Floride et que Dora était déterminée à retourner à Summerville. Et Harper… cette New-Yorkaise avait les yeux rivés sur le Nord.

– Je me demande si Carson est déjà arrivée en Floride, dit Lucille sans lever la tête.

Ses doigts remuaient avec assurance, tissant rang après rang.

Mamaw esquissa un sourire en pensant à quel point l'esprit de Lucille et le sien étaient synchronisés… une fois de plus. Il y avait maintenant 50 ans que Lucille avait été embauchée comme gouvernante, à l'époque où Marietta était une jeune mariée, à Charleston. Elles avaient partagé toute une vie de hauts et de bas, de naissances et de morts, de scandales et de joies. Et maintenant qu'elles étaient toutes deux de vieilles femmes, Lucille était devenue bien plus une confidente qu'une employée. En vérité, Lucille était son amie la plus intime.

– J'étais justement en train de me demander la même chose, répondit Mamaw. J'imagine que oui, à l'heure qu'il est, et qu'elle doit être en train de s'installer dans son hôtel. J'espère qu'elle ne sera pas partie longtemps.

– Bien sûr que non. Carson sait à quel point cet été est important pour vous et elle sera de retour dès qu'elle saura ce qu'il en est de ce dauphin, la rassura Lucille.

Puis, tout en posant le panier sur ses genoux, elle regarda Mamaw droit dans les yeux.

– Carson ne vous décevra pas. Vous devez avoir confiance.

– J'ai confiance, s'exclama Mamaw sur la défensive. Mais je suis assez vieille pour savoir comme la vie aime se moquer des plans les plus réfléchis. Enfin, regarde, poursuivit Mamaw en levant les mains avec frustration, qui aurait pu prévoir qu'un dauphin viendrait ficher par terre mes plans estivaux ?

Lucille émit un petit rire, un son à la fois grave et rauque.

– Ça, pour ça, elle a vraiment réussi, cette Delphine…

En entendant le nom du dauphin, Lucille perdit son sourire.

— Mais ce n'était pas sa faute, n'est-ce pas ? J'espère seulement que ce centre en Floride pourra secourir cette pauvre petite.

— Je l'espère aussi. Pour Delphine, mais aussi pour Carson.

Elle fit une pause.

— Et pour Nate.

Voir à quel point le fils de Dora avait mal pris l'accident du dauphin l'inquiétait. Alors qu'il n'était qu'un petit garçon, il s'était lui-même blâmé d'avoir attiré le dauphin jusqu'à leur quai et d'avoir fait en sorte qu'il s'emmêle dans ses lignes de pêche. En réalité, ils étaient tous responsables, et personne plus qu'elle.

— Pour nous tous, corrigea-t-elle.

— Amen, convint Lucille avec sobriété.

Puis, elle fit une pause pour balayer de la main quelques herbes et laisser le vent les emporter.

— Ne vous inquiétez donc pas, Mam'selle Marietta. Tout ira bien, je le sens dans mes os. Et bien vite, vous aurez toutes vos filles de l'été de nouveau ici, à Sea Breeze.

— Bonjour, Mamaw ! Lucille ! salua une voix depuis l'allée, interrompant la conversation des deux femmes.

— Et en voici une, murmura Lucille, retournant à son panier.

Marietta tourna la tête et sourit en voyant la plus jeune de ses petites-filles, Harper, arrivant vers elles au pas de course, dans l'une de ses tenues de jogging moulantes ne laissant rien à l'imagination, et qui avait l'air, pour Marietta, d'une seconde peau. Sa chevelure rousse était attachée en queue de cheval. De la sueur ruisselait le long de son visage rose.

— Harper ! s'exclama Marietta en lui faisant un petit signe de la main. Doux Jésus, mon enfant, tu cours à cette heure ? Il n'y a que les touristes pour être assez bêtes pour courir sous le soleil de midi. Tu vas attraper une insolation ! Ton visage est rouge comme une betterave !

Harper s'arrêta au pied de la véranda et se plia en deux, les mains sur les hanches, pour reprendre son souffle.

– Oh, Mamaw, je me sens bien, souffla-t-elle en essuyant la sueur de son front avec son avant-bras. Je cours comme ça tous les jours.

– En tout cas, tu sembles sur le point de défaillir.

– C'est *vrai* qu'il fait chaud aujourd'hui, concéda Harper avec un demi-sourire. Mais j'ai toujours le visage qui devient rouge. C'est à cause de ma peau claire. J'ai mis plein d'écran solaire.

Lucille claqua alors la langue.

– N'oublie pas de boire un peu d'eau, compris ?

– En fait, pourquoi ne vas-tu pas plonger dans la piscine pour te rafraîchir un peu ? On dirait que tu es déjà en maillot de bain…

Mamaw avait prononcé ces derniers mots tout bas, tout en s'éventant. Le simple fait de voir le visage rose de Harper et la sueur qui tachait ses vêtements lui donnait chaud.

– Bonne idée, lui répondit Harper.

Puis, en leur faisant un petit signe de la main, elle se dirigea vers la porte d'entrée. Mais avant de disparaître dans la maison, elle tourna la tête et lança bien fort :

– Joli panier, Lucille !

Lucille pouffa de rire et se remit à sa vannerie.

– Il n'y a que les jeunes pour courir comme ça.

– Je n'ai jamais couru comme ça, *moi*, quand j'étais jeune ! contra Mamaw.

– Moi non plus. D'ailleurs, qui en aurait eu le temps ?

– Je n'avais pas le temps, et je n'aurais *certainement* pas couru accoutrée d'une telle manière. Ce que les filles portent de nos jours… Cet ensemble laissait bien peu à l'imagination.

– Oh, je suis sûre que les jeunes hommes peuvent imaginer toutes sortes de choses, répondit Lucille en pouffant de nouveau de rire.

Mamaw laissa échapper un soupir irrité.

– Quels jeunes hommes ? Je ne comprends tout simplement pas pourquoi aucun d'eux ne lui téléphone. J'ai fait en sorte qu'elle soit invitée à quelques soirées en ville où il y aurait d'autres jeunes gens. Il y avait cette soirée à bord d'un bateau au club nautique de Sissy… Plusieurs jeunes célibataires avaient été invités.

Mamaw remua la tête.

– Harper est une si jolie fille, et si bien éduquée.

Elle fit une pause.

– Même si sa mère *est* Anglaise.

Reprenant sa broderie, Mamaw ajouta malicieusement :

– Après tout, son père vient de Charleston.

– Oh, je ne dirais pas qu'on ne lui a pas proposé de sortir…, dit Lucille tout en ajoutant de nouvelles herbes à son panier.

Mamaw plissa les yeux avec suspicion.

– Ah non ?

Les yeux de Lucille pétillèrent de ce qu'elle savait.

– Il se trouve que je sais que, depuis qu'elle est arrivée, plusieurs jeunes hommes ont téléphoné à notre mademoiselle Harper.

– Vraiment ?

Mamaw, sans le montrer, était furieuse et se demandait pourquoi rien ne lui avait été mentionné. Elle n'aimait pas être la dernière au courant, surtout pas quand il s'agissait de ses petites-filles. Elle tendit alors la main vers le journal l'*Island Eye* pour s'en servir comme éventail.

– On aurait pu me mettre au courant.

Lucille haussa les épaules.

Puis, abaissant le journal, Mamaw reprit :

– Eh bien… pourquoi n'est-elle sortie avec personne ? Elle est trop timide ?

– Notre Harper est peut-être une petite bien calme, mais elle n'est sûrement pas timide. Cette fille a une colonne vertébrale en acier. Regardez simplement comme elle refuse de manger de la viande, ou du pain blanc, ou quoi que ce soit que je prépare avec de la graisse de bacon.

Les lèvres de Mamaw esquissèrent un sourire au souvenir de la dispute qu'il y avait eu à table lors du dîner le premier soir que Harper était arrivée à Sea Breeze. Dora avait été quelque peu contrariée par les habitudes alimentaires strictes de Harper.

– Il n'y a qu'un mois qu'elle est ici, poursuivit Lucille, et elle ne restera que deux mois de plus. Ce n'est pas ce à quoi elle pense. Et qui pourrait s'en surprendre ? Avec tous les soucis qu'elle a, j'imagine que fréquenter un jeune homme ne doit pas être sa priorité.

Mamaw se berçait en silence. Au fond, tout ce que venait de dire Lucille était plutôt juste. Il semblait bien que tout le monde avait beaucoup de soucis, cet été, à Sea Breeze ; c'était certainement son cas. L'été passait à toute vitesse, et si elle ne trouvait pas un moyen de nouer un lien entre ses petites-filles, Mamaw savait que, une fois en septembre, Sea Breeze serait tout simplement vendue, les filles iraient chacune de leur côté et elle resterait seule sur le quai à hurler à la lune d'automne.

Le mois de mai précédent, en effet, Mamaw avait invité ses trois petites-filles (Dora, Carson et Harper) à venir célébrer son 80e anniversaire à Sea Breeze. Toutefois, elle avait une arrière-pensée. À l'automne, Marietta mettrait Sea Breeze en vente et irait s'installer dans une résidence avec services de soutien. Car avec tout ce qu'exigeait une maison insulaire, elle ne pouvait plus continuer d'y vivre seule, même avec l'aide de Lucille. Aussi espérait-elle que, une fois arrivées, les trois femmes accepteraient d'y passer l'été. Elle voulait qu'elles soient de nouveau ses filles de l'été, comme elles l'étaient quand elles étaient enfants, pour ce dernier été avant la vente de Sea Breeze.

Au fil des années, ses innombrables invitations précédentes avaient été repoussées par les filles par autant d'excuses (*j'adorerais venir, mais je suis tellement occupée; je dois travailler; je ne serai pas en ville*), chacune d'elles envoyée avec des épanchements de regret et pleine de points d'exclamation.

De sorte que cette fois, Mamaw s'était fiée au fait que ses petites-filles avaient dû hériter d'un peu de ce sang de pirate ancestral, et elle les avait attirées dans le Sud avec des promesses de butin en provenance de la maison. Et les petites chéries étaient venues, ne serait-ce que pour la fête de la fin de semaine. Toutefois, désespérée qu'elle était de les garder dans l'île, Mamaw avait eu recours à un peu de manipulation et les avait menacées de les déshériter si elles ne restaient pas pour tout l'été. Elle gloussa de rire en se rappelant le choc sur leurs visages.

Carson venait tout juste de perdre son emploi et était des plus ravie de passer l'été dans l'île, sans loyer à payer. Dora, en plein divorce, avait été facile à persuader de rester à Sea Breeze avec Nate, pendant que des travaux étaient effectués sur sa maison à Summerville. Harper, toutefois, avait piqué une crise de nerfs. Elle avait parlé de chantage.

Mamaw remua sur son siège, mal à l'aise. Vraiment, du chantage. Harper avant tendance à en rajouter, pensa-t-elle en levant les yeux au ciel. Il devait sûrement y avoir un mot plus doux et plus raffiné pour les actes d'une grand-mère aimante, qui s'inquiète et qui est déterminée à rapprocher ses petites-filles. Un sourire de satisfaction apparut sur ses lèvres. Après tout, elles avaient toutes accepté de rester pour tout l'été, non?

Mais maintenant, alors qu'on n'était qu'au milieu de l'été, Carson était déjà partie (encore qu'elle avait promis de vite revenir) tandis que Dora semblait sur le point de s'en aller.

Mamaw ferma les yeux, accueillant avec plaisir une nouvelle brise venue du large, si apaisante. Elle ne pouvait échouer dans sa mission. Quatre-vingts années étaient une longue période de vie. Elle avait survécu à la perte de son mari et de son unique enfant. Tout ce qui lui restait, tout ce qui lui importait était ces trois précieux joyaux, ses petites-filles. Mamaw serra les poings. Et quoi qu'il arrive (même les crises de nerfs), elle leur offrirait cet été parfait. Sa crainte la plus intime était que, une fois Sea Breeze vendue, quand elle se serait installée dans cette maison de retraite, le lien fragile qui aurait réuni les trois sœurs se brise et qu'elles s'éparpillent aux quatre vents, comme ces brins de glycérie qui se détachaient du panier de Lucille.

– En voilà une autre, dit Lucille à voix basse en indiquant d'un mouvement du menton Dora en train de contourner l'angle de la maison.

Le regard de Mamaw se dirigea vers l'aînée de ses petites-filles avec un air critique. Dora était vêtue un tailleur kaki et d'un chemisier du même jaune pâle que ses cheveux. Tandis que Dora se rapprochait, Mamaw remarqua qu'elle portait aussi des bas de nylon et des escarpins. Par une chaleur pareille ! Elle pouvait voir la sueur qui perlait déjà le long de son visage, occupée qu'elle était à tirer derrière elle une valise sur le gravier de l'allée où était garée la Lexus argentée.

– Dora ! Tu t'en vas ? cria Mamaw.

Dora s'arrêta brusquement en entendant son nom et tourna la tête en direction de la dépendance.

– Bonjour, Mesdames, salua-t-elle de loin en leur envoyant la main après avoir vu les deux femmes assises l'une à côté de l'autre sur la véranda. Oui, répondit-elle, arborant un sourire que ses yeux contredisaient. Je dois me dépêcher, si je ne veux pas être en retard à mon rendez-vous avec mon avocat. La matinée sera longue.

Dora abandonna sa valise et vint les rejoindre.

– Comme vous voilà, toutes les deux. On dirait deux oiseaux perchés sur un fil et en train de passer la matinée en piaillant.Dora monta jusqu'à la véranda pour se mettre à l'ombre.

Mamaw mit alors sa broderie de côté et prêta toute son attention à Dora, étudiant le visage de l'aînée de ses petites-filles. Des trois femmes, Dora était celle qui pouvait le mieux cacher ses émotions derrière une fausse joie. Cela avait toujours été le cas, même durant son enfance. Le jour de son mariage, son père, Parker, l'unique enfant de Mamaw, était arrivé à l'église dans un état d'ivresse impardonnable. Dora avait souri en se dirigeant vers l'autel avec son beau-père, et non son père biologique. Elle avait souri en dépit des chuchotements dissimulés par des mains levées, souri lors du toast décousu de Parker, souri quand des amis avaient escorté Parker jusqu'à son hôtel pour qu'il aille y cuver son vin.

C'était ce même sourire crispé que Mamaw étudiait maintenant. Elle connaissait trop bien tous les sacrifices que Dora avait faits pour donner l'apparence d'une famille heureuse. Ce divorce la frappait en plein cœur, remettait en question ce qu'il y avait de plus fondamental pour elle. Et pourtant, même en ce moment, il semblait que Dora était résolue à donner l'impression qu'elle avait maîtrise sur tout.

— Tu as l'air très… respectable, dit enfin Mamaw en choisissant ses mots avec soin. Mais il ne fait pas un peu trop chaud pour ce tailleur et des bas de nylon ?

Dora souleva ses cheveux blonds de son cou pour permettre au vent du large de rafraîchir la moiteur qui se concentrait à cet endroit.

— Mon Dieu, oui. Il fait si chaud qu'on pourrait cracher par terre et regarder le liquide bouillir. Mais je dois faire bonne impression devant les avocats de Cal.

La pauvre petite, pensa Mamaw. Son tailleur était si serré que la pauvre Dora avait l'air complètement boudinée.

Dora laissa retomber ses cheveux et son visage prit un air renfrogné.

– Calhoun se montre tout à fait déraisonnable.

– Nous savions tous qu'il n'avait pas inventé la poudre quand tu l'as épousé.

– Il n'a pas à être intelligent, Mamaw. Il suffit que son avocat le soit. Et j'ai entendu dire qu'il s'est déniché un véritable requin.

– Tu as téléphoné au cabinet Rosen que je t'ai recommandé, non ?

Dora hocha la tête.

– C'est bien, poursuivit Mamaw. Ne t'inquiète pas, ce requin mordra à l'hameçon de Robert.

– Je vais essayer, répondit Dora tout en défroissant sa jupe. Néanmoins, je tiens tout de même à faire une bonne première impression.

Mamaw leva alors la main jusqu'au col de sa robe et en retira sa broche, qui était l'une de ses favorites. De petits éclats de corail étaient incrustés dans l'or pour former une étoile magnifique. Au point où elle en était dans sa vie, sa petite-fille avait besoin d'une bonne étoile.

– Approche-toi, ma chérie, intima-t-elle à Dora.

Quand Dora se fut rapprochée, Mamaw lui indiqua d'un mouvement de la main qu'elle devait se pencher, puis elle tendit le bras pour épingler la grande broche au col de son tailleur.

– Voilà, dit-elle alors en se redressant et en regardant le travail accompli. Une petite touche de couleur te fait tellement de bien, ma chère. Cette broche était à ma mère. Maintenant, elle est à toi.

Les yeux de Dora s'écarquillèrent, son air stoïque disparaissant un instant. Elle se précipita vers sa grand-mère pour la serrer dans ses bras avec désespoir.

– Oh, Mamaw, merci, je ne m'y attendais pas… C'est très important pour moi. Particulièrement aujourd'hui. Je dois bien reconnaître que je suis nerveuse à l'idée d'affronter Cal, après tout ce temps. Sans compter ses avocats.

— Considère-la comme une armure d'apparat, répondit Mamaw en souriant.

— C'est ce que je vais faire, répliqua Dora, qui se tenait toute droite en lissant son veston. Tu sais, je suis si heureuse que ce tailleur me fasse de nouveau. Avec Carson qui refuse qu'il y ait de l'alcool à la maison et Harper qui nous force à manger santé, eh bien, j'ai perdu quelques kilos ! Qui l'aurait cru ?

Un sourire authentique resplendit sur le visage de Dora, et pendant un instant, Mamaw revit la jeune femme éblouissante qui autrefois ravissait tous ceux qu'elle rencontrait grâce à ce sourire chaleureux. Au cours des 10 dernières années, alors qu'elle vivait un mariage malheureux et devait s'occuper d'un enfant aux besoins spécifiques, Dora avait commis le péché capital pour toute épouse du Sud : elle s'était laissée aller. Mais pis encore, sa tristesse avait épuisé le rayon de soleil qui avait brillé en elle. Ce matin, Mamaw était heureuse de le revoir miroiter un instant dans ses yeux.

— Nate vient avec toi ? demanda Lucille.

Dora fit non de la tête en grimaçant.

— J'ai bien peur que non. Je viens tout juste de sa chambre. Je l'ai supplié de venir avec moi, mais vous savez comment est Nate quand il a décidé quelque chose. C'est à peine s'il a prononcé plus d'un mot : *non*. Je ne pense pas qu'il me porte dans son cœur en ce moment, ajouta Dora d'une voix plus douce. C'était comme si…

Sa voix trembla d'émotions.

— … comme s'il avait hâte que je sois partie.

— Écoute, ma chérie, ne t'occupe pas de lui, dit Mamaw d'un ton conciliant. Tu sais bien que cet enfant souffre toujours à cause de ce qui est arrivé au dauphin. Ça l'a traumatisé. Tout comme nous, ajouta-t-elle.

— Carson devrait bientôt téléphoner pour nous donner des nouvelles de lui, intervint Lucille pour la réconforter.

– Et je suis certaine que ce seront de bonnes nouvelles, acquiesça Mamaw avec son optimisme habituel. Alors, je suis convaincue que Nate redeviendra lui-même.

– Je l'espère…, répondit Dora en s'essuyant les yeux avec empressement, apparemment embarrassée par ses larmes.

Mamaw regarda Lucille de côté. Ce n'était pas le genre de Dora d'être aussi émotive. Juste à ce moment, Dora regarda sa montre et en eut le souffle coupé.

– Mon Dieu, il faut vraiment que j'y aille ou je serai en retard, s'exclama-t-elle, soudainement toute à ses affaires. Êtes-vous sûres que vous pourrez vous débrouiller avec Nate pendant que je serai partie ? Vous savez comme il peut être insaisissable quand je ne suis pas là.

– Je suis assez convaincue que trois femmes peuvent se débrouiller avec un petit garçon, aussi difficile soit-il, répliqua Mamaw en levant un sourcil.

Lucille rit tout doucement tandis que ses doigts tressaient le panier.

– Oui, évidemment, grommela Dora en fouillant dans son sac à main à la recherche des clés de sa voiture. C'est seulement que, en ce moment, il est particulièrement difficile, contrarié comme il est à cause de ce dauphin, et parce que je vais voir son père.

Mamaw fit signe à Dora de s'en aller.

– Vas-y et ne t'inquiète pas pour nous. Nous nous en sortirons. Tu as déjà assez de choses à faire pour pouvoir mettre ta maison en vente.

Les yeux de Dora se durcirent à la mention de la maison.

– Ces ouvriers ont intérêt à être au travail ou je vais faire un scandale.

Mamaw et Lucille se regardèrent. Voilà la Dora qu'elles connaissaient. Saisissant ses clés, Dora fit demi-tour pour partir.

– Dora ? l'interpella alors Mamaw, l'arrêtant au moment où elle semblait prête à s'éloigner.

Dora s'arrêta, tourna la tête, et son regard croisa celui de Mamaw.

– Pense à te souvenir de qui tu es. Tu es une Muir. Le seul maître à bord de ton propre navire.

Puis, reniflant, elle ajouta :

– Ne tolère rien de quelqu'un comme Calhoun Tupper, compris ?

Le bleu brillant des Muir reluisit dans les yeux de Dora.

– Oui, M'dame, répondit-elle de tout son cœur en se redressant les épaules.

Les deux vieilles femmes observèrent alors Dora se dépêcher vers sa voiture, mettre sa valise dans le coffre arrière et quitter l'allée dans un vrombissement de moteur, les pneus broyant le gravier.

– Hum-m-m, marmonna Lucille en se remettant à tresser son panier. Voilà une femme qui est toute décidée à faire passer sa fureur sur tous les hommes qui croiseront sa route aujourd'hui.

Mamaw cessa de réprimer le sourire qui avait voulu se profiler sur ses lèvres toute la matinée.

– Je ne sais pas de qui j'ai le plus pitié, dit-elle. De ses ouvriers ou de Calhoun Tupper.

CHAPITRE 2

CHARLESTON, CAROLINE DU SUD

Dora était assise dans le bureau de son avocat, les mains serrées sur ses cuisses. La climatisation fonctionnait vaillamment contre la chaleur record de cette journée, pourtant les deux avocats, tout comme Cal, avaient retiré leur veston et roulé les manches de leurs chemises. Dora était la seule femme dans cette pièce, et elle avait gardé son veston, déterminée qu'elle était de ne pas retirer le moindre élément de son armure. En plus, dans son esprit, elle pouvait se représenter l'épingle de sûreté qui fermait sa jupe, qu'elle n'avait pu boutonner. Aussi gardait-elle son veston, dont le col l'irritait, en étouffant la fureur en train de couver pendant que l'avocat de Cal, Me Harbison, continuait d'expliquer à quel point le montant qu'ils proposaient comme entente était incroyablement juste.

Il lui fallut toute sa maîtrise d'elle-même pour ne pas bondir de son siège de frustration et de rage. Juste ? Le montant qui était proposé était insuffisant pour lui permettre de vivre, et encore moins pour prendre soin de Nate et assumer toutes ses séances de thérapie. Elle regarda un instant en direction de son avocat, Me Rosen, espérant attirer son attention. Il lui avait très clairement spécifié qu'elle ne devait pas intervenir, mais se contenter de répondre quand on s'adresserait à elle directement. Son regard était rivé sur la pile de documents reposant à côté de son ordinateur portable, occupé qu'il était à prendre des notes au sujet de chaque élément dont il était question.

Frustrée, Dora dirigea son regard de l'autre côté de la longue table de conférence jusqu'à Cal en haussant les sourcils en guise de signal. Celui qui serait bientôt son ex-mari était assis et regardait résolument ses mains. Il ne s'était pas donné la peine de croiser son regard quand elle était entrée dans le bureau. Il n'avait même pas daigné prononcer le moindre mot, ni même lui adresser un quelconque regard de réconfort ou d'inquiétude pendant toute la durée de cette rencontre matinale. Jamais il ne l'avait regardée dans les yeux. Cal n'avait jamais été sentimental, mais aujourd'hui, dans le bureau de l'avocat, il était complètement dépourvu de tout sentiment.

Au cours des derniers mois, elle n'avait pas revu Cal, même s'ils s'étaient parlé quand cela était nécessaire. Quand elle avait pénétré dans le bureau, plus tôt ce matin, elle avait été surprise de voir qu'il avait perdu ses poignées d'amour et qu'il prenait plus grand soin de son apparence. Il portait le costume en crépon de coton classique du Sud, et elle dut y regarder à deux fois pour s'assurer que son élégant nœud papillon était bien réel.

Elle avait maintenu une posture raide et un air blasé, mais sous la table, son pied ne cessait de remuer. Elle regarda l'horloge accrochée au mur. Il était près de midi. Elle avait passé une matinée horrible à écouter chaque avocat faire la lecture froide des positions de chaque partie. Ils en étaient maintenant à faire le détail de ses biens et de ceux de Cal.

Elle suivit la longue liste de ces éléments que ronronnait la voix de l'avocat. Mais quand le représentant de Cal se mit à faire le partage des antiquités de la famille Muir, Dora se redressa sur sa chaise.

– Non! laissa-t-elle échapper.

Le silence se fit immédiatement dans la salle tandis que les trois messieurs tournaient la tête dans sa direction.

– Il doit y avoir une erreur, dit-elle. Nous ne partageons *pas* les antiquités familiales. Cal et moi, nous avons déjà convenu qu'il reprendrait les meubles de sa famille et moi, les miens.

Me Harbison lui présenta un sourire affable.

– Je crains bien, Madame Tupper, que ce ne soit pas équitable.

– Je ne…

Elle s'arrêta, Me Rosen ayant posé une main sur son bras.

– Vous comprenez, on considère que tous vos biens font partie du patrimoine familial, poursuivit Me Harbison.

– Non, ce n'est absolument pas le cas, répondit-elle en aboyant, tout en sentant son visage se colorer. Je me fiche que ce soit équitable, ou un patrimoine familial, ou quel que soit le nom que vous voulez leur donner.

Son ton s'élevait.

– Les meubles de ma famille m'appartiennent, et il ne peut pas les avoir. Nous en avons déjà discuté et nous étions d'accord.

À ces mots, le visage de Cal se marbra.

– Dora, nous en avons peut-être discuté, mais c'était prématuré. Or, il est dorénavant évident que ce ne serait pas juste.

Les yeux de Dora se durcirent.

– Parce que maintenant, tu sais ce que valent certains de mes objets. Tu as fait évaluer les meubles. Je suis capable de lire le rapport.

– S'il s'agissait seulement de quelques centaines de dollars…, répondit-il.

En disant cela, Cal tapota les documents qui étaient devant lui, en même temps qu'une légère rougeur apparaissait sur ses joues.

– Mais ces chaises et ce divan chippendale, la commode empire… Rien que ces meubles valent plus de 100 000$! Et l'argenterie en vaut 30 000 de plus.

Dora haussa les sourcils, le reconnaissant. En effet, leur valeur lui avait procuré une agréable surprise, mais elle ne pouvait supporter la pensée de vendre une partie de ses origines au plus offrant.

– Ce n'est pas une question d'argent. Je ne veux pas vendre mes meubles. Ils sont dans la famille depuis des générations. Après moi, Nate les aura. Notre rôle est simplement d'en prendre soin pour la génération suivante. Nous ne les vendons pas.

– Nous les vendons quand c'est nécessaire, contra Cal, laconique. Et considérant les frais de thérapie de Nate, le fait que la maison que tu désirais s'est révélée être un gouffre financier, nous devons maintenant les vendre.

– Il n'y a rien de nouveau dans ces dépenses, rétorqua Dora. Et permets-moi de te rappeler que tu désirais cette maison autant que moi. Tu y voyais un profit potentiel. Mais jamais tu n'as considéré qu'il faille y faire des travaux. Tu refusais que je fasse quoi que ce soit. Elle était en assez bon état pour que nous y habitions. Et soudainement, voilà que nous avons besoin d'argent pour faire toutes ces rénovations et pour remplacer les électroménagers?

Me Harbison se racla la gorge avant de se joindre à cet échange houleux.

– Madame Tupper, je comprends tout à fait que c'est un sujet sensible. Toutefois, ces travaux sont minimaux, à peine ce qui est nécessaire pour que la maison puisse être vendue. En fin de compte, l'objectif est d'en retirer le meilleur prix, pour votre bénéfice à vous deux.

Dora, au bord des larmes, serra les lèvres pour qu'elles cessent de trembler. Les hommes qui étaient avec elle dans la salle remuèrent sur leur siège en échangeant des regards qui semblaient dire : *À quoi d'autre pouvions-nous nous attendre ?* Après tout, elle n'était qu'une femme. Il lui était impossible de faire face à ces procédures sans se montrer émotive.

Évidemment qu'elle était émotive ! Ces hommes disposaient de ses biens avec la même indifférence que s'ils avaient été en train de partager des pommes de terre. En plus, elle se faisait avoir dans cette affaire. Dora se souvint alors des paroles de Mamaw (*Tu es une Muir, tu es le maître de ton propre navire*) et réfrénant ses émotions, elle se tourna vers l'avocat de Cal, résolue. Il n'était pas question qu'elle se rende à l'ultimatum de Cal.

Dora jeta un regard dur en direction de Me Harbison.

– Que ma position soit claire : je me fiche de ce que la maison rapportera. Je me fiche aussi de la valeur de mes biens, dit-elle en s'efforçant de parler avec un ton posé. Je ne me séparerai pas de mes antiquités familiales. Elles appartiennent à ma famille. Je demanderai à ma grand-mère de rédiger une lettre à ce sujet. Et vous tous, vous connaissez assez bien Marietta Muir pour savoir qu'elle fera en sorte que rien ne sorte des mains de la famille.

Sur ce, elle se renfonça sur son siège et croisa les mains sur ses cuisses.

– Je n'ai rien d'autre à ajouter.

Les lèvres de Me Harbison se crispèrent tant il devait reconnaître la justesse de ces propos. Il jeta un regard en direction de Cal, qui fixa Dora en cachant à peine sa frustration.

– Très bien, Madame Tupper, dit Me Rosen d'un ton conciliant.

Puis, ajustant ses lunettes, il s'adressa à l'avocat de Cal.

– Je suggère que nous discutions de ces questions seuls en compagnie de nos clients et que nous nous rencontrions ensuite de nouveau. Nous pouvons consulter nos agendas et choisir un moment à une date qui nous conviendra mutuellement.

Durant tout le temps pénible qu'il fallut aux avocats pour régler les quelques détails qu'il restait encore, Dora fixa ses mains avec détermination. Elle avait l'impression que cette épreuve l'avait brisée, et elle refusait maintenant de lever les yeux, de peur de croiser le regard plein de colère de Cal. Puis, quand enfin ces messieurs commencèrent à se lever, elle en fit tout autant. Saisissant son sac à main et marmonnant qu'elle devait se poudrer le nez, elle se précipita hors de la salle afin de ne pas avoir à faire face à Cal de nouveau.

~

SUMMERVILLE, CAROLINE DU SUD

L'après-midi était en train de se terminer et Dora roulait le long des rues ombragées de Summerville, en Caroline du Sud. La lumière du soleil perçait à travers le feuillage épais en créant des taches de lumière, et les fleurs estivales éclataient de couleurs brillantes partout où elle regardait. Dora se sentait toujours chez elle dans ce quartier historique où les traditions du Sud qu'elle aimait tant étaient reflétées dans l'aménagement des rues, des parcs et des jardins. Elle ne se lassait jamais d'admirer en rêvant ces charmants cottages surélevés, ces bâtiments néo-classiques et ces maisons victoriennes de grande envergure. La famille de Cal habitait Summerville depuis des générations, mais c'était l'aspect intemporel de ces maisons historiques qui, en définitive, avait fait en sorte qu'elle veuille s'y établir.

Dix ans plus tôt, Dora s'était crue si brillante d'avoir fait une « bonne affaire » en achetant sa grande maison victorienne lors d'une vente aux enchères. Ce quartier historique était très recherché et s'enorgueillissait de maisons restaurées les unes après les autres. D'ailleurs, une maison située un pâté de maisons plus loin que la sienne avait été vendue pour un montant faramineux. Cela avait fait sensation dans le voisinage et entraîné un accès de nouvelle fierté liée au fait d'y être propriétaire. Cal et elle étaient si jeunes quand ils avaient emménagé dans cette maison, pleins d'espoir, convaincus d'être sur le point de connaître de grands changements et la prospérité.

Comme ils avaient été naïfs, pensa Dora avec une pointe de tristesse tandis qu'elle traversait la place de la ville, flanquée par ces boutiques pittoresques qui, au printemps, prenaient vie grâce aux azalées auxquelles Summerville devait le surnom de « ville des fleurs ». Elle croisa l'église St. Paul, où elle avait été bénévole à la Mission des femmes ; la bibliothèque Timrod au charme désuet, qu'elle avait contribué à soutenir en organisant des collectes de fonds, et où elle passait des heures avec Nate, dont elle assurait elle-même l'instruction. C'était sa communauté, elle y était chez elle… et pourtant, tout en roulant dans ces rues sinueuses qu'elle connaissait si bien, elle se sentait telle une étrangère.

Elle avait passé des années à se créer un réseau d'amies dans sa paroisse et dans sa communauté, des gens sur lesquels elle avait pensé pouvoir compter quand les choses iraient mal. Or, quand Cal et elle avaient appris le diagnostic d'autisme de Nate, cela avait complètement transformé la nature de ses amitiés.

L'une après l'autre, ses soi-disant amies s'étaient montrées mal à l'aise par rapport au comportement de Nate. Les enfants l'ignoraient, et les mères avaient cessé de l'inviter à emmener Nate jouer avec leurs enfants. De son côté, elle avait aussi cessé de faire des efforts. À un moment donné, elle avait simplement tout laissé tomber : le bénévolat, les activités scolaires et les réceptions. À la place, Dora s'était jetée tête première dans la thérapie et l'instruction à la maison de son fils. Seul le parent d'un enfant souffrant d'un tel trouble pourrait comprendre un tel dévouement.

Dora prit une grande respiration pour se calmer et se concentra sur le présent. Rien de tout cela n'importait, se dit-elle, aucun d'*eux* n'importait. Elle s'en était plutôt bien sortie toute seule, non?

Dora regarda la broche de corail sur le revers de son veston. La voir la réconforta, un peu comme un câlin en pensée, lui rappelant qu'il y avait d'autres personnes qui se souciaient d'elle et qui avaient de l'importance : Mamaw, Lucille, Carson et Harper. Elle sentit ses épaules se décontracter tandis qu'elle s'éloignait de la douleur et du sentiment de rejet qu'elle ressentait toujours au plus profond d'elle-même. Elle s'était créé un monde d'autosuffisance. Sa mère, Cal, les femmes dont elle s'était entourée autrefois étaient des êtres qui prenaient au lieu de donner. Quand était venu le moment où elle avait eu besoin d'aide, ils avaient tous disparu. Mais peut-être que maintenant, pensa-t-elle avec une lueur d'espoir, avec eux, cela pourrait devenir donnant-donnant.

Elle tourna dans une rue qui menait loin du parc et arriva devant la longue allée de sa maison. De l'embouchure de la rue, elle la vit telle que les étrangers pouvaient la voir en passant devant, dans leur voiture. La maison victorienne, toute blanche, se dissimulait dans l'épaisseur des feuillages verts comme une jeune mariée timide, charmante qu'elle était avec son toit en pavillon rouge bordé d'ornements alambiqués. Malheureusement, la maison se révélait plutôt être une vieille Miss Havisham.

Derrière le voile de distance et de feuillage, la maison se montrait dans son grand âge et dans tout ce qu'elle avait de vicié. Que ce soient les décennies de peinture en train de s'écailler, les fondations en brique en train de s'écrouler ou les colonnes de la véranda qui pliaient sous le poids de plantes grimpantes envahissantes, rien ne pouvait être masqué par la rêverie. Elle s'arrêta devant la vieille maison et arrêta le moteur. Dans la chaleur étouffante, elle contempla la grande maison victorienne blanche, sans plus ressentir le moindre enthousiasme. Bien au contraire, du désespoir se répandit dans tout son organisme. Dora ne pouvait plus voir ce qui aurait pu être. Partout où elle regardait, elle voyait plutôt la pourriture qui suppurait, des fondations au toit, en prenant conscience qu'aucun effort qu'elle pourrait faire ne pourrait la sauver.

La comparaison avec son mariage était trop évidente et trop pénible pour qu'elle y réfléchisse.

Le cœur gros, elle tendit la main vers le sac d'épicerie, la bouteille de vin blanc froid et le paquet de poulet frit qu'elle avait achetés avant de rentrer en quittant le cabinet de l'avocat. Dora se sentait épuisée et absolument sans force, et fut à peine capable de monter les marches de briques jusqu'à la porte d'entrée. Après s'être battue un instant avec la serrure, elle poussa la porte et fut accueillie par un mur de chaleur à l'odeur de renfermé. Elle sentit son cœur se serrer et ses épaules s'affaisser.

– Encore combien de catastrophes vont m'arriver aujourd'hui ? marmonna-t-elle, tout en ajoutant mentalement *Faire réparer la climatisation* à sa liste de choses à faire en pleine expansion.

La maison était aussi silencieuse qu'un cimetière. Les ouvriers avaient terminé de travailler pour aujourd'hui, mais une forte odeur de peinture et de vernis restait dans l'air. Des particules de poussière flottaient dans les rayons de lumière tandis qu'elle examinait les pièces pour constater le travail des ouvriers. Les meubles anciens dont Cal et elle avaient hérités étaient regroupés au milieu de chaque pièce. Le papier peint avait été gratté et les travaux avaient commencé sur les cloisons en plâtre. On avait enlevé les cadres de fenêtre pourris. Il restait encore beaucoup de choses à faire, mais c'était un début.

Il y avait quelque chose de doux et d'amer dans le fait de constater toutes ces rénovations. Elle avait toujours rêvé de rénover la maison : de donner une nouvelle couche de peinture, d'installer du papier peint joyeux, de faire retapisser les meubles, et même d'électroménagers haut de gamme. Elle avait des chemises en carton brun débordant de coupures de magazine. Mais Cal lui avait toujours dit qu'il n'y avait pas d'argent pour moderniser la plomberie ou les électroménagers. Et maintenant, juste au moment où les travaux qu'elle avait suppliés Cal de faire exécuter pendant des années étaient enfin en branle, elle ne pourrait pas en profiter.

Les avocats avaient été clairs sur ce point : la maison devait être vendue le plus vite possible. Il ne lui restait plus qu'à faire ses valises et à déménager.

Soudainement, Dora eut l'impression que la maison chaude et humide se refermait sur elle : elle était incapable de reprendre son souffle. Elle retira son veston qui la gênait, puis se précipita de la cuisine à la salle à manger et dans le salon en ouvrant les fenêtres. Auparavant, seules certaines des fenêtres de la cuisine étaient à peine entrouvertes. Le bois était gonflé par l'humidité, mais une rage intérieure qui avait commencé à prendre forme dans sa poitrine alors qu'elle était assise, impuissante, dans le cabinet de l'avocat vint alimenter sa force. Dora geignit, transpira et jura, frappant les vantaux avec la paume de sa main jusqu'au moment où, enfin, les fenêtres récalcitrantes cédèrent. Elle ouvrit grand chacune d'entre elles.

Un instant, elle resta sans bouger, à respirer l'air frais, en laissant son rythme cardiaque diminuer. Puis, se tournant, elle considéra le désordre de sa maison. L'après-midi passé chez l'avocat l'avait ébranlée. Elle se sentait un peu comme le vieux bâtiment, se dit-elle en s'appuyant contre un mur. En dépit de son sourire constant, elle était en train de s'écrouler.

Dora avait été élevée dans la croyance que si elle se pliait aux règles de comportement propre à une belle du Sud (ce par quoi il faut entendre une femme du Sud bien éduquée et, surtout, issue d'une bonne famille), elle pourrait s'attendre à ce que sa vie soit un véritable conte de fées. Sa vie serait la continuation dénuée de contretemps de celle que sa mère avait menée, et sa mère avant elle. Ces règles n'étaient pas écrites, seulement transmises à travers l'exemple et les réprimandes qu'une mère faisait à sa fille, puis à sa petite-fille, et ainsi de suite de génération en génération.

Ainsi Dora avait-elle vécu en fonction de ces règles. Elle avait été une bonne petite fille. Elle allait aux bals de débutantes, envoyait consciencieusement des mots de remerciement, avait fait ses débuts, toute vêtue de blanc, lors du bal de la Sainte-Cécile, et avait épousé un homme droit, issu d'une bonne famille du Sud. Une fois mariée, elle avait soutenu son mari dans sa carrière, avait fait du bénévolat dans sa communauté et sa paroisse. Puis, après avoir essayé pendant tant d'années, elle avait enfin mis au monde un fils. Dora avait cru qu'une vie parfaite s'offrait à elle et qu'elle n'aurait qu'à s'en emparer.

Quelle idiote, se maudit-elle, le visage caché derrière ses mains. Toutes ses attentes n'étaient rien d'autre que des illusions. Et ces prétendues règles… Elle baissa les mains en faisant la grimace. Quelle blague! Était-elle censée envoyer un mot de remerciement à Cal pour la misère qu'il lui proposait?

Elle regarda en direction de la collection d'antiquités regroupées dans le salon sous une bâche de plastique. Oui, sans doute que cette maison pourrait anéantir tous ses espoirs. Et oui, les meubles avaient besoin d'être retapissés. Mais ces meubles, cette porcelaine et cette argenterie, c'étaient tous des objets chéris chargés d'une signification profonde. Ils représentaient une continuation de la *famille* d'une génération à la suivante. Pourquoi devrait-elle les abandonner, maintenant, au moment où elle en avait le plus besoin?

De toute manière, ce n'était pas *elle* qui mettait fin à leur mariage!

Émotive, mon cul, pensa-t-elle encore en se dirigeant vers la cuisine, pleine de colère. Elle s'empara du sac contenant le poulet à emporter qu'elle avait rapporté et l'ouvrit. L'arôme délicieux, fumant et graisseux se répandit dans l'air et lui mit l'eau à la bouche. Alors qu'elle saisissait une cuisse de poulet frit, un sentiment de culpabilité se répandit en elle. Harper et Carson feraient une crise si elles voyaient ce qu'elle mangeait. Dora chassa de sa tête la vision de leurs visages pleins de reproches. Qu'elles soient fâchées. Et tant pis pour son régime et pour sa ligne. Ce soir, elle méritait une gâterie. Fermant les yeux, elle mordit dans le met hypercalorique et avala tout rond. Elle en prit une nouvelle bouchée, mais sans en apprécier le goût. Dora savait que, pour le moment, la nourriture pourrait lui donner un sentiment de plénitude, mais qu'elle n'aurait aucun effet sur la véritable faim qui la rongeait.

Elle avait à peine pris quelques bouchées de son repas quand la sonnette se fit entendre. Dora tourna la tête vers la porte d'entrée en se demandant si elle devrait ouvrir. Avec un regard plein de désir pour sa portion de macaroni au fromage, elle reposa sa cuisse de poulet sur son assiette en poussant un soupir résigné. Dora n'était pas du genre à ne pas répondre à la porte ou au téléphone. S'essuyant la bouche avec sa serviette en papier, elle se dépêcha d'aller ouvrir.

La dernière personne qu'elle s'attendait à voir était Cal.

Immédiatement, le cœur de Dora se mit à battre à tout rompre et inconsciemment, sa main se porta vers ses cheveux. Cal avait retiré son nœud papillon et le veston en crépon de coton qu'il avait portés chez l'avocat. Il était en face d'elle, détendu, les manches de sa chemise blanche roulées, une bouteille de vin à la main, l'air penaud.

– Cal ! Mais qu'est-ce que tu fais ici ?

– Je me suis dit que je passerais. Pour voir comment tu allais. Après ce qui s'est passé aujourd'hui, eh bien… je me suis dit que nous pourrions discuter un peu, dit-il en lui présentant la bouteille de vin comme un gage de réconciliation.

Dora l'examina avec froideur en dépit de son cœur qui continuait de battre la chamade.

– Tu ne penses que nous avons assez discuté ce matin ?

Cal remua la tête.

– Ce sont les avocats qui ont parlé, aujourd'hui. Alors je me suis dit que, peut-être, toi et moi, nous avions le droit de discuter, nous aussi.

Dora pouvait à peine en croire ses oreilles. Était-il possible qu'elle l'ait mal jugé ? Elle demeura hésitante, la main serrée sur la poignée de la porte.

– Je ne sais pas si nous devrions nous parler sans la présence de nos avocats, répondit-elle évasivement.

– C'est ce qu'ils prétendent, tout en nous facturant un taux horaire pour les laisser discuter pour nous. Dora, nous savons aussi bien l'un que l'autre qu'aujourd'hui, la rencontre a tout simplement été horrible.

Pour seule réponse, Dora hocha la tête.

– En dépit de tous les hauts et les bas, poursuivit Cal, nous avons toujours tenté d'être justes et raisonnables. Pourquoi devrions-nous cesser de l'être maintenant ? Essayons, toi et moi, d'arriver au cœur du problème et de parvenir à un accord.

Puis, riant avec autodérision :

– Ça nous permettra aussi d'économiser des milliers de dollars en frais par la même occasion. De toute manière, ajouta-t-il, son sourire grandissant lentement, il y a longtemps que nous avons parlé, tous les deux.

Comme il voyait qu'elle ne répondait toujours pas, il ajouta :

– Nous pouvons au moins essayer, qu'en dis-tu ?

Dora considéra son mari un long moment. Calhoun Tupper n'était pas un bel homme quand elle l'avait épousé, mais son allure, qui avait été dégingandée, vieillissait bien. Certains hommes avaient ce genre de chance. C'était son charme du

Sud indéniable qui avait tout abord attiré son intérêt. Et c'était ce charme qu'il était en ce moment en train de déployer sur elle.

– Je ne peux pas m'empêcher de me demander où nous en serions si tu m'avais fait cette proposition il y a un an, lui dit-elle d'une voix plus douce, il y a six mois, même, au lieu de t'en aller.

Cal eut le tact d'avoir l'air honteux.

– Tu as peut-être raison.

Dora étudia l'homme qui était en face d'elle. Il semblait être en train de lui proposer d'enterrer la hache de guerre. Elle aurait tant souhaité pouvoir le croire. Il était toujours son mari, le père de son enfant. Il prononçait toutes les paroles appropriées. Mais chez l'avocat, les couleuvres qu'on avait tenté de lui faire avaler lui étaient restées en travers de la gorge. Maintenant, sa nature pragmatique prenait le dessus, et elle restait sur ses gardes. Elle ouvrit tout grand la porte et le laissa entrer dans sa maison avec froideur. *Leur* maison, se corrigea-t-elle, tout au moins jusqu'à ce qu'un juge en décide autrement.

Tout en suivant sa silhouette si familière de l'entrée jusqu'à la cuisine, Dora repensa au nombre incalculable de fois qu'il avait parcouru la distance jusqu'à la cuisine quand il rentrait du travail. Il desserrait sa cravate, déposait son porte-documents, lui faisait une bise sur la joue avant de se diriger vers le réfrigérateur pour y prendre une bière. Ce soir, il avait apporté du vin, nota-t-elle. La boisson qu'*elle* préférait. Tandis que Cal faisait comme chez lui, ouvrant l'un des tiroirs de la cuisine pour y prendre le tire-bouchon, Dora alla chercher dans le réfrigérateur les raisins verts sans pépin qu'elle avait rapportés. Tout en rinçant les fruits dans l'évier, elle regarda Cal en train d'enfoncer avec adresse la mèche dans le bouchon avant de la retirer avec un petit bruit sec.

Ils transportèrent le vin et le raisin dans la salle à manger, où ils retirèrent la bâche de plastique qui recouvrait la table. Le jour se couchait et des ombres dansaient sur les murs. Dora alluma quelques lampes et une lumière d'un jaune doux se répandit à travers les étages ; toutefois, l'atmosphère n'était guère romantique, ni même à la réconciliation. C'était étrangement gênant. Puis elle s'assit, en se disant à quel point c'était bizarre d'être maintenant installée en compagnie de l'homme avec lequel elle avait vécu pendant tant d'années comme s'ils étaient tous les deux des étrangers.

— La climatisation est en panne, dit Cal en soulignant une évidence.

— Oui. Je téléphonerai au réparateur demain.

— Espérons seulement qu'il ne faille pas remplacer tout le système. Il doit avoir plus de 20 ans, maintenant.

Cal n'avait pas à lui dire de l'*ajouter à la liste*, car tous deux savaient que l'autre pensait la même chose. Il s'appuya contre sa chaise et laissa son regard se promener dans la pièce.

— Bon, on dirait que les peintres se sont mis au travail.

— Pas de mauvaise surprise. Pour le moment.

— Content de voir que les couvreurs ont commencé, eux aussi.

Comme elle hochait la tête, il ajouta :

— Assure-toi de garder la maîtrise, n'est-ce pas ? Sinon, ils prendront tout leur temps, et nous voulons mettre la maison en vente le plus tôt possible.

— Oui.

— Et puis il y a le jardin, poursuivit-il. L'agent immobilier a spécifié qu'il fallait s'en occuper. C'est une vraie jungle. Je ne comprends pas pourquoi tu as voulu faire un jardin à papillons. Il n'y a plus que des mauvaises herbes, maintenant.

— C'était pour Nate, répondit-elle, irritée qu'il ne se souvienne pas. Pour ses leçons de science, tu te souviens ?

Nate avait été fasciné par les chenilles. Les monarques, les queues d'hirondelle, les *Agraulis vanillae*… Ils les avaient tous transportés à l'intérieur pour les élever, les regardant se transformer en chrysalides, pour ensuite les voir se changer en papillons.

Cal grogna avec dérision :

– Ce sont des leçons qui ont coûté cher. C'est une vraie jungle maintenant. Tu as tout laissé aller.

– Je n'ai personne qui m'aide, Cal, répondit Dora calmement.

– L'agent immobilier dit que tu devras faire quelque chose pour que ça paraisse mieux. Quoi que ce soit de bon marché. Engage quelqu'un juste pour tout tondre.

Dora serra la main sur son verre et prit une gorgée de vin sans rien répondre.

– Et Nate, comment il s'en sort, avec tout le tapage que doivent faire les ouvriers ?

Elle fut heureuse qu'il ait enfin pensé à demander des nouvelles de leur fils.

– Il n'est pas ici.

Sa réponse surprit Cal.

– Où est-il ?

– À Sea Breeze, avec Mamaw. Nous passons le reste de l'été là-bas.

– Tout l'été ? demanda-t-il avec incrédulité. Quand as-tu pris cette décision ?

– Le mois dernier. Je t'avais dit que nous y allions.

– Pour l'anniversaire de ta grand-mère, pas pour tout l'été.

– Mamaw nous a *invitées* – elle leva les doigts en prononçant le mot « invitées » comme pour le mettre entre guillemets – à rester pour tout l'été. En fait, ajouta-t-elle avec un rire sec, Mamaw nous a intimé de rester pour l'été tout entier, sans quoi nous serons déshéritées.

Dora réprima un sourire en voyant son air abasourdi, tout en se souvenant que ses sœurs avaient eu le même air quand Mamaw leur avait fait ce coup fourré.

— La vieille mégère, déclara Cal. C'est assez cavalier, si tu veux mon avis. Même pour elle. Comment pouvait-elle penser que vous pourriez faire vos valises et partir pour tout l'été, comme vous le faisiez quand vous étiez petites ? Tes sœurs ont un emploi, et toi… tu as des responsabilités, ici, avec cette maison. Tout ce qui se passe ici, qu'est-ce qu'elle en fait ?

Il fit alors un geste du bras pour indiquer les travaux qui étaient effectués sur la maison.

— Tu ne peux pas partir en ce moment.

Dora sentit sa colonne vertébrale se raidir à l'impudence de ces commandements. Dans un premier temps, Cal dénigrait tous les efforts qu'elle avait faits avec Nate, et voilà qu'il lui disait quoi faire ? Elle se rappela aussitôt les admonestations de Mamaw, lui demandant de canaliser l'esprit des Muir, et elle releva le menton.

— Tu oublies quelque chose, Cal. Je *peux* décider de partir quand je le veux. Je n'ai plus besoin de te consulter ou de te demander la permission. Tu as fait en sorte que les choses soient dorénavant bien différentes, entre nous.

Elle fit une pause en constatant les lèvres de son mari qui se pinçaient, son visage qui rougissait. Ses yeux semblaient être sur le point d'exploser, mais il réussit à se calmer.

Cal se racla la gorge :

— Dora, sois raisonnable…

— Mais je suis raisonnable, rétorqua-t-elle avec un sourire forcé, irritée qu'il sous-entende qu'une fois de plus, elle se montrait émotive.

Elle se tint encore plus droite sur sa chaise, pour ensuite se mettre à lui expliquer sa décision, tout en essayant de maintenir une voix posée.

– J'y ai bien pensé. C'est tout à fait sensé pour moi de rester à Sea Breeze avec Nate pendant qu'ici il y a des travaux. Les ouvriers seront au travail sans relâche. Nate ne serait pas capable de supporter d'entendre constamment les coups de marteau, de sentir toutes ces odeurs désagréables, d'endurer la chaleur. En plus, il serait effrayé par tous ces étrangers qu'il côtoierait toute la journée. Nous avons donc de la chance de pouvoir aller à Sea Breeze ! Évidemment, toi, tu pourrais rester ici pendant les rénovations, pour surveiller comment le tout se déroule.

Voilà ! Je ne suis absolument pas émotive, pensa-t-elle avec un sourire suffisant.

Le visage de Cal se raidit, mais il ne répondit pas.

– Qui plus est, je veux, encore une fois, passer un peu de temps avec Mamaw et mes sœurs. Mamaw a l'intention de vendre Sea Breeze. C'est notre dernière chance d'être encore toutes ensemble.

Le regard de Cal devint plus perçant.

– Elle va vendre Sea Breeze ?

Dora ne fut pas le moindrement surprise que cette information ait piqué son intérêt. Sea Breeze valait des millions étant donné le marché immobilier actuel.

– Oui.

– Ça devrait rapporter un joli magot.

Dora se contenta de hausser les épaules. Elle pouvait presque voir les chiffres faire des culbutes dans la tête de son mari.

– Je suppose que je peux comprendre pourquoi *toi*, tu as décidé d'y passer l'été, poursuivit-il en réfléchissant. Tu ne travailles pas. Ne monte pas sur tes grands chevaux, ajouta-t-il en levant les paumes de ses mains pour lui faire signe de ne pas s'y mettre. Je veux dire que tu n'as pas un véritable emploi, un lieu de travail. Ce que je ne comprends pas, c'est comment tes sœurs s'en sortent. Je veux dire, qui peut soudainement décider de tout quitter pour trois mois ? Même elles…

Cal n'avait jamais eu une très bonne opinion de ses demi-sœurs, même s'il les connaissait à peine.

— Je suppose que le moment leur convenait. Le feuilleton télé de Carson a été annulé, alors elle est entre deux rôles. L'idée de passer l'été à Sea Breeze sans avoir à payer de loyer lui plaisait particulièrement.

— De quoi s'inquiète-t-elle ? Les gens qui travaillent à Hollywood ne gagnent donc pas des sommes faramineuses ?

— Ça a étéla grande surprise. Carson n'a pas un sou. En fait, elle est complètement fauchée.

Il émit un petit rire de surprise plein de satisfaction. Cal avait toujours été mal à l'aise parce qu'il ne gagnait pas autant d'argent que beaucoup de ses amis d'enfance. Les promotions et les augmentations étaient une chose rare dans sa vie.

— Et Hadley ? C'est vrai qu'elle, elle n'a pas besoin de travailler.

— Elle s'appelle *Harper,* le corrigea Dora, agacée par son erreur.

Il était vrai qu'ils n'avaient pas été proches de Harper pendant toutes ces années, mais qu'il ne se souvienne pas de son prénom était tout simplement ridicule.

— Tu ne te souviens donc pas que papa nous a donné à toutes les trois le prénom d'un de ses auteurs du Sud préférés ?

— Oui, c'est vrai, répondit-il d'une voix traînante, comme s'il se souvenait d'une plaisanterie. Voyons, il s'agit de Harper Lee, Carson McCullers et… Eudora Welty, énonça-t-il en indiquant Dora d'un geste de galanterie moqueuse.

Cal prit alors un raisin de la grappe, le tint un instant entre deux doigts.

— Parker Muir, le grand écrivain. Considérant que ton père n'a jamais rien publié, c'en est presque pathétique, non ?

Sur ce, il avala le raisin.

La dureté de ces paroles fit rougir Dora.

– Absolument pas, défendit-elle son père. Je pense au contraire que ça démontre son sens de la culture… en plus d'un certain charme du Sud.

Elle saisit son verre de vin, sa confiance ayant besoin de soutien.

Cal se contenta de hausser les épaules.

Elle put alors sentir que l'atmosphère avait subtilement changé, entre eux, et qu'une nouvelle tension bouillonnait sous la surface.

– Alors, comment se sent Nate à Sea Breeze ? finit-il par demander. Je suis tout de même surpris que tu l'aies laissé là-bas sans toi. Il n'a pas fait d'éclat ?

Elle aurait voulu lui répondre : *Si tu t'*étais donné la peine de nous téléphoner au cours des dernières semaines, tu serais au courant. Mais comme elle ne voulait pas tomber dans de telles mesquineries, elle lui dit :

– Bien, dans les circonstances.

– Quelles circonstances ? Je ne comprends pas.

– C'est une longue histoire.

Cal soupira, impatient.

Dora décida donc de lui donner la version abrégée. Elle savait que son attention était limitée quand il s'agissait de sa famille à elle, et même de son fils.

– Nate est tombé amoureux fou d'un dauphin qui venait jusqu'au quai. Tu sais comment il est quand quelque chose l'intéresse. Il s'est mis à étudier les dauphins, à parler constamment d'eux, et à passer beaucoup de temps à nager dans la crique en compagnie de Carson.

Un sourire illumina le visage de Dora tandis qu'elle se souvenait du visage de Nate, si vivant et plein d'animation, dans l'eau avec le dauphin.

– Oh, Cal, j'aurais tellement aimé que tu le voies en train de nager. Il est devenu si fort, si bronzé. Tellement beau... Il adorait être dans l'eau.

– C'est du nouveau, ça. Il a toujours fallu se battre avec lui pour qu'il y aille.

– Je sais.

Elle fit une pause avant de relater la partie difficile.

– Il aimait aussi pêcher du poisson pour nourrir Delphine. Et c'est ce qui a provoqué l'accident, tu vois. En attirant le dauphin jusqu'au quai. Elle s'est horriblement emmêlée dans les lignes. Oh, Cal, c'était affreux...

Dora ferma les yeux, se souvenant de la profondeur à laquelle les fils de pêche s'enfonçaient dans la chair du dauphin chaque fois qu'elle se dressait pour respirer.

– Il est mort ? demanda-t-il.

– Il est encore trop tôt pour le savoir. Carson a suivi le dauphin en Floride, dans un centre de réadaptation.

Elle remua la tête.

– Je m'inquiète pour Nate, si jamais elle devait mourir. Depuis cet accident, il est retourné dans sa chambre avec ces fichus jeux vidéo. Il refuse de sortir ou d'aller nager dans la crique. J'ai bien peur qu'il ne soit de nouveau dans l'une de ses périodes difficiles.

– Je n'ai jamais été d'un bien grand secours durant ces périodes, reconnut Cal.

– Tu aurais pu essayer, remarqua Dora sèchement.

À sa grande surprise, Cal hocha la tête.

– Je dois reconnaître qu'il y a des moments où j'aurais pu me montrer plus patient à son égard, concéda Cal.

Dora en eut le souffle coupé. Jamais, auparavant, Cal n'avait reconnu ne pas avoir très bien traité Nate.

– Il n'a que neuf ans. Il te reste beaucoup de temps pour te rapprocher de lui.

– C'est vrai.

Pendant un instant, Dora ressentit presque de l'espoir. Peut-être y avait-il un moyen pour eux de régler leurs problèmes, de demeurer une famille. Ils devaient à Nate d'essayer. Elle était sur le point de prononcer ces mots quand Cal reprit la parole, d'un ton soudainement sérieux et fatigué, balayant du même coup toute image d'un père plein de remords.

– Quoi qu'il en soit, Dora, dit-il, le regard concentré sur un point au-dessus de sa tête, ce n'est pas de ça que je suis venu te parler.

Dora se sentit le cœur lui monter à la gorge et ses joues se mettre à brûler. Tout en sachant que c'était une erreur, elle avait un instant cessé de se méfier en pensant qu'il avait peut-être changé. Or, elle savait qu'il allait maintenant piétiner cette vulnérabilité.

– Je vois, déclara-t-elle d'une voix soigneusement mesurée. De quoi veux-tu me parler ?

Cal étudiait à présent le verre à vin, comme s'il recelait tous les secrets de l'Univers. Après un moment, il croisa ses mains sur la table et la regarda dans les yeux.

– Je suis venu te proposer un divorce à l'amiable.

– Un divorce à l'amiable ? répéta-t-elle sans comprendre le sens de cette expression.

– Oui.

Cal se pencha légèrement vers elle et se mit à parler d'une voix régulière et réfléchie, comme s'il avait appris chacun de ces mots par cœur, ce qui fit encore plus peur à Dora que s'il s'était mis à crier.

– Tu comprends, un divorce n'a pas à être une véritable curée. Tu as pu constater toute la tension, toute la colère qui était refoulée chez l'avocat, ce matin. Un divorce peut se faire à l'amiable si le couple en train de divorcer exprime avec franchise ses besoins et ses désirs, tout en réglant les problèmes auxquels il fait face.

— *Le couple en train de divorcer,* répéta-t-elle, incrédule et pleine de rage face à la prétention et à la distance de son mari. Mon Dieu, Cal, on dirait une véritable publicité. Le couple en train de divorcer ? Il n'y a que toi et moi.

Cal se renfonça sur sa chaise, quelque peu insulté.

— D'accord, répondit-il seulement.

— Continue, je t'écoute.

— En gros, toi et moi, nous allons déterminer tous les détails nous-mêmes, reprit-il en abandonnant son ton impérieux. Pas nos avocats. Si nous leur demandons de régler nos problèmes, ça peut prendre une très mauvaise tournure, et notre dossier risque de durer une éternité, sans compter que ça nous coûtera une fortune en frais d'avocat. Pense seulement à ce qui s'est passé aujourd'hui. Ton avocat ne cessait de surprendre le mien, et ça devenait litigieux. À mon avis, nous pouvons en arriver à un projet d'accord nous-mêmes et demander à nos avocats d'y jeter un coup d'œil, ce qui nous permettrait de rester amis. Moi, j'aimerais que ça se passe comme ça, pas toi ? Ça vaudrait tellement mieux pour Nate, aussi, tu ne penses pas ?

Cal ayant effectivement balayé du revers de la main ses illusions pleines de dénis, Dora pouvait écouter ses paroles et constater à quel point il en mettait. *Son* avocat aurait tenté de surprendre le sien ? C'était exactement le contraire.

— Je ne crois pas, Cal, répondit-elle d'une voix posée. J'ai vu ce que tu m'offrais aujourd'hui. Si c'est ta manière de régler les problèmes, alors tu peux prendre ton règlement et te le mettre où je pense.

Elle lui sourit gentiment.

Le visage de Cal se colora.

— Alors, tu as décidé d'être comme ça…

— Je me contente de poursuivre dans la direction sur laquelle tu nous as engagés.

— Je pensais, bon…

Cal s'enfonça sur sa chaise, plaquant ses mains sur ses cuisses dans un geste d'impatience.

– Je ne sais pas pourquoi je m'attendais à ce que tu sois raisonnable.

– Tu pensais que je ne réagirais pas, que je ferais tout ce que tu me dirais de faire, comme je l'ai toujours fait. N'est-ce pas ? Cette bonne vieille Dora, elle va se soumettre.

Dora le pointa du doigt.

– C'est *toi* qui es parti, Cal. C'est toi qui as franchi cette porte, et ce n'est pas seulement moi que tu as laissée derrière, mais ton fils aussi. Je m'attendais à ce qu'un homme s'étant comporté d'une telle manière ressente un peu de culpabilité. Je m'attendais à ce que tu te montres généreux. Que tu sois *raisonnable.*

Elle s'esclaffa avec mépris.

– J'ai pu voir à quel point tu étais raisonnable. Nate et moi ne pouvons survivre avec ce que tu me proposes !

– Si j'avais plus, je te proposerais plus !

– Je sais exactement combien tu gagnes, et je sais que je suis en train de me faire avoir. Tu as toujours été radin, Cal. Je ne parle pas seulement d'argent. Nous avions toujours dit que si quoi que ce soit arrivait à notre couple, les antiquités dont tu as hérité retourneraient à ta famille, et que ma famille retrouverait les miennes. Or, voilà que maintenant, tu les veux en plus.

– Tout ce que nous possédons, les meubles inclusivement, sont considérés comme faisant partie du patrimoine familial. Les avocats nous l'ont expliqué. Nous devons donc les répartir équitablement.

– Nous devons ? Si nous faisons ce truc de divorce à l'amiable, nous pouvons faire ce que nous voulons. Tu viens juste de le dire.

Cal posa son verre et se leva brusquement, sa chaise grinçant contre le parquet.

– Je vois bien qu'il est inutile de discuter de quoi que ce soit quand tu es dans une telle humeur. Voilà de qui Nate tient.

Dora en eut le souffle coupé. Elle ressentit une vive douleur, comme si ces paroles avaient été un coup de poignard en plein cœur. Elle avait toujours su qu'au fond, il la tenait responsable de l'autisme de Nate. Son cœur se mit à battre à tout rompre et sa bouche devint sèche avant qu'elle puisse répondre.

– Il vaut mieux que je m'en aille, dit-il.

– Oui, va-t'en. Tu es doué pour ça !

Son visage se crispa et il se tourna pour partir.

– Ce n'est pas seulement moi que tu as quittée, tu sais, cria-t-elle tandis qu'il s'éloignait. Tu as aussi quitté Nate.

Il se retourna pour lui faire face, le visage déterminé.

– Oui.

Elle eut mal au cœur pour son fils, son pauvre garçon, si seul et si triste.

– Tu ne lui téléphones pas, tu ne viens pas le voir. Tu es un mauvais père, tu en es conscient ?

Elle pouvait sentir ses émotions sur le point de la dépasser, mais était incapable de les maîtriser.

– Tu n'as même pas emmené Nate à la pêche une seule fois.

– À la pêche ? Bon sang… D'où ça sort, ça ?

– Il voulait apprendre à pêcher, comme tout petit garçon. C'est Mamaw qui lui a appris. Pas toi. Tu ne lui as jamais rien appris. Il n'a jamais été qu'une déception pour toi.

– Dora, nous sommes en train de changer de sujet. Pourquoi fais-tu ressortir toute cette colère alors que la seule raison pour laquelle je suis venu te voir ce soir, c'est pour essayer d'en arriver à une entente à l'amiable ? C'est toujours la même chose. Tu deviens tellement émotive.

– Tu veux voir des émotions ? Je vais t'en montrer !

Son ton s'était élevé : elle criait maintenant.

– Pourquoi m'as-tu quittée ? Tu ne me l'as jamais dit. Pourquoi ?

Plus elle haussait le ton, plus Cal se refermait sur lui-même. Finalement, il souffla brutalement.

– Je détestais ma vie, répondit-il avec simplicité.

Dora se tut, bouche bée, prise de court.

– Tous les soirs, en rentrant à la maison, je me retrouvais face à la porte en éprouvant tant de ressentiment de devoir entrer dans cette maison.

Il balaya la pièce du regard.

– Je déteste cette satanée maison, cracha-t-il d'une voix froide et monocorde. Elle a été un véritable boulet. Et puis, à peine étais-je entré, tu te mettais à déverser sur moi tous les problèmes de Nate, ou les problèmes de la maison, ou ceux du jardin. Il y avait toujours des problèmes ! Je n'avais pas même cinq minutes pour m'asseoir et me détendre que déjà tu te mettais à vouloir discuter de quelque terrible problème, par exemple du fait que le broyeur à déchets était cassé.

– Tu aurais pu m'en parler ! J'aurais été moins accaparante.

– Ce n'est pas seulement ça.

– Quoi d'autre, alors ?

– C'est nous.

– Quoi, nous ?

– Il n'y a pas de nous ! explosa Cal. Il y a longtemps qu'il n'y a plus rien. Il y avait seulement Nate et toi. Moi, j'étais la troisième roue. Évidemment, je comprends que Nate avait besoin d'une bonne partie de ton attention. Je le comprends tout à fait. Mais une fois que tu as entendu son diagnostic, tu en as fait une obsession. Tu ne pouvais jamais en faire assez. Tu étais *sur*impliquée. Toute notre vie tournait autour de lui. Dora, tu rôdes constamment autour de lui. Tu planifies chaque instant de sa vie.

– Mais c'est mon rôle ! hurla-t-elle, au bord des larmes. Je suis sa mère !

— Mais tu étais aussi ma femme ! Tu as oublié cet aspect-là. Je ne passais plus qu'en dernier.

— Tu passais en dernier ? Je préparais tes repas, je faisais ton ménage, ta lessive.

— C'est une femme que je veux, pas une satanée bonne !

Dora prit une grande respiration. Bien plus que tout ce qu'elle avait entendu chez l'avocat, bien plus que toutes les listes des grands livres, cet instant lui disait avec certitude que son mariage était terminé. Il ne l'aimait pas, il ne l'aimait plus depuis déjà un certain temps. Il ne l'aimerait jamais plus.

— Je… Je ne savais que c'était ce que tu ressentais.

Elle dut réprimer ses larmes.

Cal remua la tête, épuisé. Il était la parfaite illustration d'un homme qui jette l'éponge. D'une voix plus douce, il lui dit :

— Dora, je t'en prie, ne pleure pas…

Mais ses paroles eurent pour seul effet de la faire sangloter davantage. Elle tenta de reprendre sa respiration, mais en fut incapable. Elle avait l'impression qu'il lui avait arraché le cœur, qu'il le lui tordait, toujours plus fort. Elle sentit une douleur sous ses côtes et serrant les bras autour de sa poitrine, elle se plia en deux.

— Dora, qu'est-ce que tu as ? s'enquit-il en faisant un pas vers elle.

Son cœur battait tellement fort qu'elle pouvait à peine l'entendre tant ses oreilles bourdonnaient, tels des coups de tonnerre. Elle chancela, ses genoux cédant sous son poids.

— C'est mon cœur. Je ne peux plus respirer.

CHAPITRE 3

SARASOTA, FLORIDE

Un vent salé et étouffant souleva les longs cheveux noirs de Carson, comme un fourreau de soie sur ses épaules. C'était le seul mouvement visible tandis qu'elle restait assise sur une chaise de métal, aussi immobile qu'une statue, penchée vers l'avant, le menton dans la main. Elle avait un corps athlétique, puissant et bien entraîné. Elle pouvait rester dans cette position un long moment, le regard concentré comme un rayon laser sur un aquarium bleu en particulier, à l'hôpital pour cétacés Mote Marine.

Cette zone au fond de l'hôpital était plus utilitaire que le grand et bel aquarium du Mote. Un mur imposant était dominé par un beau mural aux couleurs vert d'océan et blanc représentant des dauphins. Le mural détournait l'attention des murs gris acier recouverts de stuc et des aquariums qui s'élevaient dans le secret de cette arène extérieure. Quelques aquariums bleus occupaient un angle de cet espace. Tous étaient vides, à l'exception d'un seul, dans lequel se trouvait un dauphin.

– Oh, Delphine, murmura Carson.

Carson avait eu peine à reconnaître la belle et séduisante Delphine qu'elle connaissait à Sullivan's Island. Ce dauphin était une femelle vigoureuse et lisse, dans la fleur de l'âge. La peau de celui-ci était d'un gris terne, elle était apathique et faible, et son long corps était sillonné de cicatrices.

En fixant le dauphin sans énergie, Carson ne pouvait bouger ou parler. Son cœur était écrasé sous le poids de sa culpabilité. Assise dans l'éclat aveuglant du soleil, sentant sa brûlure, Carson devait reconnaître que c'était sa faute si le dauphin s'était si gravement blessé. Comme Blake lui avait dit, voilà à quoi son égoïsme les avait menés.

Blake Legare travaillait à la National Oceanic and Atmospheric Administration à Charleston. Il avait été son ami, son amant, mais le fait qu'elle lui ait caché avoir apprivoisé un dauphin au quai de Sea Breeze avait créé un gouffre entre eux. Elle avait agi à contre-courant de tous ses efforts pour éduquer le public sur ce qu'il ne fallait pas faire et en fin de compte, elle lui avait donné raison. Elle avait nourri un dauphin sauvage, et voilà que ce dauphin s'était blessé. Néanmoins, Blake avait fait en sorte qu'elle puisse se rendre à l'hôpital pour cétacés Mote Marine, où il avait emporté Delphine pour la soigner. Ce pour quoi elle lui serait toujours reconnaissante.

La veille, Carson avait roulé de Sullivan's Island jusqu'à Sarasota. Fatiguée, affamée, elle était arrivée en ville tard. Elle avait pris une chambre dans un modeste motel, aussi près de l'hôpital Mote Marine qu'elle pouvait se le permettre. Elle avait à peine fermé l'œil en attendant l'aube et était déjà devant les portes de l'hôpital quand celui-ci avait ouvert.

Le personnel avait été mis au courant de son arrivée imminente et était plutôt amical, mais jusqu'à ce que la permission formelle d'entrer lui soit donnée, tout ce qui lui était permis était de pénétrer dans l'hôpital, d'attendre patiemment et de regarder. Elle était assise depuis plus d'une heure, ce qui avait suffi pour qu'elle puisse constater à quel point Delphine était malade. En dépit des avertissements de Blake, elle ne s'était pas attendue à ce que le dauphin ait de telles blessures.

Un peu plus tard, Carson entendit une voix appeler son nom. Elle se tourna et vit une grande et belle femme en maillot de bain et au t-shirt de compression d'un bleu éclatant orné de mote sur la poitrine. Ses cheveux blonds étaient attachés en queue de cheval et elle avait une planchette à pince à la main. Carson fut debout en un bond, impatiente de parler de Delphine avec quelqu'un.

– Vous êtes Carson Muir ? demanda la jeune femme.

– C'est moi, répondit Carson en lui tendant la main.

– Lynne Byrd, se présenta la jeune femme en serrant la main de Carson machinalement.

Lynne jeta un coup d'œil à sa planchette à pince avec une attitude sérieuse.

– Selon les informations dont je dispose, vous avez fait une demande de participation comme bénévole au programme de réadaptation des dauphins.

– Oui.

– D'accord. Voyons un peu.

Elle examina ses notes.

– C'est le docteur Blake Legare qui a communiqué avec nous.

Elle leva la tête.

– Vous connaissez Blake ?

Carson regarda la jeune femme exceptionnellement jolie et ressentit une pointe de jalousie.

– C'est un ami.

Elle sourit.

– Ouais, Blake est un type bien. Nous avons déjà travaillé ensemble, lâcha-t-elle d'une manière désinvolte qui montrait bien qu'il s'agissait strictement d'une relation professionnelle. Il a demandé à ce qu'on vous permette de travailler spécifiquement avec le dauphin Delphine.

Elle leva la tête d'un air interrogateur.

– Pourquoi ce dauphin ?

– Je la connais.

– Vous la *connaissez* ?

Carson entendit dans la voix de Lynne le même ton plein de blâme qu'elle avait remarqué chez Blake quand il avait appris que Carson avait apprivoisé un dauphin sauvage.

Carson hocha la tête.

– C'est une longue histoire.

– J'aimerais bien l'entendre.

Carson fit passer son poids d'une jambe à l'autre, résignée à raconter de nouveau ce pénible incident. Elle savait que Lynne écouterait soigneusement non seulement ce qu'elle dirait, mais aussi ce qui resterait non-dit. Elle se rappela la première fois qu'elle avait vu Delphine dans l'océan Atlantique ce matin fatidique.

– Je surfais au-delà d'Isle of Palms quand un dauphin m'a protégée d'un requin-bouledogue qui m'embêtait. J'avais lu que ce genre de choses arrivait, que les dauphins sauvaient la vie des gens, mais on n'y croit jamais vraiment, non ? Or, ça m'est arrivé, à *moi*, ajouta-t-elle d'une voix sombre. Je crois… je sais que ce dauphin m'a sauvé la vie.

Lynne inclina la tête d'une manière qui indiquait à Carson que son intérêt était piqué.

– J'ai entendu ce genre d'histoire, moi aussi. Et j'y crois, reconnut Lynne. Il y a trop de cas documentés pour que ce ne soit pas le cas.

Immédiatement, la jeune femme plut à Carson.

– Mais Delphine a payé le prix de son héroïsme. En effet, quand elle a essayé de s'éloigner, le requin l'a attaquée et lui a arraché un bout de nageoire.

– Nous avions compris que la partie manquante de sa nageoire était le résultat d'une quelconque attaque, affirma Lynne.

Carson hocha la tête.

– Quelques jours plus tard, alors que je faisais de la planche à bras dans la crique (c'est une étendue d'eau derrière Sullivan's Island, en Caroline du Sud), un dauphin s'est mis à me suivre, en m'examinant. Quand j'ai vu sa nageoire au bout manquant, j'ai su qu'il s'agissait du même dauphin qui m'avait secourue. Je n'arrivais pas à y croire.

Elle pouffa de rire.

– Le dauphin, lui, m'avait reconnue avant même que moi, je la reconnaisse.

Lynne hocha la tête.

– Ça m'amuse toujours quand les gens sont surpris de constater à quel point les dauphins sont intelligents. Nous savons que ce sont des animaux d'une intelligence exceptionnelle, mais chaque fois que nous leur attribuons certaines qualités de type humain, nous trouvons que c'est difficile à accepter. Pourtant, oui, les dauphins sont si intelligents que ça.

Elle fit une pause pour noter quelque chose sur sa planchette à pince.

– Alors, comment s'est-elle retrouvée piégée dans tous ces fils de pêche ?

– C'est la partie que j'ai honte de raconter, admit Carson.

Toutefois, il était impossible d'éviter le rôle qu'elle avait joué dans les malheurs du dauphin.

– Je suppose que j'ai été flattée que le dauphin me reconnaisse. En plus, elle semblait vraiment vouloir devenir mon amie, autant que moi aussi, je voulais nouer une relation avec elle. Je sais bien que j'aurais dû en rester là. Mais ce ne fut pas le cas. Je pensais que d'une manière ou d'une autre, j'étais spéciale. Alors, je l'ai encouragée. Je lui ai donné un nom. Nous avons nagé ensemble, et je l'ai appelée jusqu'au quai.

Elle fit une pause et grimaça.

— Nous lui avons donné du poisson. Je sais, je sais…, ajouta-t-elle rapidement en voyant le regard de Lynne s'embraser. Je n'aurais pas dû. Nous avons tout fait de travers.

— Ouais, c'est le cas de le dire, déclara Lynne, mais il n'y avait pas de mépris dans sa voix.

Carson poursuivit.

— Un soir, mon neveu a disposé des lignes de pêche pour attraper du poisson pour nourrir Delphine. Il n'a que neuf ans, il a voulu bien faire. Cependant, le lendemain matin, j'ai découvert Delphine tout emmêlée dans les lignes de pêche.

Elle ferma les yeux. Carson n'oublierait jamais les cris de Delphine perçant le calme matinal ni la vue de ses efforts pour respirer dans la mer agitée, les fils tranchants comme un rasoir s'enfonçant toujours davantage dans sa chair.

— J'ai donc téléphoné à Blake et l'équipe du NOOA est venue à son secours. Ma grand-mère a organisé son transport aérien jusqu'ici.

Elle regarda ses pieds.

— Vous connaissez la suite.

Il y eut un moment de silence pendant lequel Lynne sembla considérer cette histoire.

Enfin, Carson se racla la gorge.

— Et maintenant, comment va Delphine ?

Le visage de Lynne était grave.

— Eh bien, commença-t-elle sans prendre de détour tout en regardant de nouveau ses notes sur sa planchette à pince. Le dauphin est dans un état critique. Elle a subi un grand nombre de lésions aux pectoraux et aux nageoires dorsales, des coupures graves sur toute la surface de son corps. Les lignes de pêche s'étaient enfoncées profondément et une chirurgie a été nécessaire pour les retirer.

Lynne tourna la page et continua de lire avant de froncer les sourcils.

– Ce qui était vraiment grave, c'étaient les deux hameçons enfoncés dans le voile du palais.

Lynne remua la tête.

– C'étaient des hameçons vraiment dangereux. En fait, j'ai rarement vu des mammifères si près de la mort en réchapper. Son bec était béant, ses yeux vitreux. Je croyais qu'elle nous avait quittés. Mais ce dauphin a un puissant instinct de survie. On lui a donné des antibiotiques et des fluides. Nous pensions que nous faisions des progrès.

– Vous pensiez ?

Lynne leva la tête de sa planchette à pince.

– Elle a arrêté de manger. Delphine ne montre aucun intérêt pour la nourriture. C'est très inquiétant.

Carson sentit son estomac se nouer.

– Qu'allez-vous faire ?

Soudainement, Lynne sortit de son attitude professionnelle tout en se penchant vers Carson et en touchant doucement son poignet avec compassion.

– Nous ferons tout ce que nous pouvons. À ce stade-ci, c'est une situation critique. Delphine continue de recevoir des soins 24 heures sur 24 d'une équipe de bénévoles qualifiés qui la suivent de très près. Certains d'entre eux se chargent même des quarts de nuit. Nous leur sommes très reconnaissants.

– Je pourrais m'en occuper, répondit instantanément Carson.

Lynne fit une pause.

– Je serai franche avec vous. Quand j'ai appris que vous viendriez, dans un premier temps, ça m'a irritée. Je me disais que la dernière chose dont j'avais besoin, c'était d'une amatrice qui voulait jouer à Flipper dans mon aquarium. Toutefois, je connais Blake Legare et je lui fais confiance. Selon lui, je devrais vous donner une chance avec ce dauphin.

Carson ne répondit rien.

Lynne poursuivit.

— Delphine est faible, mais elle nage d'elle-même pendant de courtes périodes en se tenant plus droite qu'au moment où elle est arrivée. Le personnel tente en ce moment de l'encourager à nager d'elle-même plus longtemps.

Elle regarda en direction de Delphine dans son aquarium et soupira, inquiète.

— Mais elle est tellement apathique.

Carson suivit le regard de Lynne.

— Elle semble déprimée.

— Je n'aime pas utiliser des termes humains quand il s'agit de dauphins, mais…

Lynne haussa légèrement les épaules.

— Oui, je dirais qu'elle a l'air déprimée.

— C'est qu'elle est toute seule dans cet aquarium.

— Nous ne voulons pas trop encourager son interaction avec les humains, ni qu'elle associe les humains à la nourriture, alors le moins nous intervenons, le mieux ce sera pour elle à long terme.

Lynne baissa sa planchette à pince le long de son corps.

— Mais… Il y a 20 ans que je m'occupe des dauphins, et tous les 36 du mois, je tombe sur un dauphin particulièrement sociable. Je pense que Delphine est l'un d'entre eux.

Elle esquissa un sourire tandis qu'elle se remémorait quelque chose.

— Habituellement, nous ne les touchons pas. Une fois où j'étais avec elle dans l'aquarium, j'ai passé ma main sur sa peau sans faire exprès. Elle a sifflé en me regardant. C'est-à-dire qu'elle m'a vraiment regardée, comme ce que vous me racontiez. Je suis convaincue que si elle avait été un chat, elle aurait ronronné.

Le souvenir de Delphine dans la crique, la tête penchée, ses grands yeux noirs brillants, revint un instant en tête à Carson.

— Oui, je connais ce regard.

Considérant ce qu'elle venait de dire, Lynne étudia le visage de Carson.

– Je pense qu'il y a un lien entre vous et ce dauphin. Si elle vous reconnaît, ça pourrait l'aider à passer au travers.

– Il y a vraiment un lien entre nous. Je suis sûre qu'elle me reconnaîtra, affirma Carson avec détermination.

Lynne hocha la tête avec fermeté puis regarda sa montre.

– Il est temps de donner ses médicaments à Delphine. Vous pouvez venir avec nous dans l'aquarium. Nous verrons comment Delphine réagit avec vous. C'est elle qui décidera.

– Merci, dit Carson.

– Ne me remerciez pas, répondit Lynne, qui avait repris ses manières brutales. Nous voulons toutes deux ce qu'il y a de mieux pour ce dauphin.

Carson fut conduite jusqu'aux toilettes où elle put se changer et mettre son maillot de bain. Un bénévole lui donna un t-shirt de compression bleu du Mote, puis la mena où se trouvaient Lynne et un autre membre du personnel du Mote, à côté d'un grand aquarium bleu. Au-dessus d'eux, le soleil était éclatant et le ciment lui brûlait les pieds tandis qu'elle traversait la place. Le cœur de Carson battait à toute vitesse. Elle était impatiente d'être près de Delphine, tout en le redoutant. Serait-elle la bienvenue ? se demanda-t-elle. Ou était-elle en si mauvais état qu'elle ne la reconnaîtrait pas ?

Lynne et la technicienne vétérinaire escaladèrent l'échelle pour entrer dans l'aquarium, suivies de Carson. En jetant un coup d'œil par-dessus le bord, elle vit Delphine de l'autre côté du grand aquarium, et elle perdit le souffle. De plus près, elle pouvait parfaitement voir les cicatrices d'un blanc brillant encore si vives qui sillonnaient le corps gris de Delphine. Elle suivit les autres femmes au bas de l'échelle pour pénétrer dans l'eau froide qui lui montait jusqu'à la taille. Lynne et la technicienne étaient déjà à côté de Delphine et la tenaient fermement. Carson resta en arrière, le regard rivé sur elle. Elle flottait de manière plus verticale que ce qui est normal pour un dauphin. Ses beaux yeux étaient ouverts, formant à peine deux rides sur sa grande tête grise. Elle avait presque l'air sans vie.

– Il faut que vous nous aidiez à lui tenir la tête pour que je puisse lui donner ses médicaments, indiqua Lynne en lui faisant signe de venir.

Carson s'approcha alors de Delphine d'un pas très lent.

Celle-ci, consciente de chacune des personnes présentes dans l'aquarium, inclina la tête du côté la nouvelle venue en train de se diriger vers elle. Carson regarda Delphine dans les yeux. Soudainement, un sifflement bruyant échappa au dauphin qui se libéra de l'emprise de la technicienne d'un coup de queue vigoureux.

– Delphine ! s'écria Carson en levant les bras tandis que le dauphin nageait droit vers elle.

Delphine fit glisser son corps contre celui de Carson en la dépassant. Puis, elle fit le tour de l'aquarium en sifflant avec enthousiasme avant de revenir vers Carson, ses yeux grands ouverts et pleins d'impatience. Carson tendit la main, mais avant de toucher Delphine, elle regarda en direction de Lynne.

– Je peux la toucher ?

Lynne lui fit un grand sourire en hochant la tête.

– Allez-y. Il est évident que c'est ce qu'elle veut.

Carson prit plaisir à sentir la peau caoutchouteuse sous ses doigts tandis que ses mains caressaient la grande tête et, plus doucement, glissaient le long de ses flancs en faisant attention à ses blessures. Peau contre peau, ce fut un merveilleux moment de retrouvailles. Carson ressentit une bouffée d'amour pour le dauphin et se fit une gloire de savoir que c'était réciproque. Puis, quand Delphine vint s'immobiliser devant elle, le bec grand ouvert comme pour un sourire,

Carson trembla en voyant tout le mal que les hameçons lui avaient fait à la bouche.

– Que t'avons-nous fait ? murmura-t-elle.

De manière surprenante, Delphine roula sur le dos pour offrir son ventre aux caresses. Carson entendit Lynne avoir le souffle coupé par ce spectacle d'affection évidente et de confiance. Carson tendit donc la main pour caresser le ventre lisse et doux, l'eau bruissant entre ses doigts. La peau blanchâtre du dauphin en devint rose de plaisir.

Enfin, Delphine se retourna et s'immobilisa dans l'eau, face à Carson.

Alors Lynne se rapprocha et frotta la grosse tête de Delphine.

– Eh bien, je dirais que c'est une réaction positive, admit-elle avec un petit rire.

La technicienne vétérinaire sourit, d'accord avec elle.

– Nous ne l'avions jamais vue autant bouger jusqu'à maintenant. Voyons si elle acceptera un peu de poisson.

Lynne donna à Carson un récipient plein de poissons vivants.

– Lancez-lui-en un, la tête la première. Comme ça, c'est plus facile à avaler.

Carson s'exécuta. Du quai, à la maison, elle avait lancé bien du poisson à Delphine, de sorte qu'elle savait qu'elle pourrait l'attraper, si seulement elle le voulait.

– Delphine, appela-t-elle.

Le dauphin l'observait de ses yeux sombres, curieux, avec anticipation même. Fouillant dans le seau, Carson saisit un petit poisson.

– Delphine, tu as faim ? Tu veux un bon hareng ? demanda-t-elle.

Delphine la regardait.

– Voilà, attrape, dit Carson en lui lançant le poisson.

En un éclair, Delphine l'attrapa et l'avala tout rond.

Les trois femmes poussèrent des cris de joie, soulagées, tandis que Delphine regardait de nouveau Carson, impatiente d'en recevoir plus.

Elle lui donna alors le reste du poisson, la félicitant pour chaque bouchée qu'elle avalait, jusqu'à ce que le seau soit vide.

— Voilà qui est excellent, dit Lynne à Carson. Encore mieux que ce que j'espérais. Elle doit manger environ trois kilos et demi de hareng et de capelan par jour. Alors, poursuivit-elle avec un grand sourire, combien de temps pouvez-vous être bénévole avec nous ?

— Peut-être une semaine. Je n'ai pas d'emploi ni d'endroit où rester. Je n'ai pas les moyens de tenir beaucoup plus longtemps. Une semaine, est-ce assez pour que Delphine s'en sorte ?

— Je pense qu'elle va déjà mieux. Le simple fait qu'elle recommence à manger est énorme.

Elle regarda Delphine qui nageait, faisant lentement de petits cercles dans l'aquarium.

— Parfois, tout ce qu'il faut, c'est un peu d'amour.

Carson pensa à sa grand-mère, à ses sœurs, à Blake. À la manière dont l'amour dans lequel elle avait baigné cet été l'avait déjà changée.

— Je vais donc vous charger de nourrir Delphine, annonça Lynne. Angela vous montrera ce qu'il faut faire pour préparer la nourriture. Vous pouvez continuer de la nourrir à la main encore un peu, jusqu'à ce qu'elle reprenne des forces. Ensuite, il faudra qu'elle recommence à manger d'elle-même. De plus, j'aimerais que, bientôt, nous mettions Delphine dans le grand bassin. Elle aura plus d'espace pour nager et nous pourrons y jeter le poisson pour qu'elle l'attrape, plutôt que de la nourrir à la main. C'est une étape importante, si jamais nous décidons de la remettre en liberté. Le moins nous interviendrons, le mieux ce sera pour elle.

– La remettre en liberté ? demanda Carson, surprise par cette éventualité. Je pensais que Delphine irait dans un établissement de soins.

– Ce n'est pas encore certain. Avant aujourd'hui, je n'étais pas sûre qu'elle survive. Mais notre objectif premier est toujours de remettre les dauphins en liberté une fois qu'ils sont en santé. Elle a encore du chemin à faire. Nous verrons la tournure que les choses prendront.

– Si vous la remettez en liberté, où ira-t-elle ? s'enquit alors Carson, inquiète.

– De retour parmi les siens. Les dauphins sont très proches de leurs groupes familiaux, et la communication au sein de chaque groupe est très importante pour leur survie.

– Et si elle ne peut être remise en liberté dans la crique ?

Lynne fit une pause.

– Eh bien, évidemment, c'est notre objectif premier.

– Je ne comprends pas. Blake ne vous a pas dit que nous nous demandions si elle faisait vraiment partie du groupe de la crique ? Il n'a toujours pas trouvé Delphine dans sa base de données. Il cherche encore.

Lynne remua la tête.

– Non, il ne l'avait pas mentionné. C'est un problème important. Nous ne prenons pas la décision. Si elle ne peut être remise en liberté, nous lui trouverons un établissement de soins qui lui conviendra.

– Blake a mentionné le Dolphin Research Center.

– C'est un excellent établissement. Y êtes-vous déjà allée ?

Carson fit non de la tête.

– Vous devriez. Allez y jeter un coup d'œil. Je serais curieuse d'entendre vos commentaires.

– Je continue d'espérer que Delphine puisse retourner dans la crique.

– Vous savez toutefois ce que cela signifie de votre côté, n'est-ce pas ? la questionna Lynne. Vous pourriez l'observer, mais il ne faudrait jamais interagir avec elle. Il est fort possible que Delphine veuille retourner à votre quai, pour s'offrir un repas gratuit. C'est plus facile que de chasser.

– Blake m'a abondamment critiquée à ce sujet, vous pouvez en être convaincue.

– Oui, j'imagine. Il en a trop vu pour ne pas prendre ça au sérieux. C'est notre cas à tous, dit Lynne en indiquant l'autre membre du personnel du Mote. Vous pouvez rester ici encore un peu. Je vais descendre ses jouets, et vous pouvez essayer de la faire participer. Si elle a l'air fatiguée, restez près d'elle et observez-la. Prévenez-nous si vous constatez quoi que ce soit d'étrange. Et, en passant, je suis contente que vous soyez là. Vous avez fait du bon travail.

On laissa donc Carson seule dans l'aquarium en compagnie de Delphine. Il lui était encore impossible de mettre un terme à l'espoir, toujours présent dans son cœur, que Delphine retourne dans la crique. Cependant, avant aujourd'hui, elle n'avait pu constater à quel point ses blessures étaient graves, à quel point elle était en danger.

De nouveau, Delphine vint s'immobiliser devant Carson. Elles se regardèrent dans les yeux pendant de longues minutes, dans un silence de bonne compagnie. Sur le dos de Carson, le soleil chauffait. Les mouvements de Delphine faisaient doucement remuer l'eau. Quelque part au loin, les mouettes criaient.

Carson ferma les yeux, éprouvant un sentiment de paix intérieure pour la première fois depuis longtemps. Il lui faudrait du temps pour accepter les dures vérités qui lui avaient été révélées au cours du dernier mois : la mort de sa mère dans l'incendie de sa maison, l'alcoolisme de ses parents, et la probabilité qu'elle aussi souffre de cette maladie.

Cependant, en regardant dans les yeux de Delphine, en voyant qu'elle lui pardonnait et l'aimait inconditionnellement, Carson sentit que son cœur endurci s'attendrissait, que commençait le processus par lequel elle absoudrait ses erreurs passées.

Chapitre 3

~

SULLIVAN'S ISLAND, CAROLINE DU SUD

Harper se tenait devant la porte de la bibliothèque en jetant un coup d'œil dans la pièce peu éclairée. À l'intérieur, Nate était assis en tailleur sur le parquet, en face du téléviseur. C'était un garçon mince et pâle, aux cheveux blonds qui auraient eu grand besoin d'être coupés. Il était assis et ne faisait aucun mouvement, à l'exception de ses doigts agiles se déplaçant sur la commande du jeu auquel il était en train de jouer. Sa concentration était si intense qu'il ne se rendit absolument pas compte qu'elle l'observait.

Voir Nate dans cette pièce, si petit, si seul, absorbé dans son propre monde, rappela à Harper celle qu'elle avait été au même âge. Bien souvent, Harper s'était faufilée dans cette même pièce. Sauf que ce n'étaient pas les jeux qui l'intéressaient à l'époque. Elle se sauvait pour être avec ses livres. Encore aujourd'hui, elle chérissait les livres de son enfance et les considéraient comme des amis : *Un raccourci dans le temps, Le lion, la sorcière blanche et l'armoire magique,* et n'importe lequel des livres de Judy Blume. Tant de livres, tant d'heures… Elle se souvenait avoir été perdue dans ces histoires, complètement captivée par ces univers enchantés. Dans ces moments-là, elle ne se sentait pas seule.

Tout comme Nate, elle avait passé la plus grande partie de son enfance seule. Harper avait été élevée comme des générations d'enfant chez les James l'avaient été avant elles. Cette famille de la haute société britannique souscrivait à la théorie éducative selon laquelle les enfants devaient être sages et se taire. Chez les James, les parents n'embrassaient pas leurs enfants ni ne les dorlotaient. Montrer ses émotions était mal vu. Personne n'aurait pu dire que Georgiana négligeait les besoins matériels de Harper. Bien au contraire. Harper était toujours bien vêtue, bien nourrie et bien soignée par toute une troupe de nounous. La négligence prenait d'autres formes, cependant.

Sa mère la traînait de leur maison de Manhattan à celle des Hamptons, ou à celle d'Angleterre, laissant à une nounou le soin de s'occuper d'elle, une femme qui, en général, restait assise et regardait Harper jouer seule pendant que sa mère menait des rencontres d'affaires qui n'en finissaient pas ou se jetait dans le tourbillon de sa vie sociale.

Quand Harper avait eu six ans, on avait considéré qu'elle était désormais assez grande pour aller à Sea Breeze pendant les vacances d'été. Sa mère n'avait jamais aimé la perspective d'envoyer sa fille dans le Sud, dans la famille Muir, pour un séjour prolongé, mais que sa fille y passe l'été était tout à fait pratique, aussi avait-elle accepté l'invitation de Mamaw.

Ce fut seulement une fois là, à Sea Breeze, que l'isolation dont elle avait l'habitude avait fini par cesser. À son arrivée, dans un premier temps, tout lui avait semblé étrange, tout à fait inconnu. Les chênes imposants recouverts de mousse, le bruit des vagues, l'absence de routine. À Sea Breeze, Mamaw ne permettait pas les nounous, et elle laissait les filles agir en toute liberté sur l'île, exigeant seulement qu'elles viennent dîner bien propres et avec une apparence soignée.

Au début, sans horaire rigide auquel se conformer ni une nounou lui disant quoi faire, Harper s'était sentie comme un navire à la dérive. Toute cette liberté faisait peur à cette enfant de six ans laissée à elle-même. En outre, elle était intimidée et mal à l'aise avec ses deux sœurs plus âgées. La différence d'âge entre Carson et Dora était moins grande ; elles avaient respectivement cinq et huit ans de plus que Harper. Elles connaissaient la maison, le paysage, la culture. Elles étaient *chez elles* à Sea Breeze, et Harper se sentait comme une intruse. Pendant les premières semaines de ce premier été, elle avait passé le plus clair de son temps cachée dans sa chambre, à lire.

Jusqu'au moment où Mamaw était intervenue.

— Petite, tu dois jouer dehors ! avait-elle l'habitude de dire.

Sa grand-mère partageait son goût pour les livres, mais sous sa protection, elle avait partagé avec Harper ses autres amours : la pêche, le canotage, la nage et la magie de la côte. Mamaw avait décidé d'être la joueuse de flûte des filles. Elle leur préparait leur déjeuner qu'elles emportaient en la suivant dans l'exploration de l'île et de ses cours d'eau, tout en leur faisant le récit des aventures de leur ancêtre tristement célèbre, le fougueux capitaine Muir, un redoutable pirate. Elle inspirait l'esprit d'aventure qui restait latent dans leur sang et semait dans leurs jeunes cœurs le rêve de découvrir le trésor enterré, qui était, proclamait-elle, légitimement à elles.

Cet été-là, Dora entrait dans l'adolescence et avait jeté ses vues sur les garçons des environs. Carson, en mal d'une amie pour l'été, s'était donc tournée vers Harper. Rapidement, elles avaient découvert qu'elles étaient des âmes sœurs, toutes deux des êtres formés par l'imagination et le rêve. La différence de cinq ans s'était évaporée à la lumière de l'intelligence de Harper et de l'amour de l'aventure de Carson. L'amour de la lecture de Harper était souvent une source d'inspiration pour de nouvelles idées afin de mettre en scène leur univers de rêve.

Ses étés passés à Sea Breeze avaient été ce qui l'avait sauvée quand elle était petite. Elle n'était plus seule avec ses livres. Avec Carson, elle avait fait vivre son imagination. Elle avait une amie avec qui jouer.

Harper jeta de nouveau un coup d'œil sur le petit garçon assis, seul, en face de sa console. Elle s'éloigna silencieusement de la porte, ses lèvres esquissant un sourire. Elle savait maintenant ce qu'il lui restait à faire.

CHAPITRE 4

CHARLESTON, CAROLINE DU SUD

Dora se réveilla dans une chambre qu'elle ne connaissait pas. Doucement, elle cligna des yeux en comprenant peu à peu où elle se trouvait, et comment elle était arrivée jusqu'ici. Elle se souvint de la douleur dans sa poitrine, de son souffle court, de Cal en train de l'aider jusqu'à sa voiture et la menant à l'hôpital. Le matelas était mince et les draps amidonnés, tout comme la chemise d'hôpital verte et blanche qui lui remontait aux hanches. Elle se sentait étourdie tandis que la lumière continuait de lui faire cligner les yeux.

— Bonjour, dit Cal, à son chevet. Je suis content que tu te réveilles.

Elle réussit à esquisser un faible sourire.

— Bonjour.

D'un regard fatigué, elle examina la chambre tout en laissant à ses yeux le temps de s'adapter. Dans un coin, elle vit Mamaw, assise très droite sur une chaise de métal. Elle était élégante, vêtue de sa tunique habituelle (bleu cyan aujourd'hui) et d'un pantalon de lin marron clair. Mamaw lui sourit pour l'encourager quand leurs regards se croisèrent.

De l'autre côté de la pièce, une voix se fit entendre.

– Mon Dieu, tu nous as fait tellement peur ! Je me préparais à avoir moi-même une crise cardiaque !

Dora vit Mamaw lever les yeux au ciel avant d'avoir pu tourner la tête pour voir sa mère se précipiter à son chevet. Winifred Smythe portait un chemisier d'un blanc étincelant qui collait à ses formes amples, avec un pantalon élastique noir. On aurait dit de la neige au sommet d'une montagne.

– Maman ?

Winifred se précipita aux côtés de sa fille. Ses cheveux, qui avaient été blonds, étaient aujourd'hui en grande partie gris, avec une coupe au carré pratique à laquelle Cal donnait le nom de « casque ». Sous son regard bleuté, des perles, sous forme de collier et de boucles, ornaient son cou et pendaient de ses oreilles comme de délicates gouttes.

– Oui, c'est moi, ma chérie, je suis là ! dit-elle en agrippant la main de Dora.

– Quand es-tu arrivée ?

– J'ai tout laissé tomber et j'ai sauté dans la voiture pour venir jusqu'ici dès que j'ai reçu l'appel de Cal. Le pauvre, il était dans un tel état qu'il en a oublié de me dire à quel hôpital il t'avait emmenée.

Dora tenta d'imaginer Cal en train de s'inquiéter à son sujet.

– Ma chérie, tu nous as fait tellement peur, poursuivit Winifred en lui pressant la main. Quand je me suis mise à penser que ma petite fille avait eu une crise cardiaque, j'ai pleuré de Charlotte jusqu'ici. Je suis dans un tel état !

Mamaw prit la parole.

– Ne t'affole pas, Winifred. Nous ne savons pas encore s'il s'agit d'une crise cardiaque.

– Voyons, bien sûr que c'en était une, cracha Winifred d'un ton dédaigneux.

Elle laissa aller la main de Dora en la tapotant.

– Une petite, sûrement… ajouta-t-elle au bénéfice de celle-ci, d'une voix consolante.

Cal se rapprocha de l'autre côté du lit. Dora déplaça sa tête sur l'oreiller pour se concentrer sur son visage. Des cernes profonds assombrissaient ses yeux, et ses cheveux, d'habitude toujours si bien coiffés, étaient tout échevelés. Il avait l'air profondément inquiet, même repentant.

– Dora, dit-il tout bas, d'une voix brisée, je n'ai jamais voulu qu'une telle chose se produise. Quand je t'ai vue tomber par terre…

Il remua la tête, plein de tristesse.

Winifred fit claquer sa langue avec compassion.

– Je… Je pensais…

Il hésita.

– Nous devrions peut-être discuter un peu plus de toute cette histoire de divorce. Nous allons peut-être trop vite.

Dora entendit sa mère prendre une grande respiration.

Soudain, Mamaw apparut à sa droite.

– Cal, tu as l'air épuisé. Tu as eu très peur et tu es resté tout le temps au chevet de Dora. Le docteur ne viendra pas avant un bon moment. Pourquoi ne prends-tu pas un instant pour descendre à la cafétéria te chercher un café ? Winnie et moi, nous sommes là. Nous t'appellerons si le docteur vient.

Cal regarda Dora, qui hocha la tête avec approbation.

– D'accord, dit-il. Souffler un instant ne me ferait pas de mal. Je reviens tout de suite.

À peine avait-il refermé la porte derrière lui que Winifred reprit la main de Dora et la pressa avec enthousiasme.

– Tu as entendu, ma chérie ? dit-elle avec effusion, les yeux brillants. Cal ne veut pas divorcer !

Dora y repensa avec indifférence. Elle ne ressentait pas la même excitation que sa mère. Elle ne ressentait pas grand-chose. On aurait dit que toutes les émotions qui étaient refoulées en elle et qui l'avaient remuée avaient été éjectées par ce qui lui était arrivé à la maison, quoi que cela soit.

– Ce n'est pas ce qu'il a dit, maman, répondit-elle, impassible. En tout cas, pas exactement.

Winifred remua la main.

– Il t'a ouvert une porte et tu devrais te dépêcher de la franchir. Il est temps de réparer les pots cassés.

Le goût exagéré qu'avait sa mère de filer les métaphores donna le vertige à Dora. Winifred adorait ces expressions toutes faites et les utilisait de manière excessive.

Comme Dora ne répondait rien, Winifred, scandalisée, dit :

– Tu ne veux pas divorcer, n'est-ce pas ?

– Mais pourquoi ne le voudrait-elle pas ? demanda Mamaw d'un ton impérieux.

Winifred se tourna pour faire face à Mamaw, l'air pincé. Les deux femmes se détestaient cordialement, et la dernière chose dont Dora avait besoin en ce moment était une confrontation. Elle avait toujours pensé que sa mère tenait injustement Mamaw responsable des défauts de Parker. Mamaw avait fait son possible pour soutenir Winifred pendant son mariage avec Parker, et tout au long de leur divorce. Après tout, c'était par l'entremise de Mamaw que tous deux s'étaient connus, et ils étaient tellement jeunes quand ils s'étaient mariés. Alors que Parker venait à peine d'obtenir son diplôme universitaire, Winifred, elle, avait abandonné l'université sans diplôme après sa deuxième année. Mamaw avait acheté pour le jeune couple une charmante maison dans le quartier à la mode de Colonial Lake, à Charleston. Edward, de son côté, avait obtenu pour Parker un emploi à sa banque. Dora avait toujours pensé qu'il était impossible pour des parents d'être plus généreux. Quand, 2 ans plus tard, on avait découvert que Parker avait une liaison avec la nounou de Dora, Mamaw s'était ralliée à Winifred et avait menacé Parker de lui couper les fonds s'il ne mettait pas un terme à son aventure avec Sophie, qui avait 18 ans. Ce scandale avait été une grave humiliation, et il avait fallu des années pour que Winifred la surmonte. On avait la mémoire longue, à Charleston. Toutefois, ce n'était certainement pas la faute de Mamaw.

– Le divorce est une expérience pénible, dit Winifred sèchement. J'en sais quelque chose. Sans oublier le scandale qui l'accompagne. Si Cal est prêt à reconsidérer sa décision, Dora devrait faire tout ce qu'elle peut pour sauver son mariage.

Dora ressentit un pincement de cœur.

– Winnie, contra Mamaw en se rapprochant d'elle, son ton devenu conciliant, je me rends bien compte que ton mariage avec Parker a été difficile. Ça m'a brisé le cœur. Vous étiez si jeunes, tous les deux, et avec un enfant.

Elle remua la tête, pleine de regrets.

– C'était une bien triste histoire. Mais Parker n'a jamais changé, n'est-ce pas ? Il n'aurait cessé de te briser le cœur si vous étiez restés ensemble. Ce divorce t'a rendu ta liberté. Si tu avais toujours été mariée, tu n'aurais jamais rencontré Henry. Or, tu as été heureuse avec lui, non ?

– C'est vrai, reconnut Winifred, adoucie, mais Cal n'est pas Parker. Il est bien plus équilibré et fiable. Il n'est pas alcoolique, conclut-elle avec un ton légèrement suffisant, comme si elle savait que ces mots piqueraient Mamaw au plus profond d'elle-même.

Mamaw ne releva pas cette pique.

– Mais aime-t-il notre Dora ? C'est le seul critère qu'elle devrait considérer. Dora mérite mieux qu'une vie pleine de ressentiment et de regrets. Nous connaissons toutes les deux trop de femmes qui sont désespérément malheureuses parce qu'elles sont restées dans un mariage sans amour.

– Le mariage, ce n'est pas simplement une question d'amour, répliqua Winifred en haussant sévèrement la voix. L'amour, ce n'est que de la passion, un engouement passager.

Le mariage, c'est une question de devoir. D'obligation. D'engagement. C'est un rude travail.

Mamaw lui répondit avec mépris :

– On dirait que pour toi, c'est une peine de prison. Et je crois bien que si ce sont les seules raisons pour lesquelles on décide de vivre avec un homme, c'est ce que ce sera.

Dora sentit que cet affrontement lui remuait le cœur. Elle grimaça, son corps réagissant à ce qu'elle était en train d'entendre comme si on faisait grincer des ongles sur un tableau noir. La position de sa mère était claire : Dora ne devrait pas divorcer. Elle la regarda qui se tenait aussi droite qu'un soldat, en train de jeter un regard mauvais à Mamaw, prête à livrer combat contre un ennemi redoutable. Sa mère utilisait beaucoup le mot *devrait*, se rendit-elle compte. Pour elle, que le mariage soit heureux ou non, ou simplement satisfaisant, importait peu. Elle ne s'était jamais investie dans ses relations. Ce qui comptait, c'était de maintenir les conventions sociales, de faire ce que l'on *devrait*.

Dora était sur le point de leur rappeler qu'elle était dans la chambre juste au moment où la porte s'ouvrit et que le sujet de leur conversation entra, une tasse de café à la main. Instantanément, les deux femmes cessèrent de parler et sur leurs visages apparurent des sourires pincés tandis qu'elles accueillaient son retour. Dora ne dit rien, mais elle s'aperçut qu'il n'avait jamais traversé l'esprit de Cal de demander aux deux femmes plus âgées que lui si elles désiraient du café, du thé, ou simplement un beignet. Elles avaient passé autant de temps que lui à l'hôpital. Toutefois, il n'avait jamais eu ce genre d'attentions. Dora tenta de balayer du revers de la main cette pensée. Après tout, Cal était là, il faisait un effort. Il fallait s'en contenter.

Dora sentit son esprit bloquer. *Il fallait s'en contenter.*

N'était-ce pas sa réponse toute faite, chaque fois que Cal l'avait déçue ? Quand il avait refusé de s'occuper de Nate, ou d'aller chercher un repas à emporter quand elle était fatiguée. Lorsqu'il lui avait dit qu'il n'avait pas les moyens d'acheter un lave-vaisselle, ou quand il oubliait leur anniversaire de mariage. De même, quand elle voulait se rapprocher de lui et qu'il se détournait. Après tout, il l'aimait, ne cessait-elle de se répéter. Il était un homme bien. Un bon pourvoyeur. Il ne buvait pas, ne la trompait pas, au contraire de ce que son père avait fait. Il était son mari. *Il fallait s'en contenter.*

Sauf que, ça ne l'avait jamais contentée. Elle en avait parlé à sa mère, espérant le conseil d'une mère à sa fille qui viendrait l'encourager. Winifred avait balayé du revers de la main les plaintes de Dora avec un rire léger, en lui expliquant que toute épouse était ignorée, d'une manière ou d'une autre, et que, avec le passage du temps, c'était tout à fait normal. *Que veux-tu, tu n'es plus fraîche comme une rose…* lui avait-elle lancé malicieusement.

On frappa vivement à la porte, ce qui détourna l'attention de Dora de ses réflexions. Elle tourna la tête juste à temps pour voir entrer le médecin, suivi d'une grande et jolie infirmière aux cheveux blonds.

— Bonjour, docteur Newell, le salua alors Mamaw.

Dora regarda le docteur Newell feuilleter son dossier. Le cardiologue lui fit penser à Opie de Mayberry, avec des taches de son et un nouveau sarrau, comme s'il venait tout juste de terminer ses études. Elle se demanda comment un si jeune homme pouvait avoir tant de diplômes.

— Alors, comment nous sentons-nous ? demanda-t-il en esquissant un sourire.

Dora détestait la manière qu'avaient les médecins d'utiliser le *nous* de majesté.

— Je ne sais pas comment vous allez, Docteur, mais moi, je suis en piteux état.

Il pouffa de rire, amusé, et Dora décida qu'il lui était sympathique.

— Ce n'est rien de surprenant, répondit-il aimablement.

Mamaw prit alors la parole.

— A-t-elle fait une crise cardiaque?

Le docteur Newell leva la tête de la paperasse qu'il avait à la main, puis en dirigeant son attention vers sa patiente, il offrit à Dora un sourire professionnel tout en remuant sèchement la tête.

— Non, les symptômes de Dora ressemblaient à ceux d'une crise cardiaque, mais nous avons étudié vos examens et la bonne nouvelle est que vous souffrez en fait d'un trouble cardiaque différent, la cardiomyopathie.

— Je n'ai donc pas fait une crise cardiaque? s'enquit Dora en sentant le soulagement se répandre dans son corps.

— Non. Avez-vous vécu une période de tension inhabituelle, ces derniers temps?

Dora regarda en direction de Cal et vit ses sourcils se hausser avec inquiétude.

— Oui.

— Je vois. Ce trouble est généralement provoqué par une tension intense ou par un chagrin. On le surnomme le «syndrome des cœurs brisés».

Dora regarda le médecin, silencieuse. Elle n'arrivait pas à y croire. C'était exactement ce qu'elle avait ressenti : comme si elle avait eu le cœur brisé.

Le soulagement de Mamaw était apparent sur son visage.

— Voilà une bonne nouvelle. Mais je n'ai jamais entendu parler de ce syndrome des cœurs brisés. Vous disiez aussi qu'il s'agit d'un trouble cardiaque. Est-ce grave?

— Pas nécessairement. Voyez-vous, un événement qui est cause de tension déclenche le système nerveux sympathique, qu'on appelle aussi la réponse combat-fuite.

— J'en ai entendu parler, intervint Winifred.

Le docteur Newell sourit comme un enseignant qui entend la réponse déplacée d'un écolier.

– Oui, c'est une réaction normale. Le corps libère un flot de substances chimiques, notamment de l'adrénaline. Ce flot soudain peut surprendre le cœur et le rendre incapable de pomper correctement. Il y a de la tension dans chacune de nos vies. La cardiomyopathie est un trouble qui apparaît de manière soudaine et de manière imprévue, surtout chez les femmes post-ménopausées et qui se résout rapidement, dit-il après avoir fait une pause pour sourire de nouveau. Ce sera d'ailleurs le cas de Dora, puisque son cœur semble être en bonne santé. Ainsi, même si le syndrome des cœurs brisés peut donner l'impression qu'on subit une crise cardiaque, c'est un problème moins grave, qui requiert un autre type de traitement.

– De quel type de traitement parle-t-on, Docteur ? demanda alors Mamaw. Y a-t-il des médicaments qu'elle devra prendre ? De nouveaux examens à passer ?

– Quand pourra-t-elle rentrer chez elle ? questionna Winifred.

Le médecin écouta toutes ces questions, puis se tourna pour s'adresser à Dora.

– Je veux vous garder pour cette nuit. Peut-être aussi la suivante. Vous êtes un peu déshydratée et j'attends les résultats de quelques autres examens. Vous n'aurez pas besoin de médicaments. En tout cas pas pour le moment.

Il regarda les autres.

– En fait, Dora a eu beaucoup de chance.

– De la chance ? s'enquit Dora.

– Oui, la chance que nous puissions nous occuper de la santé de votre cœur dès maintenant, avant que des problèmes plus graves surviennent. Je suis content que vous soyez présente, dit-il en se tournant vers Mamaw. Je voudrais confirmer avec vous vos antécédents familiaux. Si je comprends bien, votre mari est mort d'un trouble cardiaque ? Et votre père ?

– Oui. La famille est truffée de maladies cardiaques, s'exclama Mamaw. Edward, mon mari, est mort d'une crise cardiaque à 72 ans. Son père et ses 2 frères sont morts d'un trouble cardiaque. Mon fils est mort à seulement 55 ans. Nous l'avons perdu si jeune. Oui, les Muir meurent de troubles cardiaques… ou alors à la guerre, ajouta-t-elle sombrement.

– Et de votre côté ? demanda le docteur Newell à Winnie.

– Pas de mon côté, Dieu merci. Chez les Colson, c'est le cancer. Encore que j'ai des palpitations cardiaques quand je suis nerveuse.

Dora considéra ce que Mamaw venait de dire au sujet de Parker.

– Mamaw, je pensais que tu avais toujours dit que c'était l'alcool qui avait tué papa.

– C'est tout à fait vrai, mais la cause directe de sa mort était une crise cardiaque. Toutefois, ce n'était qu'une question de temps avant que son foie le rattrape. Cependant, ajouta-t-elle avec emphase en se souvenant d'un aspect important, Parker aussi avait des palpitations cardiaques comme les tiennes alors qu'il était âgé d'à peine quelques années de plus que toi, Dora. Edward et moi l'avions emmené chez le médecin, mais il n'avait trouvé aucun problème.

Dans le silence qui suivit, Dora put entendre le stylo du docteur Newell en train d'ajouter rapidement des notes à son dossier. Elle n'avait jamais su qu'il y avait de tels antécédents de troubles cardiaques dans sa famille… et cela lui fit peur.

– Quoi qu'il en soit, aujourd'hui, la bonne nouvelle est que votre cœur ne montre aucun signe de maladie, annonça le docteur Newell à Dora. Mais avec vos antécédents et cet incident, il est temps de faire des changements. Vous buvez beaucoup ?

– Non, répondit-elle à toute vitesse. Je bois du vin, surtout du vin rouge, ajouta-t-elle, car elle avait lu quelque part que le vin rouge était bon pour le cœur, ainsi qu'un cocktail à l'occasion. Mais le mois dernier, mes sœurs et moi avons arrêté d'un coup pendant une semaine, juste pour être sûres que nous en étions capables. Ça nous inquiétait, à cause de l'alcoolisme de notre père. Je n'ai eu aucune difficulté à arrêter.

– Voilà qui est bien. Et votre emploi, sédentaire ?

– Je suis une mère au foyer. Je scolarise mon fils à la maison.

– Vous faites de l'exercice ?

Dora fit non de la tête, honteuse.

– Combien d'enfants avez-vous ?

– Un, mon fils Nate, il a neuf ans.

– Et votre alimentation ?

Le docteur Newell consulta son dossier.

– Vous avez une surcharge pondérale et ce qui m'inquiète, c'est que la plus grande partie est autour de votre taille, ce qui est le signe évident d'un risque de trouble cardiaque. L'infirmière Langelan est nutritionniste. Elle pourra vous donner des conseils pour changer votre alimentation et votre style de vie.

De la main, il indiqua l'infirmière qui était à ses côtés. Elle était grande et mince, un parfait exemple de bonne nutrition et d'exercice.

– Vous connaissez la marche à suivre. Mais pas question de remettre à plus tard, Madame Tupper, lui dit-il sérieusement. Vous devez vous y mettre *maintenant*. Ce qui vous est arrivé était un avertissement.

Dora regarda Mamaw et Winifred. Alors que le regard de Mamaw brillait avec une nouvelle intensité, celui de Winifred semblait égaré, comme si elle venait d'entendre son propre diagnostic.

– Sinon, vous pourrez rentrer chez vous dès que les examens seront terminés.

Dora, soulagée, réussit à sourire.

– Merci, Docteur, dit Winifred, magnanime. Nous vous sommes tellement reconnaissants pour ces bonnes nouvelles. Dora, pourquoi ne rentres-tu pas à Charlotte avec moi ? Henry serait si content de t'avoir parmi nous aussi longtemps qu'il te plaira. Ainsi que Nate, ajouta-t-elle. Docteur, combien de temps devrait-elle rester alitée ?

– Rester alitée ? C'est exactement ce dont Dora n'a *pas* besoin. Je veux qu'elle se lève et qu'elle soit active. Au début, elle pourra se livrer à des exercices légers.

Puis, se tournant de nouveau vers Dora :

– Faites de longues promenades sur terrain plat, une demi-heure au moins, en ajoutant 10 minutes de fois en fois. Une fois que cela ne vous demandera plus d'effort, vous pourrez passer à quelque chose de plus exigeant et faire une séance d'exercice de manière régulière. L'infirmière Langelan vous fera des suggestions. Si vous des questions, n'hésitez pas à me téléphoner.

Il sourit à Dora pour l'encourager.

– Prenez ceci au sérieux, Dora. Vous êtes jeune et vous avez toujours le temps de faire ces changements. Bonne chance.

Dora lui sourit faiblement, se demandant ce qu'impliqueraient tous ces changements.

Une fois le docteur Newell sorti, l'infirmière Langelan assura à Dora qu'elle reviendrait dans un instant et suivit le médecin. Pendant un moment, le silence régna dans la chambre.

Mamaw fut la première à reprendre la parole.

– Ça n'aurait aucun sens que Dora aille à Charlotte. Elle est déjà confortablement installée à Sea Breeze, où on trouve tout l'air frais et les plages pour les promenades que l'on veut. Lucille s'occupera de lui faire un menu sain. Et surtout, Nate y est déjà installé. Comme il n'aime pas les changements…, leur rappela-t-elle.

– Mais elle a besoin de sa mère dans un moment pareil, insista Winifred.

– Oh, Winnie, sois raisonnable, je t'en prie, répondit Mamaw sèchement, à bout de patience.

Pendant un instant, les deux femmes se mesurèrent du regard.

– Mamaw…, intervint Cal.

– Excuse-moi, l'interrompit Mamaw en le regardant avec mépris, mais je permets seulement aux membres de ma famille d'utiliser ce surnom affectueux. Tu peux m'appeler Madame Muir.

À ces mots, le visage étiré de Cal pâlit.

– Madame Muir, céda-t-il, j'aimerais pouvoir parler avec Dora seul à seule pendant un instant.

– Tu ne vas pas la bouleverser! l'avertit Mamaw

– Non.

– Si seulement je pouvais te croire.

Cal se redressa.

– Je reconnais que j'ai fait des erreurs, cracha-t-il, un éclair dans les yeux, mais je n'ai pas à m'en justifier devant vous. Seulement à Dora.

Pendant un instant, le silence régna. Puis, Mamaw s'adressa à Dora :

– Il est bien tard. Il est temps que je rentre à Sea Breeze, et tu as besoin de te reposer. Téléphone-moi demain matin, d'accord, ma chérie? J'espère vraiment que tu reviendras à Sullivan's Island. Nous l'espérons toutes.

– Bonne nuit, Mamaw, répondit Dora en souriant.

Elle voulait rentrer avec Mamaw à l'instant même. Quitter cet hôpital aseptisé, avec son lit inconfortable et de nouveaux examens à passer. S'éloigner de Cal et de sa mère. Voir Nate. Comme son fils lui manquait.

– Embrasse Nate pour moi, veux-tu?

Mamaw se pencha pour lui faire la bise.

– Bien sûr que oui.

Une fois redressée, elle se tourna vers Winifred.

– Winnie, tu sais où tu vas passer la nuit? Tu es la bienvenue à Sea Breeze.

Il était clair que cette invitation surprit Winifred. À peine le temps d'un instant, son visage s'adoucit, pour reprendre aussitôt son air indifférent.

– Merci, mais ce ne sera pas la peine. Je resterai à mon hôtel habituel. Je veux rester proche de ma fille, ajouta-t-elle avec suffisance.

– Évidemment, répondit Mamaw. Eh bien, j'y vais.

À son tour, Winifred lui dit au revoir, l'assurant de son amour et lui promettant qu'elle prendrait bien soin de Dora à Charlotte, ville à laquelle elle appartenait. Avant de partir, elle fit la bise à Cal, puis leur dit :

– Ayez une bonne conversation tous les deux. Réconciliez-vous.

Quand la porte se fut de nouveau refermée, Dora ferma les yeux, puisant dans sa force pour composer avec quoi que ce soit que Cal pouvait avoir en tête. Elle était rompue et avait le cœur las. Elle était à peine capable de rouvrir les yeux. Pourtant, elle y arriva. Cal était debout à côté du lit, les mains dans les poches, en train de la regarder dans l'expectative.

– Je crois que nous nous sommes dit tout ce que nous avions à dire pour aujourd'hui, annonça Dora.

– Dora, répondit Cal, le regard implorant, c'était sérieux ce que je t'ai dit plus tôt, tu sais, de changer d'avis pour le divorce.

– Cal…

– Tout ça, indiqua-t-il en faisant un geste de la main pour indiquer l'hôpital, ça m'a fait réfléchir à quel point il s'agit d'une étape sérieuse. À quel point la vie est courte. Nous ne devrions pas remettre si vite en question tout ce que nous avons construit ensemble.

Il avait réussi à piquer son intérêt. Dora l'écoutait.

– Peut-être que…, commença-t-il en lui prenant la main.

Elle regarda leurs deux mains entrelacées.

– … que tu pourrais t'installer dans mon appartement.

Dora le regarda rapidement, sans répondre.

— Il est situé dans un bel immeuble de notre quartier, il y a un ascenseur, et les magasins ne sont pas très loin. Tu pourrais traverser le parc à pied pour te rendre à la maison.

Il sourit pour l'encourager.

— Ça te ferait de l'exercice et tu pourrais garder l'œil sur les travaux. Faire d'une pierre deux coups.

— J'ai bien du mal à te croire.

Cal ouvrit la bouche pour lui répondre, mais la referma. Il fit une pause, remettant les mains dans les poches.

— Je sais, concéda-t-il, tu n'as pas tort. Dora, je suis désolé de t'avoir fait du mal. Crois-moi, maintenant.

Dora considéra longtemps son mari d'un œil critique. Son visage était pâle, ses traits, tirés. Elle fut frappée de constater que Cal ne semblait pas heureux. Elle fit un effort pour se rappeler la dernière fois qu'elle l'avait vu heureux. Elle en fut incapable. Puis, elle fit de même pour son *propre* cas. Elle eut vite la réponse. C'était à Sea Breeze, sur le quai, avec Nate, Mamaw et ses sœurs. Ce grand fou de dauphin dans l'eau qui les faisait tous rire. Elle pouvait toujours revoir Nate, le sourire jusqu'aux oreilles. Lui d'habitude si taciturne, il était fou de joie.

— Et Nate, qu'en fais-tu ? Ton appartement est petit, nous ne serions pas trop à l'étroit ?

Le visage de Cal s'obscurcit et il se frotta le menton, consterné.

— C'est vrai, Nate… Ça pose un problème.

Elle frissonna quelque peu en comprenant que, de manière évidente, une fois de plus, pour Cal, Nate venait en dernier. Dora le regarda se déplacer jusqu'à la fenêtre, y regarder un instant avant de revenir à son chevet.

— Tu as raison, convint-il de sa voix habituelle. Mon appartement est petit. Il n'y aurait pas vraiment assez de place. Sauf que, ajouta-t-il rapidement, ça ne serait pas pour longtemps. Juste assez pour que tu te remettes. Et pendant ce temps, nous pourrions chercher quelque chose de plus grand. Nate pourrait rester à Sea Breeze, non ?

Dora sentit sa poitrine se remplir d'indignation : comment était-il possible que Cal soit si facilement prêt à laisser Nate seul à Sea Breeze ?

– Non !

– Mais ça marcherait. Tu as dit qu'il aimait cet endroit. Il y est installé. À l'aise. Le faire s'installer ailleurs le perturberait. Tu sais qu'il n'aime pas le changement. Et surtout, ajouta-t-il avec insistance, ça nous donnerait le temps de discuter. Juste nous deux. Nous en avons tant besoin.

– Mais…

– Ce ne serait pas pour longtemps.

– Combien de temps ?

Il haussa les épaules.

– Quelques semaines, peut-être un mois.

Elle resta stupéfaite, incapable de croire qu'il puisse penser qu'elle serait prête à laisser Nate seul, même l'espace de quelques semaines, encore moins un mois. Pourtant, le fait qu'il lui propose de se réconcilier, tout juste après le fiasco chez l'avocat, embrouillait son esprit. Les paroles de sa mère lui revinrent : *Si Cal est prêt à changer d'idée, Dora devrait faire tout ce qu'elle peut pour sauver son mariage.*

– Tu as raison, Cal. Il ne faut pas sacrifier notre mariage. Mais je suis fatiguée maintenant. Je n'ai pas les idées claires, j'ai besoin de dormir.

– Oui. Bien sûr. Il vaut mieux que j'y aille.

Dora réussit à esquisser un mince sourire.

– Je serai de retour demain matin.

– Tu iras voir Nate, demain ? Je ne veux pas qu'il s'inquiète.

Son visage se remplit de remords.

– Je voudrais bien. Mais demain, j'ai des rendez-vous toute la journée. Je suis sûr qu'il est entre de bonnes mains, à Sea Breeze.

Dora tira la mince couverture autour de son cou, ayant soudain froid. Elle regarda ses ongles. Ils étaient courts et sans laque. Elle ne pouvait se rappeler la dernière fois qu'elle avait eu une manucure. Sur son doigt gauche, elle portait toujours son étroite alliance sertie de diamants. De tous les arguments qu'il avait évoqués, pas une seule fois Cal ne lui avait dit qu'il l'aimait. Il ne lui avait pas dit qu'elle lui manquait ni que leur fils lui manquait.

Dora prit une respiration qui fit ressortir toute l'angoisse, la colère et l'inquiétude qu'elle avait trop longtemps portées dans sa poitrine. Un simple changement d'adresse ne modifierait pas Cal. Il ne la voulait pas parce qu'il l'aimait. C'était ce qu'elle *voulait* entendre. Ce que Cal voulait, c'était qu'elle s'occupe des rénovations de la maison. Il voulait la rendre plus faible pour obtenir une meilleure entente de divorce.

Elle méritait mieux. Nate méritait mieux. Elle ne s'en contenterait pas.

— Tu n'as pas besoin de venir à l'hôpital alors, puisque tu es si occupé, répondit Dora catégoriquement. De mon côté, ça ira. Je te remercie de m'avoir proposé de m'installer dans ton appartement. Mais c'est trop tôt. J'ai besoin d'être seule pour réfléchir à notre mariage, à moi aussi… à tant de choses, avant d'être prête à discuter.

Cal se racla la gorge pour parler, mais elle poursuivit sans lui donner la chance de l'interrompre.

— Dès qu'on me laissera partir, je retournerai à Sullivan's Island. Tu as raison. Nate est heureux là-bas. Et, en fait, moi aussi, j'y suis heureuse. Je pense que nous méritons tous un peu de bonheur. Nous pourrons discuter de nouveau dans quelques semaines. Un mois peut-être.

Elle hasarda un petit sourire d'avoir répété ses paroles.

— Pour ce qui est de surveiller les rénovations de la maison…

Elle haussa les épaules.

— Je te souhaite bonne chance.

CHAPITRE 5

Mamaw adorait les fêtes. Bien sûr, Noël était sa préférée, suivie de la Saint-Valentin, avec ses cœurs et ses chocolats, puis de Pâques, avec ses œufs aux couleurs vives et ses fleurs aux teintes pastel. Et maintenant était venu le moment de célébrer le 4 juillet. Sur l'île, une foule de touristes se pressait dans les rues adornées de drapeaux.

Lucille et elle se déplaçaient lentement à travers la circulation pour aller chercher Dora à l'hôpital et la ramener chez elle, à Sea Breeze. Lucille, au volant de sa vieille Camry, traversait le pont Ben Sawyer en direction de Mount Pleasant. C'était une voiture fiable : 10 ans, bas kilométrage, et pas la moindre bosse ou égratignure. Depuis que Mamaw avait donné sa Cadillac de collection à Carson, elle n'avait plus de voiture à elle. Et c'était aussi bien, se disait-elle tout en regardant par la fenêtre côté passager. Sa vision n'était plus ce qu'elle était, ses réflexes non plus. Elle soupira. En fait, c'était aussi le cas de Lucille.

Mamaw regardait par la fenêtre tandis qu'elles traversaient les zones marécageuses de la côte. La marée était haute, recouvrant les parcs à huîtres. Seule l'extrémité des herbes était visible en ce moment, d'un vert vif à la suite des dernières pluies. Dans l'île, c'était l'époque la plus achalandée de l'année, et alors qu'il était seulement midi, la circulation était lente et lourde sur la route étroite qui traversait les marécages de l'île jusqu'au continent. Mamaw remarqua cependant qu'un grand écart séparait leur voiture de celle qui les précédait.

— Tu roules aussi lentement qu'une tortue, reprocha-t-elle à Lucille.

— Je ne vais pas lentement, répondit Lucille dédaigneusement. Je suis prudente.

Mamaw regarda dans le rétroviseur. Une longue file de voitures les suivaient. Il n'y avait que deux voies et nulle part où dépasser dans cette portion de la route. Elle pouvait imaginer les conducteurs des voitures derrière elles en train de maudire les deux vieilles femmes qui menaient la file sans se presser. Elle pouffa de rire. Quand il lui arrivait encore de conduire, chaque fois, au moins un automobiliste klaxonnait. Probablement un touriste, pensa-t-elle. Il n'y avait personne d'assez impoli à Charleston pour klaxonner après une vieille dame. Quoi qu'il en soit, une fois qu'elles eurent atteint le continent, la route se déploya en quatre voies et les voitures les dépassèrent, certains des jeunes conducteurs leur jetant un regard mauvais en les laissant derrière.

— Qu'ils passent tous, grommela Lucille, le menton relevé et les mains agrippées au volant. Il n'est pas question que je me dépêche pour eux. Je n'ai jamais reçu de contravention et il n'est pas question que j'en reçoive une aujourd'hui, pas après toutes ces années. Que ces gens-là continuent de conduire comme ça et ils n'atteindront pas mon âge, ça c'est certain !

— Les jeunes sont immortels, Lucille. Tu ne le savais donc pas ?

— Humm, dit-elle en fronçant les sourcils

— Puisqu'il est question des jeunes, je me demande à quelle heure Carson sera de retour, aujourd'hui. Je suis si fière qu'elle ait décidé de rentrer dès qu'elle a appris que Dora souffrait du syndrome des cœurs brisés.

— Je vous avais dit que ce serait le cas.

— Avec Dora qui rentre, il faudra faire des changements à Sea Breeze. Nous devons suivre les recommandations du docteur à la lettre.

— Vous voulez dire *encore* des changements, ajouta Lucille. Déjà que je n'ai plus jamais l'occasion de préparer du porc ou des grits[2].

— Et si je dois me passer de mon petit verre de rhum le soir…

Lucille pouffa de rire.

— Vous ne vous en passez pas souvent, hein?

Mamaw tourna brusquement la tête pour regarder Lucille. Ainsi donc… elle savait qu'elle avait une flasque cachée!

— Je ne vois pas quel mal il peut y avoir à une petite libation, le soir, pour accompagner le livre que je lis. Je suis seule dans ma chambre, après tout.

— Si je dois abandonner mes tripes pour Dora, alors vous devez abandonner le rhum pour Carson. Et Harper…

Lucille fit une grimace.

— Rien manger de blanc. A-t-on jamais rien entendu de tel? Je serais morte de faim en grandissant.

— C'est un monde différent. Nous devons les soutenir.

Elle baissa la voix.

— Mais ça ne veut pas dire que nous ne pouvons pas tricher une fois de temps en temps et nous faire un petit plaisir, non?

— Non, M'dame, convint Lucille avec enthousiasme. Je vais peut-être me mettre à faire la cuisine dans mon cottage plus souvent.

Les yeux de Mamaw brillèrent.

— Oui! Je passerai pour nos tête-à-tête. Souvent.

2. N.d.T.: Plat traditionnel du sud des États-Unis à base de gruau de maïs.

Lucille pouffa de rire en regardant la route.

– Mmhhmm.

– Mais dans la maison principale, nous devons être vigilantes, avertit Mamaw. Et il ne saurait être question que d'une alimentation pour un cœur sain !

– Le docteur a dit que ce n'était pas une crise cardiaque. Comment qu'il appelle ça ?

– Une cardiomyopathie.

– Hummm.

Lucille remua tristement la tête.

– Allez donc imaginer une chose pareille. Voilà donc que ces médecins vont donner un nom compliqué à une chose que nous connaissions de tout temps. Le syndrome des cœurs brisés, dit-elle en hochant la tête avec fermeté. Voilà le nom qui convient. Mes grands-parents se sont plu dès qu'ils se sont rencontrés. Ils étaient mariés depuis plus de 60 ans quand ma grand-mère Etta est morte. À peine quelques mois plus tard, mon grand-père mourait, lui aussi. Peu importe ce qu'ont dit les médecins, nous savions tous que grand-père Earl était mort d'un cœur brisé.

– J'avais une tante à qui la même chose est arrivée. Juste après la mort de son mari, elle est morte, elle aussi.

Mamaw soupira.

– Nous ne devrions jamais sous-estimer l'importance qu'ont pour nous ceux que nous aimons. Ni la violence potentielle du chagrin d'une personne.

Elle se tourna alors pour regarder la femme qui était à ses côtés. Les lèvres de Lucille formaient une mince ligne de concentration. Elle pouvait à peine voir au-dessus du volant. Aujourd'hui, elle était vêtue d'une simple robe chemisier en coton bleu pâle ; cela avait été son style vestimentaire préféré depuis aussi longtemps qu'elle était employée par la famille Muir. Mamaw avait vu sa taille s'élargir au fil des 50 dernières années, tout comme la sienne. Aujourd'hui, les cheveux de

Lucille étaient plus sel que poivre, et elle portait des lunettes cerclées de métal pour conduire. Mais sa peau était toujours aussi douce que le derrière d'un bébé. Cela agaçait profondément Mamaw que Lucille, inébranlable, refuse de lui donner la recette de la crème pour le visage qu'elle avait inventée. C'était une dispute de longue date, entre elles.

– Je ne sais pas ce que je ferais si tu n'étais plus là, affirma soudain Mamaw, submergée par un accès d'affection.

Lucille tourna la tête, surprise.

– Oh, comme vous êtes bête. Vous vous débrouillerez parfaitement sans moi.

– Franchement, Lucille, répondit Mamaw, un peu blessée de voir son affection repoussée du revers de la main. Tu sais ce que tu représentes pour moi. Tu es ma meilleure amie. Bien sûr que je ne saurais me débrouiller si tu t'en allais.

Lucille fronça les sourcils, mais garda son regard sur la route.

– Oui, M'dame, nous sommes de bonnes amies, c'est bien vrai. Mais si jamais je devais mourir, vous ne vous laisseriez pas dépérir, n'est-ce pas ?

– Ce qu'il ne faut pas t'entendre dire. Non, sans doute que non. Après tout, je ne me suis pas laissée dépérir après la mort de mon mari. Encore que, je crois bien que je compte sur toi plus que je ne l'ai jamais fait pour Edward.

– Vous racontez des bêtises.

– Pas du tout. Toi et moi, nous sommes comme cul et chemise.

Lucille garda son regard sur la route.

– Tu te rends compte que c'est la dernière fête que nous célébrerons à Sea Breeze ? la questionna Mamaw d'une voix nostalgique tandis qu'elles poursuivaient leur chemin le long de Coleman Boulevard.

– Je crois bien que c'est le cas.

Puis, Lucille ajouta en grognant :

– À condition que la maison se vende.

– Elle va se vendre, dit Mamaw fermement. Il y a déjà une liste de personnes qui aimeraient mettre la main sur ma propriété.

Elle soupira de nouveau.

– J'aurais tellement souhaité la laisser aux filles, pour qu'elles puissent continuer de venir y passer leurs étés, pour qu'elles se voient, ainsi que leurs enfants. Mais je suppose que ce ne devait pas être.

– Vous allez peut-être recevoir plus que vous pensez pour la maison, l'encouragea Lucille.

– Je l'espère bien, évidemment. En même temps, elle est lourdement hypothéquée, et les coûts de la maison de retraite sont tellement élevés. Une fois que tout aura été pris en compte, il restera bien moins que l'on pourrait penser. C'est qu'il y a bien longtemps qu'il n'y a plus de revenus, dans cette famille.

Elle soupira.

– En plus, on me conseille de me préparer à faire face à des augmentations continuelles des frais de soins, du coût de la vie…

Mamaw se tut alors un instant pour regarder Lucille.

– Mais, bien sûr, tu sais qu'on va s'occuper de toi. Monsieur Edward a tout arrangé avant de mourir. Tu recevras l'argent que rapportera la vente du cottage, quitte et libre de toute charge.

– Oui, M'dame. Je sais.

Mamaw soupira de nouveau.

– J'y suis résignée. La maison doit être vendue, et le plus tôt sera le mieux.

Lucille ne répondit pas, mais cette conversation avait jeté un froid sur elles.

– Ne soyons pas sombres, s'exclama Mamaw d'une voix joyeuse. Faisons de ce 4 juillet un véritable feu d'artifice ! Que ce soit la plus belle des fêtes. Toutes les filles seront de nouveau à Sea Breeze et pendant que nous le pouvons encore, nous rassemblerons quelques boutons de rose.

Lucille lui lança un petit regard.

– De quoi voulez-vous parler, avec ces boutons de rose ?

Mamaw éclata de rire à sa propre légèreté.

– Ça vient d'un vieux poème que j'avais appris par cœur, naguère, quand j'étais écolière.

Elle se remit en tête la strophe dont elle se souvenait encore.

– « Rassemblez-vous, boutons de rose, pendant que vous le pouvez, / le bon vieux Temps file toujours : / et cette même fleur qui aujourd'hui sourit / mourra demain[3]. » Ce n'est pas tout, mais je ne me souviens plus du reste. En fait, je suis assez contente de me souvenir d'autant.

– Ça ne me paraît pas des plus joyeux, déclara Lucille. Ça tourne vraiment autour de la mort.

– Il s'agit de profiter du temps présent, et c'est exactement ce que j'ai l'intention de faire. Nos plans pour l'été ont connu quelques ratés, avec le désastre qu'est devenue Delphine et la santé de Dora. Mais nous avons le reste de l'été, n'est-ce pas ? Eh bien, réunissons nos doux boutons de rose (Dora, Harper et Carson) à Sea Breeze, et soyons heureuses. Plus de mauvaises nouvelles !

– Plus de mauvaises nouvelles, convint Lucille en pouffant de rire. Seulement des boutons de rose.

~

Plus tard le même après-midi, assise sur la banquette arrière de la voiture de Lucille, Dora se dit que jamais l'île n'avait été plus belle. Des drapeaux américains flottaient à chaque réverbère, les maisons (et même les voiturettes de golf) étaient décorées de rouge, de blanc et de bleu. Partout où elle regardait, les

3. N.d.T.: Traduction libre du poème *To the Virgins, to Make Much of Time* de Robert Herrick.

gens se dirigeaient vers la plage ou en revenaient à pied, la plupart avec leur sac de plage et leur chaise pliante sous le bras.

Elle avait tellement hâte de quitter l'hôpital. Les deux jours lui avaient paru comme deux années, avec les infirmières qui la réveillaient à toute heure de la nuit pour une prise de sang ou pour un examen quelconque. Sans compter la nourriture… Dora avait tellement hâte de savourer la cuisine de Lucille. Toutefois, ces plaintes étaient sans importance comparées au barrage constant de cajolerie et de pression de sa mère et de Cal à la fois pour la faire changer d'idée au sujet de son retour à Sea Breeze. C'était idiot, vraiment. À part le fait que Dora voulait être à Sea Breeze avec ses sœurs, après seulement un mois dans l'île, jamais Nate n'avait été mieux. Elle pouvait à peine imaginer comment il serait après un été entier au soleil.

Dora était épuisée des arguments sans subtilité de sa mère pour la convaincre d'accepter l'offre de Cal et de rester avec lui dans son appartement de Summerville. Cependant, Nate et elle venaient ensemble, et sa décision était prise. À la fin de son séjour à l'hôpital, elle se sentait à la fois physiquement et émotionnellement vidée, et les adieux qu'elle leur avait faits avaient été froids.

La voiture quitta Middle Street pour s'engager sur la petite route incurvée de l'île et tout devint calme. Lucille ralentit tandis qu'elle dirigeait les roues de la voiture de la chaussée au chemin non asphalté. Les gros chênes et palmiers créaient un tunnel d'ombre cachant les maisons. Dora se pencha vers l'avant, sentant une bulle d'excitation alors qu'elles approchaient de la grande haie verte qu'elle connaissait si bien.

— Sea Breeze, murmura-t-elle.

Elle ouvrit la portière de la voiture et sortit dans l'air étouffant. L'ombre du chêne vénérable était un bouclier bienvenu contre le soleil de la mi-journée qui plombait. Elle s'attendait presque à voir la porte d'entrée de la maison s'ouvrir toute grande au claquement des portières de la voiture, mais personne n'apparut.

— Allons, dépêche-toi de rentrer, l'intima Lucille en contournant la voiture. Je demanderai à Harper de monter ta valise tout à l'heure. Il ne faut pas que tu montes quoi que ce soit de lourd à l'étage, du moins pas encore. Allons, Mademoiselle Dora, dit-elle en la poussant doucement.

Dora suivit le pas lent de Mamaw dans l'escalier. Elle se sentait fatiguée, mais pas malade. En temps normal, Dora aurait monté l'escalier à toute vitesse sans même y penser. Mais sa crise l'avait rendue inquiète pour son cœur, en dépit du médecin qui l'avait assurée que tout irait bien.

Dans la maison, le silence régnait.

Mamaw posa son sac à main sur la table de l'entrée et, d'une voix joyeuse, appela :

— Harper !

Il n'y eut aucune réponse.

Dora sentit immédiatement son cœur battre plus vite d'inquiétude.

— Nate ? appela-t-elle à son tour en entrant dans la salle de séjour.

Pas de réponse.

Dora ressentit une poussée d'énergie et traversa le séjour, puis le couloir de l'aile gauche de la maison. La porte de la bibliothèque, où Nate dormait, était fermée. Sans frapper, Dora poussa la porte, le cherchant du regard.

Harper et Nate étaient assis en tailleur sur le parquet, côte à côte, en face de l'écran du jeu vidéo. Harper n'était pas beaucoup plus grande que le garçon, elle avait l'air d'une enfant. Tous deux étaient légèrement penchés vers l'avant, le regard concentré sur l'écran, leurs doigts se déplaçant à toute vitesse sur la commande. De temps à autre, l'un poussait un grognement ou l'autre s'exclamait « oh, non ! » Il fallut un instant pour que Dora finisse par comprendre que Harper jouait vraiment au jeu vidéo avec Nate ; et qu'elle était en train de s'amuser.

Mamaw et Lucille avaient suivi Dora et la rejoignirent à la porte de la bibliothèque. Le bruit qu'elles firent attira l'attention de Harper et elle tourna la tête. Quand elle vit Dora, ses grands yeux bleus s'animèrent et son visage exprima une surprise ravie. Elle déposa la commande et s'exclama :

– Dora, tu es de retour !

– Oui, tout juste, répondit Dora, toujours déroutée de les avoir vus tous les deux en train de jouer au jeu vidéo.

– Laisse-moi te regarder ! dit Harper. Mais tu n'as pas l'air si mal que ça. Et moi qui pensais que tu boitillerais comme une vieille mégère.

– Non, vraiment, je vais bien. C'était plus une bonne frousse qu'autre chose.

Dora chercha son fils du regard, désespérée qu'elle était de le voir. Nate n'était pas venu la voir à l'hôpital. Elle savait bien qu'il n'aimait pas ces endroits, mais il lui avait horriblement manqué et elle espérait qu'il montrerait, d'une manière ou d'une autre, qu'il était content qu'elle soit de retour. Or, le regard de Nate restait résolument rivé sur l'écran.

Harper se tourna alors vers Nate et lui dit sèchement :

– Nate, ta mère est de retour !

Nate continua à jouer à son jeu.

– Bonjour, Nate, le salua Dora.

Il regarda brièvement dans la direction de Dora, mais retourna immédiatement à son jeu et se remit à jouer.

Harper fronça les sourcils et se pencha vers lui.

– Nate, va dire bonjour à ta mère. Elle revient de l'hôpital.

Nate ne tint pas compte de la remontrance de Harper.

Dora voyait bien que Harper était offusquée du refus de Nate de quitter son jeu vidéo pour sa mère, mais Dora était habituée aux manières de son fils. Il lui arrivait souvent d'ignorer les gens et il ne saisissait pas les signaux sociaux, surtout lorsqu'il était captivé par l'un de ses jeux.

– Il n'essaie pas d'être impoli, rassura-t-elle Harper. Je préférerais que tu ne l'encourages pas à jouer à ces jeux vidéo, ajouta-t-elle, laconique. Tu sais bien que j'essaie de l'en détourner un peu, pour qu'il aille dehors. Alors, pourquoi l'encourages-tu ?

Puis, tentant de moduler sa voix, Dora regarda de nouveau Nate.

– Cependant, Nate, ton *comportement* est impoli. Quand ta mère rentre de l'hôpital, ou d'où que ce soit, la politesse demande que tu arrêtes ce que tu es en train de faire et que tu viennes la saluer. Alors maintenant, viens dire bonjour à ta mère.

Nate arrêta de jouer et déposa la commande sur le parquet. Harper se déplaça sur le côté pour lui permettre de se lever, lentement, et de s'approcher de sa mère. Une fois qu'il fut en face d'elle, Nate leva la tête et, impassiblement, étudia son visage.

– Tu as l'air malade. Tu vas mourir ?

Dora put entendre Mamaw, derrière elle, avoir le souffle coupé, mais elle sourit et lui répondit :

– Je ne suis pas malade, Nate, et je ne vais pas mourir. Pas avant longtemps, du moins j'espère. Je suis seulement pâle parce que je suis fatiguée. Tu pensais que j'allais mourir ?

– Oui. Tu es allée à l'hôpital, comme Delphine. Et il se peut qu'elle meure.

Dora aurait voulu le serrer fort contre sa poitrine, pour le réconforter et lui couvrir les joues de baisers, mais elle savait qu'il se débattrait ; elle se contenta de prendre son visage entre ses mains et de sourire en le regardant.

– Tu m'as manqué, dit-elle, et son cœur battit d'amour.

Nate ne répondit rien, se contentant de dégager son visage de ses mains.

– Moi, je t'ai manqué ?

Il hocha la tête, le regard fixé sur ses mains.

Dora se pencha près de son oreille.

– Tu étais inquiet ?

De nouveau, Nate hocha la tête.

Dora sentit son cœur s'épanouir.

– Tu n'as plus à t'inquiéter. Je suis de retour à la maison.

– C'est vrai ? C'est ici notre maison, maintenant ? demanda-t-il, l'air confus.

Mamaw, surprenant ses paroles, dit :

– Mais bien sûr que c'est ta maison, Nate ! Pour tout l'été.

Dora savait bien que Mamaw tentait de se montrer aimante, mais Nate comprenait ce qu'elle venait de dire de manière littérale. En outre, ses sourcils froncés lui rappelaient qu'il n'aimait pas être le centre d'attention. Pour lui, cela pouvait être une source de frustration.

– Oui, c'est notre maison, répondit-elle franchement. Pour l'été. Comme nous en avions parlé, tu te souviens ? Ça te va ?

Il détourna le regard.

– Je peux retourner jouer, maintenant ? demanda-t-il.

Justement, Dora ne voulait pas qu'il passe tout son temps dans cette pièce sombre à jouer à des jeux en compagnie de Harper.

– Je pense que nous allons mettre les jeux de côté pour quelque temps.

– Mais Harper est en train de gagner et je ne veux pas perdre.

Sa voix devenait pleurnicheuse.

– Mais il y a des jours que je t'ai vu, insista-t-elle. Allons dehors. C'est une journée resplendissante. Je vais te préparer quelque chose à manger. Tu as faim ?

– Je veux retourner jouer.

– Tu as passé des heures à jouer, insista Dora avec plus de fermeté. Il est temps de tout éteindre.

Immédiatement, il prit un air de rébellion et se mit à remuer les mains dans les airs de manière erratique.

— Non ! cria-t-il aussi fort qu'il le put.

— C'est assez, le réprimanda sévèrement Dora.

Nate se mit à sauter sur la pointe des pieds.

— Je te déteste ! répéta-t-il sans arrêt.

Puis, dans un accès de défi, il courut prendre la commande sur le parquet.

— Je ne vais pas l'éteindre.

Dora sentit sa colère gronder et elle se dirigea d'un pas lourd vers Nate pour lui arracher la commande.

— Il est temps d'éteindre le jeu.

Même s'il était petit, sa colère était vive et intense. Le visage de Nate devint rouge et il serra le poing. En un éclair, il prit son élan et frappa Dora juste au-dessus du cœur. Le coup était violent, mais il fit plus que lui faire mal. Parce que c'était son cœur, parce qu'elle avait peur, le coup la secoua. Dora chancela, la main sur le cœur, le souffle coupé.

Natè se jeta par terre en pleine crise de nerfs.

Dora le regarda en train de hurler et de donner des coups de pieds avec un sentiment d'impuissance. Elle était incapable de bouger, elle était incapable de trouver l'énergie d'aller le voir, de le calmer. Elle se sentait prise de panique, désespérée.

— Je ne suis plus capable !

Le cri fusa de sa gorge. Elle recula, s'éloignant de son fils, et couvrit son visage de ses mains.

— J'ai besoin d'aide !

Aussitôt, elle sentit les bras de Mamaw autour d'elle et entendit sa voix dans son oreille.

— Nous allons t'aider, Dora. Tu n'es pas toute seule.

CHAPITRE 6

Les jours passèrent sans que Dora quitte sa chambre. Elle ne pouvait trouver l'énergie et encore moins l'envie de le faire. Elle restait allongée, apathique, dans son petit lit, vêtue d'une légère chemise de nuit de coton blanc, à regarder les effets de lumière sur le plafond. C'était un jour de plus dans ce qui semblait être une vague persistante de chaudes journées d'été. La climatisation vrombissait, mais Mamaw ne maintenait jamais la température très fraîche. Le ventilateur du plafond remuait bien l'air, même si les pales étaient légèrement de travers, ce qui faisait trembler l'appareil, produisant un claquement monotone tandis qu'il ronronnait.

Depuis leur arrivée à Sea Breeze en mai, Dora avait partagé cette chambre avec Harper. Cependant, à son retour de l'hôpital, elle avait constaté que Harper s'était temporairement installée dans la chambre que Carson avait laissée. Dora s'était attendue à ce que Harper revienne avec elle lorsque Carson était revenue, la veille au soir, mais elle les avait entendues glousser de rire et bavarder ensemble comme des petites filles dans l'autre chambre jusqu'au petit matin.

Ça n'avait pas dérangé Dora de partager une chambre avec Harper. Elle n'aurait pu rêver d'une meilleure camarade de chambre. Elle était ordonnée, de manière excessive, même. Sa sœur cadette vivait comme une religieuse, une religieuse bien habillée, il est vrai. Tous ses vêtements, ses chaussures et ses bijoux étaient placés dans de jolies boîtes de rangement ou dans des sachets de velours. Son ordinateur portable et ses livres étaient bien en ordre sur la petite table du coin. Son lit était fait tous les matins, avec des plis bien nets dignes d'un hôpital. Et non seulement nettoyait-elle la salle de bain après l'avoir utilisée, mais même après Dora, elle nettoyait de manière compulsive, ramassant les serviettes qui jonchaient le sol, lavant le lavabo et la baignoire, rangeant les accessoires de toilette dans les paniers dont elle avait fait l'achat.

Il n'en restait pas moins que dormir dans la même chambre, et dans des petits lits en plus, représentait un peu plus d'intimité que l'une et l'autre désiraient. Harper utilisait son ordinateur ou lisait tard dans la nuit. Règle générale, Dora réussissait à s'endormir, mais les soirs où elle en était incapable, elle faisait semblant de dormir alors même que le cliquetis du clavier lui faisait grincer des dents.

Tout le monde était rassemblé sur la véranda. De sa chambre, Dora pouvait les entendre bavarder, de même que le tintement de la vaisselle. Elle essayait d'entendre, mais n'arrivait pas à distinguer les mots, seulement le doux murmure de la conversation, ponctué de rires, à l'occasion. Elle aurait pu se lever, bien sûr, mais personne n'avait pensé à venir voir comment elle allait ou à l'inviter à se joindre à elles.

Elle se tourna sur le côté en ressentant un raz de marée de tristesse aussi puissant et froid que l'immense océan Atlantique. Pourquoi lui auraient-elles demandé de se joindre à elles ? se demanda Dora sombrement. Qui en aurait envie ? Cal lui avait dit qu'il lui arrivait d'être ennuyeuse, et elle croyait que c'était vrai. Elle ne plaisait pas aux gens comme Carson savait le faire, elle qui n'avait jamais rencontré le moindre inconnu qu'elle ne sut charmer et faire sentir comme un membre de la famille. Carson était comme Mamaw, primesautière, amusante. Les gens se rassemblaient à ses côtés. Même Harper, en dépit de sa réserve apparente, semblait avoir un million d'amis. Il y avait toujours quelqu'un en train de lui envoyer un message texte ou un courriel, et son téléphone faisait toujours du bruit.

Dora n'avait aucun ami, pas d'amant, pas de vie. Même son fils ne voulait pas être avec elle. Qu'est-ce qui ne marchait pas ? Elle serra fermement l'oreiller en se souvenant comment elle s'était effondrée.

— Mon Dieu, aidez-moi, j'ai tellement honte.

Son effondrement avait rivalisé avec celui de Nate. C'était seulement maintenant, avec le recul, qu'elle pouvait voir qu'elle avait manqué tous les signes. Il était facile de comprendre que Nate n'était pas seulement irrité qu'on lui dise d'éteindre son jeu. Une crise n'était jamais seulement un accès de rage. Pendant son séjour à l'hôpital, il avait été inquiet, il avait eu peur, s'était senti seul, frustré, et peut-être même triste. De sorte que l'ultimatum de Dora avait été la goutte qui avait fait déborder le vase. Si elle souhaitait être honnête avec elle-même, elle n'avait su les distinguer parce que tout ce qu'elle pouvait voir était que Harper avait trouvé le moyen de jouer avec Nate, tout comme Carson l'avait fait avant elle.

Dora savait bien que ses sœurs tentaient seulement de l'aider. De mieux connaître leur neveu. D'un côté, elle était ravie qu'elles fassent tous ces efforts. Reconnaissante même. Et pourtant, d'un autre côté, elle était jalouse de les voir jouer avec lui. *Pourquoi son fils refusait-il de jouer avec elle ?*

Elle connaissait la réponse. Pour son fils, elle représentait l'autorité. Celle qui établissait les règles. À côté d'elle, ses tantes étaient amusantes. Carson nageait avec les dauphins. Harper connaissait des jeux plaisants. Son souffle lui brûla la gorge tandis que la vérité devenait évidente. *Je ne sais pas jouer avec lui.*

Elle entendit un bruit de pas dans le couloir et elle tourna la tête vers la porte, sur ses gardes. *Laissez-moi, laissez-moi,* se dit-elle en fermant les yeux et évitant tout mouvement. Elle voulait qu'on la laisse seule avec sa tristesse. Un instant plus tard, elle entendit qu'on frappait doucement à la porte. Sa première réaction fut de ne pas répondre, de faire comme si elle dormait. Puis, elle entendit la voix de Mamaw.

– Dora ? Dora, ma chérie, es-tu réveillée ?

Avant même que Dora ait pu décider quoi faire, la porte s'ouvrit et elle vit Mamaw qui passait sa tête argentée dans la chambre.

– Je te réveille ?

– Non, répondit-elle, contrariée.

– Tant mieux, dit Mamaw, et elle pénétra dans la chambre, se dirigeant droit vers le lit.

Dora s'attendait à ce qu'elle pose la main sur son épaule, qu'elle la lui tapote doucement pour l'encourager. Au lieu de cela, elle saisit le drap et, d'un geste sec, la découvrit.

Dora se retourna d'un coup et la regarda, bouche bée.

– Dora, il est vraiment temps que tu cesses de t'apitoyer sur ton sort et que tu te lèves !

– Je ne veux pas.

Dora rattrapa le drap et s'en recouvrit jusqu'au cou.

– Je m'en fiche. Je te dis que je veux que tu te lèves immédiatement. C'est compris ?

Personne ne lui avait parlé d'une telle manière depuis qu'elle n'était plus une petite fille. Elle était trop stupéfaite pour dire quoi que ce soit. Au lieu de cela, elle tourna le dos à Mamaw, se mit en boule et pleura.

– Oh, Dora, dit Mamaw, exaspérée, en s'asseyant à côté d'elle sur le lit.

– Je suis tellement malheureuse, gémit Dora.

– Ma chérie, il y a bien longtemps que tu n'es plus malheureuse. Tu es tout juste au bord de la dépression, et complètement pitoyable.

– Je sais, répondit-elle en sanglotant. Je déteste ma vie, je me déteste moi-même. Je déteste tout.

Mamaw, de manière impardonnable, éclata de rire.

– Ce n'est pas drôle, grogna Dora.

– Bien sûr que non. Mais tu es en train d'avoir ce que ma mère appellerait tes « vapeurs ». Et rester au lit à t'apitoyer sur ton sort ne te sera d'aucun secours.

– Je suis bien ici.

Mamaw se leva et mit la main sur sa hanche.

– Ma chère petite, quand je t'ai invitée à revenir à Sea Breeze après l'hôpital, j'avais l'intention qu'ici, tu commences à guérir. Si ce que tu voulais, c'était rester au lit et t'apitoyer sur ton sort, tu aurais dû rentrer avec ta mère.

Dora grogna et serra les jambes plus près de sa poitrine.

Mamaw alla jusqu'aux fenêtres et ouvrit grand les rideaux, emplissant la chambre de lumière.

– Regarde dehors, petite ! Il y a l'océan, la plage, le soleil, l'air parfumé… et tout ça n'attend que toi. Il ne faut plus y tourner le dos.

Elle tapota l'épaule de Dora.

– Ni à moi, en fait. Tu te conduis comme une enfant gâtée, ce que je ne tolérerai pas.

C'était Mamaw tout craché, ne passant pas par quatre chemins, n'hésitant pas le moins du monde à dire ce qu'elle pensait. Il était toujours plus facile de composer avec la franchise et soudain, Dora se sentit contente que Mamaw soit entrée dans sa chambre, comme un rayon de soleil. Tout en ayant un peu honte de sa conduite, elle se tourna pour faire face à Mamaw.

– Je me sens tellement bête, admit-elle. Je suis une épouse ratée. Une mère ratée.

– Mais bien sûr que non.

– Non ? En tout cas, c'est exactement ce que pense ma mère. Je me sens comme si j'avais brisé une des règles de la féminité. Je suis tombée et je n'arrive tout simplement pas à me relever. Chaque fois que j'essaie de nouveau, je retombe.

Le visage de Mamaw s'adoucit.

– Laisse-moi t'aider.

Mamaw lui prit le bras et la tira doucement pour qu'elle s'asseye.

– Bon, voilà qui est mieux.

Mamaw fit un pas en arrière et examina Dora.

– Ma petite, tu es en piteux état. Quand t'es-tu lavé les cheveux la dernière fois ? Et tu es si pâle. Avoir le teint clair et être pâle, ce n'est pas la même chose. Je sais exactement de quoi tu as besoin. Lève-toi, petite. Tu m'as entendue. Debout !

Dora obéit. Elle n'était pas du genre à ne pas tenir compte d'un ordre de Mamaw. Elle se leva donc lentement, manquant un peu d'équilibre en raison de tout le temps qu'elle avait passé allongée, tout en soupirant dramatiquement dans un reste de rébellion.

– Bon. Maintenant, Dora, regarde-moi.

Lentement, avec hésitation, Dora leva les yeux pour croiser le regard de Mamaw. Une fois qu'elles furent en train de se regarder dans les yeux, elle sentit le lien intemporel que renfermait le regard de sa grand-mère.

– Suis-moi, petite.

Dora ne dit mot, mais tendit la main vers Mamaw tandis que son cœur murmurait *Oui !*

Mamaw lui prit la main et la mena le long du couloir jusqu'à sa chambre. Dora se sentait comme une enfant, son regard allant de tous côtés, ne voulant pas que ses sœurs la voient dans cet état, tandis qu'elle se laissait guider ainsi. Elle sentait la main de Mamaw dans la sienne, en train de la tirer hors de l'abîme. Elle ne voulait pas la lâcher.

Chapitre 6

Une fois dans la vaste chambre de Mamaw et la porte bien fermée, Dora se sentit en sûreté. Cette pièce était le sanctuaire féminin de Mamaw : des chaises rebondies recouvertes de chintz, de nombreux et jolis oreillers, des peintures marines représentant l'océan et d'autres, des marécages, des rideaux frangés.

Mamaw esquissa un petit sourire.

– Bon, voilà qui est mieux. Chaque fois que je me sens rompue, brisée, je prends un bon bain bien chaud parfumé. Ça fait des miracles sur mon état d'esprit. Qu'en dis-tu ?

Le visage de Dora s'illumina à cette suggestion.

– Ce serait merveilleux.

– Assieds-toi ici, ma chérie, pendant que je fais couler ton bain, lui enjoignit Mamaw. Non, non, ne fais rien, contente-toi de te détendre ! ajouta-t-elle joyeusement en ne faisant aucun cas de l'effort peu enthousiaste de Dora pour l'aider.

Dora s'assit donc sur le grand lit, se sentant de nouveau tout à fait comme une enfant tandis que Mamaw disparaissait dans sa salle de bain. Elle entendit le bruit sourd de la tuyauterie et l'eau gicler des robinets. Juste après, un parfum sucré flotta jusqu'à la chambre. Elle ferma les yeux et prit une grande respiration. Un parfum de rose… enivrant. Mamaw revint dans la chambre avec une grande serviette bleu cyan qu'elle lui tendit.

– Déshabille-toi, ordonna-t-elle. Il faudra encore quelques minutes avant que la baignoire soit remplie. Pendant que tu attends, bois ceci.

Elle tendit à Dora un godet rempli d'un liquide ambré.

– Qu'est-ce que c'est ?

– Du rhum. Sec. Vieilli et souple comme les fesses d'un bébé, alors profites-en. Mais surtout, pas un mot à Lucille. Si elle apprend que j'ai toujours une bouteille cachée, qu'est-ce que *je* vais prendre !

Elle pouffa de rire en même temps que ses yeux s'illuminaient, pleins de triomphe.

– Cette petite bouteille se fond parfaitement dans les articles de toilette !

– Mais Mamaw, je ne devrais pas boire d'alcool.

Elle fit le geste de lui rendre le godet.

– Nous étions toutes d'accord : pas d'alcool.

Mamaw repoussa la main de Dora avec douceur.

– Ma toute jolie, voilà bien une chose pour laquelle je ne me fais aucune inquiétude à ton sujet. Aucune de nous n'est parfaite. Nous n'avons pas besoin de perfection. L'équilibre suffit.

Dora dégusta son alcool. Le rhum était doux et la brûla à peine en descendant le long de sa gorge, tout en la réchauffant. C'était une sensation absolument agréable, et si tôt dans la journée, tout à fait décadente.

Elle retira sa chemise de nuit à la garniture de dentelle qui la faisait toujours se sentir comme une vieille dame. L'envoyant de l'autre côté de la chambre d'un coup de pied, elle se jura qu'elle ne la mettrait plus jamais. Elle mit le peignoir en épais tissu éponge de Mamaw.

Celle-ci sortit de la salle de bain et l'appela.

– Dora ? Viens, ma petite.

Dora entra dans la salle parfumée et remplie de vapeur. Mamaw l'aida ensuite à retirer le peignoir et la mena jusqu'à la baignoire fumante. C'était si chaud que Dora pénétra dans l'eau peu à peu, centimètre par centimètre, afin de permettre à son corps de s'habituer. Graduellement, elle s'étira et s'enfonça complètement dans l'eau parfumée et pleine de bulles. Elle s'adossa contre la baignoire et appuya la tête contre un oreiller posé sur le rebord. Fermant les yeux, elle respira la vapeur et sentit toute la tension évacuer son corps et disparaître dans l'eau. Elle soupira, se sentant comme si on était venu à son secours. Les gouttes sur son visage n'étaient pas des larmes, mais de la sueur.

Chapitre 6

~

Mamaw servait du thé glacé sur la véranda arrière en même temps que Lucille offrait des scones aux bleuets provenant de la pâtisserie du village. Elle avait convoqué cette réunion familiale à l'improviste pendant que Dora se reposait dans son bain. L'après-midi était resplendissant, à l'ombre de l'auvent aux rayures blanches et noires. De gros cumulus blancs dérivaient au-dessus de l'horizon sur la crique. Des pots de fleurs pleines de vie disposés à certains endroits de la véranda ajoutaient une touche de couleur et parfumaient l'air de leur senteur enivrante.

Mamaw cogna sa cuillère contre son verre pour mettre un terme au bavardage. Carson et Harper cessèrent de parler, et cette dernière referma son ordinateur portable.

– Où est Dora ? demanda Carson.

– Toujours en train de dormir ? renchérit Harper.

– Non, répondit Mamaw en la regardant d'un air chargé de reproches pour cette critique à peine déguisée. Mais c'est justement pour cette raison que j'ai convoqué cette réunion : Dora n'est plus elle-même.

– Et comment ! dit Carson. Je ne l'avais jamais vue si déprimée.

– Cette manière qu'elle a eue de s'emporter…, ajouta Harper en remuant la tête.

– Ce n'est pas tant qu'elle était contrariée, mais qu'elle s'est effondrée, la corrigea Mamaw. Ce n'est pas la même chose. Ce qui importe est que Dora ait demandé de l'aide.

– Je ne me souviens pas qu'elle l'ait jamais fait auparavant, dit Lucille, songeuse.

– Exactement. De sorte qu'il faut combiner nos intelligences et trouver des manières de l'aider pendant ce moment difficile. Dieu merci, elle n'a pas fait une crise cardiaque, mais il n'y a aucun doute qu'il s'agissait d'un avertissement. D'un coup de semonce. Le médecin a été très clair : Dora doit faire de grands changements à son alimentation et dans les exercices qu'elle fait.

Elle soupira.

– Ou qu'elle ne fait pas.

Elle fit une pause pour jeter un coup d'œil du côté de la porte de la véranda afin de s'assurer qu'elle était fermée, car elle ne voulait pas que Dora puisse surprendre leur conversation et être blessée.

– Malheureusement, au lieu d'essayer de faire ces changements, elle reste enfermée dans sa chambre. Elle dit qu'elle est trop fatiguée, mais…

Mamaw soupira de façon théâtrale pour indiquer qu'il s'agissait de plus que de la fatigue.

– Je me suis dit que nous pourrions trouver des manières de la soutenir. De nous rallier à elle. De lui montrer que nous nous soucions d'elle.

– De la faire sortir du lit, ajouta sèchement Lucille.

Pendant un instant, les sœurs restèrent silencieuses, puis Harper prit la parole.

– C'est bien beau tout ça…, commença-t-elle, d'une voix hésitante.

Mamaw inclina la tête, attendant la suite. Harper, bien qu'elle n'ait pas été des plus loquaces, était réfléchie. Quand elle émettait une opinion, c'était vraiment ce qu'elle pensait, et elle montrait une maturité intellectuelle qui n'était pas de son âge.

– … toutefois, c'est à elle d'avoir la volonté de changer. Ce n'est plus une petite fille. Nous ne pouvons pas la *forcer* à faire quoi que ce soit.

– C'est vrai, mais nous pouvons l'encourager, dit Carson. J'étais reconnaissante que vous toutes soyez derrière moi quand j'ai voulu arrêter de boire. Il n'y avait plus une seule bouteille dans la maison. Je le sais, parce que je les ai cherchées, ajouta-t-elle d'un léger ton d'autodérision.

Elle rit avec les autres avant de reprendre d'un ton plus sérieux :

– S'il y avait eu du vin dans le réfrigérateur, le soir, je n'aurais pas pu résister.

– Et si jamais tu veux aller vérifier, il n'y en a toujours pas, l'assura Lucille de manière marquée.

Carson fit la grimace pendant que les autres pouffaient de rire.

Harper se pencha vers Carson.

– Et comment tu t'en sors de ce côté ?

Carson remua son thé glacé un instant.

– J'ai eu beaucoup de temps pour y réfléchir dans la voiture en allant et en revenant de Floride. Je ne veux pas penser que je suis alcoolique, mais comme mes parents l'étaient tous les deux, et avec mon propre passé…

Elle haussa les épaules.

– Il est évident qu'il y a un problème. À vrai dire, je ne peux pas m'empêcher d'avoir envie de boire. Avant, je pensais que je buvais simplement socialement. La plupart des filles célibataires de notre âge vont dans les bars ou les restaurants pour passer le temps. Or, il y a toujours de l'alcool, n'est-ce pas ? demanda-t-elle à Harper.

Celle-ci hocha la tête.

– Et l'espoir de rencontrer un mec quelconque.

– Quand j'ai fait le total, j'ai dû constater que j'avais l'habitude de boire cinq verres en une soirée.

– D'accord, mais ces 5 verres sont consommés sur une période allant de, disons, 20 h à 1 h, dit Harper. Ce qui veut dire un verre à l'heure. Dans un tel contexte, ça ne paraît vraiment pas excessif.

– Et pourtant, je sortais prendre un verre avec des amis plusieurs fois par semaine. En outre, je prenais un verre ou deux chez moi.

Carson fronça les sourcils.

– Quelle que soit la manière de calculer, ça donne beaucoup d'alcool.

Elle prit alors une grande respiration.

– Je considère donc me joindre aux AA, juste pour être sûre. Ça pourrait m'aider d'entendre les histoires d'autres personnes et je pourrais déterminer où je me situe dans tout ça.

Mamaw souleva les sourcils.

– Tu crois vraiment que c'est nécessaire ?

– C'est nécessaire si elle pense que ça l'est, répliqua Lucille.

– Je n'ai pas encore pris de décision, dit Carson sans se compromettre. Je suis toujours en train d'y penser.

– Continue d'y penser, l'encouragea Lucille. Ne sois pas paresseuse et ne ferme pas les yeux sur tes problèmes.

Mamaw se pencha pour lui tapoter la main.

– C'est une décision très courageuse. Une décision que ton père aurait dû prendre. Je regrette d'ailleurs de ne pas l'avoir encouragé à le faire. Si tu penses que tu as besoin des AA, alors vas-y. Je suis fière de toi.

Mamaw échangea un regard débordant d'affection avec elle.

– Tu vois, c'est exactement ce que je veux dire, reprit Harper en s'adressant à Mamaw. La décision de Carson de s'occuper de sa consommation d'alcool vient d'*elle-même*. Elle va réussir parce qu'elle le veut. Pour que Dora réussisse à changer son alimentation et son style de vie, c'est elle qui doit le désirer. Sans cela, tout le soutien et toutes les bonnes suggestions du monde seront sans aucun effet.

– Je suis bien d'accord que la décision doit venir d'elle, concéda Mamaw. Mais nous pouvons l'aider à atteindre ce point. Et aussi l'encourager, pour nous assurer qu'elle réussisse. Les filles, notre Dora est passée à l'essoreuse à l'hôpital, et par cela, je n'entends pas simplement ses problèmes médicaux.

– Que s'est-il passé ? s'enquit Carson.

– Elle a été tyrannisée, tout simplement. Sa mère, commença Mamaw en levant les yeux au ciel, cette femme horrible, a exercé de la pression sur Dora pour qu'elle retourne avec elle à Charlotte, de la pression exercée sur ce ton désapprobateur auquel Dora cède d'habitude. Et Cal…

Elle ne fit aucun effort pour masquer le mépris dans sa voix.

– Voilà qu'il lui a subitement *suggéré* qu'ils reconsidèrent tous deux leur divorce. Il lui a même proposé de s'installer dans son appartement de Summerville.

– Vraiment ? se surprit alors Harper. Ce n'est pas une bonne chose ?

– Non, pas du tout, trancha Mamaw. Il est d'un égoïsme sans vergogne. Il a tellement fallu que je me retienne pour ne pas le remettre à sa place. Winnie, évidemment, était tout ébahie à la possibilité d'une réconciliation. Pas de divorce, pas de scandale. Elle n'a jamais pensé à ce qui était le mieux pour Dora.

– Mamaw, dit Carson en mesurant ses paroles, je suis sûre qu'elle se sent concernée pour Dora. C'est sa mère, après tout, et elle a le droit d'avoir son opinion.

– Je suis d'accord avec Carson. Quel est le mal de vouloir sauver son mariage ? demanda Harper, toujours pas très convaincue.

– Mais bien sûr qu'il n'y a rien de mal là-dedans, pourvu que ce soit pour des raisons sincères, répondit Mamaw. Mais Cal Tupper se contrefiche de Dora. Et de son fils.

Elle se redressa sur sa chaise.

– Il est peut-être capable de duper Winnie, mais pas moi. Elle n'a vraiment aucune idée de l'homme qu'il est. Il veut garder Dora à Summerville, près de sa maison démesurée afin qu'elle puisse en superviser les rénovations. Et que ça saute ! Voilà quelles sont ses motivations.

— Pardonne-moi, mais là encore, qu'y a-t-il de mal à ça ? demanda Harper. C'est ce qu'elle ferait s'il n'y avait pas de problèmes dans leur mariage, non ? C'est sa femme, après tout. Et être femme au foyer est son travail.

— Là n'est pas la question.

— Alors où est-elle ? questionna Harper.

Carson plissa les yeux et remua un doigt.

— Qu'est-ce que tu ne nous dis pas ?

Mamaw regarda en direction de la porte et baissa la voix.

— Ce dont il est question, c'est de Nate.

— Quoi Nate ? s'enquit Harper.

— Il n'est pas inclus dans l'invitation à l'appartement.

Cette affirmation rendit Carson furieuse.

— Pas inclus ? Mais c'est leur fils !

— *Voilà* ce dont il est question, dit Mamaw en hochant la tête avec satisfaction en constatant que son parti avait été vengé.

— Tu veux dire qu'il veut que *nous* le débarrassions de Nate ? demanda Carson avec incrédulité.

— Exactement.

Carson s'adossa contre sa chaise.

— Tu as raison. C'est une merde. Pauvre Nate. Pauvre Dora.

— Je ne le connais absolument pas, alors je ne prends pas sa défense, reprit Harper, mais connaissons-nous les deux côtés de cette histoire ?

— Comment peux-tu dire une chose pareille ? l'interrogea Carson en fulminant. C'est un crétin. Nous le savions toutes avant le divorce.

— Mais c'est le crétin de Dora ! soutint vivement Harper.

Elle fit une pause, entendant ce qu'elle venait de dire, et elles explosèrent toutes de rire.

Mamaw ramena la conversation sur le sujet.

— Dora a pris la décision de revenir ici avec nous, alors ne perdons pas notre temps à discuter des qualités et des défauts de Calhoun Tupper.

Le ton de sa voix affirmait clairement qu'elle avait déjà gaspillé assez de salive sur cet homme.

– Dora a passé la plus grande partie de sa vie à faire ce qu'on lui disait. Et à faire passer les autres avant elle-même, en particulier Nate. C'est la première fois qu'elle parle pour elle-même et dit ce qu'elle veut en insistant que Nate et elle seraient mieux à Sea Breeze. C'est déjà un début, ajouta-t-elle.

Puis, tout en regardant Harper, Mamaw poursuivit.

– Tu as tout à fait raison que Dora doit prendre cette décision par elle-même. Mais nous pouvons la guider vers de nouvelles habitudes qui l'aideront à se sentir mieux dans sa peau. Intérieurement et extérieurement. Des petites choses que vous deux, vous tenez pour acquises, comme se faire faire une manucure et une pédicure, prendre le temps de faire de l'exercice, sortir entre filles. Tout ça lui est complètement étranger. Elle est complètement dévouée à Nate de même qu'à tous ses besoins. Ensuite, il y a ceux de Cal, et puis ceux de la maison. C'est en dernier lieu qu'elle pense à elle-même, constamment. Il n'est pas surprenant qu'elle ait perdu sa ligne. Elle a tout simplement abandonné. En plus, je doute qu'il y ait eu beaucoup d'argent pour tous ces petits plaisirs.

– Mamaw, dit Carson en s'appuyant contre le dossier de son grand fauteuil et en passant les bras autour de ses jambes, Dora n'était pas comme ça quand elle était petite. Pendant nos étés ensemble, elle faisait en sorte que les choses se passent comme elle l'entendait. Je n'ai jamais considéré que Dora ait été timide et réservée. En fait, elle ne l'est toujours pas. Elle est même tout simplement autoritaire.

– Oui, c'est vrai, reconnut Mamaw. Mais maintenant, réfléchis un instant. Au sujet de *quoi* Dora est-elle maniaque ?

– L'emploi du temps de Nate, répondit immédiatement Carson. La nourriture de Nate, les vêtements de Nate…

– Suivre les règles, ajouta rapidement Harper. Les règles des belles du Sud, je veux dire. Par exemple, ne pas être trop décolletée ou porter des jupes trop courtes.

– Ne jamais porter de blanc avant Pâques ou après la fête du Travail, ajouta Carson.

– Les bonnes manières, ne pas jurer, ne pas crier, aller à l'église, poursuivit Harper.

Carson fit un sourire ironique.

– Être une dame.

Instantanément, les deux filles tournèrent la tête, se pointèrent l'une l'autre du doigt et laissèrent échapper :

– Mort aux dames !

Mamaw ne put s'empêcher de rire. Quand Carson et Harper étaient de petites filles, elles parcouraient l'île en faisant semblant d'être des pirates à la recherche d'un trésor enterré quelque part. Mamaw savait très bien que ces deux garçons manqués étaient irrités par son autorité et étaient contrariés quand elle leur disait de ne pas mettre leurs pieds pleins de sable sur le lit ni leurs coudes sur la table, de cracher leur gomme à mâcher et d'utiliser des mouchoirs en papier plutôt que leurs manches pour s'essuyer le nez. Elles les avaient forcées toutes les deux à se laver pour le dîner, à se brosser les cheveux, à baisser la voix, et leur disait toujours de se « comporter comme des dames ». De sorte que les filles avaient inventé ce mot d'ordre secret qu'elles hurlaient dès qu'elles avaient franchi la porte : *Mort aux dames !*

– Exactement, répondit Mamaw. Dora est comme un chien berger qui aboie et mord pour s'assurer que les moutons restent en troupeau. Elle se donne de la peine pour suivre les règles. Pour être une bonne fille bien élevée.

Elle esquissa un sourire sournois.

– Je pense qu'elle a besoin de mettre un peu plus l'accent sur ce pirate qu'il y a dans son sang, pas vous ?

Carson et Harper répondirent toutes deux avec un grand sourire.

— Mort aux dames… Bien sûr ! s'exclama Carson, qui avait saisi.

— Dora a besoin de laisser tomber les règles pour quelque temps, admit Harper, que la tournure que prenaient les choses amusait visiblement.

Elle se pencha vers l'avant :

— Comment pourrions-nous l'aider ?

~

Dora n'avait aucune idée du temps qu'elle avait été allongée, immergée dans l'eau, complètement détendue. En tout cas, l'eau était froide au retour de Mamaw. Elle ouvrit le peignoir en tissu-éponge à Dora pour qu'elle le mette comme si elle avait été sa femme de chambre, puis l'accompagna jusqu'à la chambre.

La coiffeuse de Mamaw était un véritable objet d'art. C'était une antiquité française avec un triple miroir et dont la structure de laiton était recouverte d'une superbe plaque de marbre blanc.

Dora se rappela quand elle était une petite fille en train de regarder Mamaw se préparer pour une de ses sorties avec grand-papa Edward.

~

Dora était installée en tailleur sur le grand lit de Mamaw, captivée par sa belle grand-mère assise en face du miroir brillant de sa coiffeuse. Elle se disait que celle-ci avait l'air d'une reine dans sa robe rubis. La soie tombait de ses épaules étroites avec éclat pour s'évaser à ses pieds. Dora regardait son pyjama My Little Kitty et souhaitait pouvoir être aussi belle que sa grand-mère, avec ses longs cheveux dorés rassemblés sur le dessus de sa tête par des épingles ornées de pierres. Mamaw prenait un pinceau et le trempait délicatement dans l'un de ses pots de couleur. Elle se penchait plus près du miroir et appliquait le fard avec de petites touches adroites. Dora avait soupiré quand Mamaw avait mis différentes boucles près de ses oreilles en tournant la tête de gauche à droite pour apercevoir son reflet dans les trois miroirs afin de mieux décider lesquelles porter. Quand, pour le coup de grâce, elle avait appliqué le rouge rubis sur ses lèvres, Dora avait failli s'évanouir.

Mamaw s'était tournée sur son banc et lui avait souri.

— Voudrais-tu en essayer un peu ?

— Qui, moi ? avait demandé Dora en se redressant.

Jamais sa mère ne lui avait proposé de mettre un peu de maquillage sur son visage et la seule fois qu'elle lui avait demandé d'essayer son rouge à lèvres, les yeux de Winnie, sous le choc, s'étaient écarquillés et elle s'était exclamée : « Tu es bien trop jeune pour te maquiller ! »

— Oui, bien sûr, toi, avait répondu Mamaw en se levant du banc.

Elle tendit la main à Dora et la mena jusqu'au banc. Dora regarda son reflet dans le magnifique triple miroir, stupéfaite.

Mamaw avait pris la brosse de soies de sanglier et s'était mise à brosser les cheveux de Dora avec de longs mouvements tout en douceur. La sensation était magnifique.

— Tes cheveux sont de la même couleur que les miens, avait remarqué Mamaw sur un ton qui indiquait que cela lui faisait plaisir. Tu dois les brosser 100 fois tous les soirs pour qu'ils soient brillants.

Mamaw avait posé la brosse sur la coiffeuse et pris son pinceau à maquillage. Elle l'avait passé dans de la poudre rose et en avait ensuite appliqué quelques touches sur les joues de Dora. Quand Mamaw avait appliqué une légère trace de bleu sur ses paupières, Dora avait retenu sa respiration.

– À peine une légère touche quand tu appliques du maquillage, avait recommandé Mamaw. Ce que tu veux, c'est rehausser ta beauté, avec bon goût. S'il y en a trop, tu auras seulement l'air d'une vulgaire pouffiasse.

Dora ne savait pas au juste ce qu'était une pouffiasse, mais elle avait compris l'essentiel de ce que Mamaw voulait dire. Et quand elle avait vu son reflet dans le miroir, elle s'était sentie si adulte ; belle, même ! À ce moment précis, il n'y avait personne au monde que Dora aimait plus que sa grand-mère.

~

Et maintenant, après toutes ces années, Mamaw l'installait de nouveau en face du même triple miroir. Dora baissa les épaules et détourna le regard, se sentant toujours comme une petite fille gauche et maladroite. Sans même regarder son reflet, Dora se sentait bien plus le fou du roi que la reine.

– Et maintenant, ma chère enfant, bois ceci, l'intima Mamaw en lui tendant un verre.

Dora le regarda avec méfiance.

– Ce n'est que de l'eau, l'assura Mamaw en pouffant de rire. Après un bon bain bien chaud, il faut rétablir ton hydratation. Ta peau ne doit jamais être déshydratée.

Dora obtempéra, prit le verre et le but tout doucement.

Mamaw ouvrit un tiroir vitré et y prit un pot de crème. Après y avoir plongé le doigt, elle appliqua délicatement la crème hydratante sur la peau de Dora, tout en prenant le temps de faire de petits mouvements circulaires sur ses tempes. Dora garda les yeux fermés quand, encore une fois, Mamaw lui brossa les cheveux, un doux coup de brosse après l'autre.

– Tu es une belle femme, la complimenta Mamaw une fois qu'elle eut terminé. Ouvre les yeux et regarde l'éclat de ta peau !

Avec réticence, Dora ouvrit les yeux. Dans le reflet, elle vit une paire d'yeux brillants en train de la regarder. Autour d'eux, sa peau était rose du bain de vapeur. Elle regarda encore son reflet, surprise que la femme qui s'y trouvait soit en réalité plutôt jolie.

— Tu as toujours eu un teint idéal, poursuivit Mamaw tout lui brossant les cheveux. Si doux. Regarde, tu n'as pas une ride. Tu tiens ça de moi, bien sûr. Quand tu iras te promener, mets de l'écran solaire et porte un chapeau. Le soleil n'est pas ton ami.

— Me promener ? demanda Dora.

— Bien sûr. Tu dois faire de longues promenades chaque jour, comme te l'a prescrit le médecin. Tôt le matin ou tard l'après-midi, quand le soleil n'est pas trop ardent. C'est le meilleur exercice pour ton cœur ; et ta silhouette t'en remerciera, ajouta-t-elle. Tu pourras commencer dès cet après-midi.

— Je ne sais pas…

— Mais bien sûr que si. Nous avons déjà réglé tout ça quand tu étais à l'hôpital, ma chère. Et tu sais très bien qu'il est temps de tout reprendre à zéro.

— Je ne sais pas si je suis capable. Je voudrais me cacher. J'ai tellement mal. Je suis si déçue… par la vie, par Cal, par les gens.

Mamaw s'arrêta de lui brosser les cheveux et dans le miroir, regarda Dora dans les yeux.

— « Les gens font souffrir, sont durs et insensibles, vides et cruels… mais les *lieux* soignent les blessures, apaisent les affronts, remplissent le vide horrible que ces êtres créent. »

Elle mit les mains sur les épaules de Dora.

— Sais-tu qui a dit ça ?

— Non.

— Celle qui porte le même prénom que toi, Eudora Welty.

— Elle ? s'enquit Dora en fronçant les sourcils. Elle n'a pas été particulièrement heureuse en amour, elle non plus, non ?

– Comment pouvons-nous vraiment le savoir ? De toute manière, qu'elle ait été mariée et heureuse en amour ou non importe peu. Elle savait *qui* elle était et a vécu sa vie pleinement.

– Elle a passé toute sa vie seule, dans la petite ville où elle est née, argua Dora.

– Encore une fois, tu ne vois pas ce qui est important, dit Mamaw en tapotant son épaule. La vie qu'Eudora s'est faite pour elle-même était sa propre création. Peu importe où elle l'a passée, elle était en harmonie avec elle-même. D'accord, elle a passé la plus grande partie de sa vie dans une petite ville du Mississippi, mais ce qu'Eudora comprenait, et au sujet de quoi elle a écrit des choses si belles, c'était à quel point l'amour d'un lieu peut remplir une âme.

» Je sympathise avec ce sentiment. Pour moi, cela signifie un attachement, un enracinement profond au lieu dans lequel on se trouve en paix. Satisfait. Où se trouvent nos racines.

Mamaw remua la brosse pour souligner ce qu'elle voulait dire.

– Dora, j'ai assisté à bien des couchers de soleil partout à travers le monde, mais pour moi, il n'y a rien comme un coucher de soleil sur la côte de la Caroline du Sud, quand le ciel est complètement illuminé de nuances de terre de Sienne, de violet et d'or. Ou les 1001 allures que peut prendre une portion de plage n'importe quel jour. Si *ce* lieu me fait vibrer, c'est parce que c'est *chez moi*. C'est de là que je suis, c'est là que je peux être *moi-même*.

Les yeux de Dora devinrent humides, ce qui en illumina le bleu.

– Je ne sais plus où je suis chez moi.

Mamaw se baissa pour passer les bras autour de Dora et déposa un baiser sur sa tête, encore humide et parfumée par le bain.

– Sens tout notre amour autour de toi. Nous te soutenons. Tu es en sécurité. Alors, sors, Dora. Promène-toi sur la plage. Sens le sable entre tes orteils. Parcours les rues, hante les vues. Marche, marche, marche. Et je crois que, à force de te promener, tu découvriras un lieu de calme et de paix. Retrouve-toi, et tu retrouveras la voie vers chez toi.

CHAPITRE 7

Immédiatement après la réunion familiale, Carson sauta dans la voiturette de golf et se dirigea droit vers l'appartement de Blake. Il y avait moins d'une semaine qu'elle l'avait vu, et elle était surprise qu'il lui manque à ce point. Elle avait le pied au plancher, toutefois la voiturette de golf ne pouvait dépasser les 25 km/h.

– Allez, allez, murmura-t-elle, penchée vers l'avant avec un sentiment d'urgence.

Enfin, elle arriva à la longue série d'appartements en bois blanc qui avaient été autrefois les quartiers militaires à l'époque où ils étaient présents à Sullivan's Island. Elle gara la voiturette de golf et monta rapidement l'escalier pour frapper vivement à la porte. Elle entendit un aboiement d'avertissement (Hobbs) et un instant plus tard, la porte s'ouvrit avec, derrière, Blake en short brun clair et t-shirt brun, sandales aux pieds et sur ses beaux traits, un air ravi.

– Enfin ! s'exclama-t-il en tendant les bras pour la prendre par la taille et l'attirer contre sa poitrine avant de plaquer un baiser passionné et impatient sur sa bouche.

Comme à l'habitude, les étincelles, naturelles entre eux deux, explosèrent. Carson l'entoura de ses bras, affamée de ses baisers. Elle continua de s'agripper à lui, toujours en train de l'embrasser tandis que Blake la menait dans la pièce, titubant en tendant le bras pour fermer la porte d'entrée. Hobbs, excité, aboyait à côté d'eux, leur donnant des coups de patte pour attirer leur attention.

Blake arracha sa bouche de la sienne pour gronder son chien :

– Hobbs, couché !

Hobbs grommela et alla vers sa couche pour s'y laisser tomber brutalement, déçu.

– Celle-là, elle est pour moi seul, dit Blake contre les lèvres de Carson, les yeux brillants, et il s'appropria de nouveau sa bouche.

Pris de vertige, en riant et en s'embrassant, ils titubèrent jusqu'à la chambre de Blake, en enlevant d'un coup de pied leurs chaussures en route vers le lit.

Plus tard, allongée nue dans les bras de Blake, Carson se demanda ce qu'il en était du caractère si bouillant de leur passion. Se déshabiller et se mettre au lit s'était fait en un éclair, tout au long d'un même baiser ininterrompu, sans aucune disparité, affamé, qui exigeait toujours plus. C'était souvent ainsi, avec lui, se dit-elle en laissant ses doigts glisser paresseusement le long de son bras.

Elle joua avec les poils noirs et soyeux de sa poitrine, pensant au fait qu'elle avait roulé 12 heures durant depuis la Floride, dormi dans son propre lit, repris contact avec Mamaw et ses sœurs. Pourtant, c'était seulement maintenant, dans les bras de Blake, qu'elle se sentait vraiment de nouveau chez elle. C'était une nouvelle sensation, pour elle, et autant une source de confusion que de plaisir.

Elle se pencha pour voir son visage.

– Tu m'as manqué.

Il rit de cette manière suffisante, qui montrait quelle haute opinion de lui-même il avait, et qui était parfois propre aux hommes.

— Je m'en suis rendu compte.

Elle lui fit un sourire en coin et pour l'agacer, lui tira doucement les poils.

— Tu as fait du bon travail avec Delphine, dit-il.

Elle sourit contre sa poitrine. L'accident de Delphine était toujours un sujet délicat entre eux. Elle savait qu'en dépit du fait qu'il lui avait pardonné, il y avait une part de lui qui était toujours en colère qu'elle ait attiré le dauphin jusqu'au quai en lui donnant de l'attention et de la nourriture. Aussi, entendre ce compliment était des plus doux.

— Lynne t'en a parlé ?

— Elle a téléphoné après ton départ. En fait, c'était une espèce d'appel de remerciement. Elle m'a raconté les progrès de Delphine après que tu lui aies rendu visite. Elle était très contente. Et impressionnée.

Carson sentit une bouffée de chaleur se répandre dans sa poitrine.

— Je me sentais mal de partir si vite et au pied levé.

— Elle a compris. C'était une urgence familiale. De toute manière, elle pense que c'est peut-être mieux comme ça.

— Vraiment ? Pourquoi ?

— Ton lien avec Delphine est tellement puissant. S'il y a le moindre espoir qu'elle soit remise en liberté, il ne faut pas qu'elle continue de rechercher les humains. Surtout pas toi.

Carson se mit sur le dos et regarda le plafond. Les pales du ventilateur remuaient l'air au-dessus d'eux. Elle était toujours incapable d'imaginer un monde sans Delphine. Elle ressentait un léger pincement de tristesse chaque fois qu'elle y pensait. Pourtant, elle savait que si elle aimait vraiment le dauphin, elle devait le laisser aller.

– C'est ce que je veux, moi aussi.

Elle se dressa pour s'asseoir sur le lit, à l'aise dans sa nudité.

– J'ai besoin de tes conseils pour quelque chose, commença-t-elle.

Blake bougea, glissant ses mains sous sa tête. Son regard sombre l'observait, plein d'attention.

– Il s'agit de Nate. Nous nous faisons du mauvais sang pour lui. Il a du mal à laisser l'accident de Delphine derrière lui. Harper a fait un peu de recherche sur les programmes avec dauphin pour les enfants aux besoins spéciaux et elle se demande si ce genre de programme ne pourrait pas l'aider à surmonter le sentiment de culpabilité qu'il éprouve pour ce qui est arrivé à Delphine.

– C'est possible.

Blake fronça les sourcils, un signe lui indiquant qu'il considérait la question.

– Je n'ai aucune information au sujet des bienfaits des programmes avec dauphin pour les enfants aux besoins spéciaux. Ce n'est pas mon domaine.

– Mais tu connais le Dolphin Research Center.

Il haussa les sourcils.

– C'est le programme qui nous intéresse, expliqua-t-elle.

– Et ce n'est pas une coïncidence que le DRC est l'endroit où l'on pense envoyer Delphine.

Carson sourit avec un air conspirateur.

– Je me suis dit que je pourrais jeter un coup d'œil au centre tout en venant en aide à Nate.

Il se souleva sur un coude.

– C'est *toi* qui vas amener Nate au DRC ?

Elle haussa les épaules.

– Moi ou Harper, ou nous deux. Ce n'est pas encore décidé.

Il grommela.

– Je vois mal Dora vous laisser, Harper ou toi, emmener Nate.

– C'est compliqué.

– Je pense que je peux comprendre.

Carson repensa à la longue réunion familiale qui avait eu lieu plus tôt dans la journée. Elle n'avait pas encore présenté leur idée à Dora. Ce serait la prochaine étape.

– En quelques mots, Dora est vraiment fragile en ce moment. Elle s'est, eh bien, elle s'est en quelque sorte effondrée, il y a quelques jours. Combiné avec son état de santé, Mamaw veut que Dora ait du temps pour guérir sans souci ni responsabilité. Aussi Harper et moi avons-nous pensé que si nous emmenions Nate à ce programme, cela donnerait à la fois à Dora et à Nate du temps pour guérir. Je pense que tout le monde en sortirait gagnant. Je te demande donc si tu peux m'aider à arranger la participation de Nate au programme du Dolphin Research Center.

– Tu me demandes de t'aider à partir de nouveau.

Elle se passa la langue sur les lèvres, consciente qu'il s'agissait d'un sujet délicat.

– Oui, je suppose, mais pas pour bien longtemps.

– C'est ce que tu as dit la dernière fois.

– Et j'ai seulement été partie une semaine.

– Mais maintenant tu veux partir de nouveau.

– Il ne s'agit pas de partir, répondit Carson avec une pointe de frustration. J'emmène Nate en Floride pour un programme d'une semaine. Hé, dit-elle gaiement, une nouvelle idée lui étant venue, pourquoi ne viens-tu pas avec nous ?

– Je ne peux pas. J'ai pris des jours de congé pour aller en Floride la dernière fois, avec Delphine. En plus, je serai sur le terrain pour une semaine à recueillir des échantillons. Pour ça, je dois être ici.

Elle regarda de nouveau le plafond.

Calmement, Blake lui dit :

– Comme je disais, je ne sais pas grand-chose au sujet du programme pour enfants aux besoins spéciaux, mais j'ai rencontré Joan, la femme qui le dirige. Elle m'est sympathique et d'après ce que j'ai entendu, c'est une excellente thérapeute. Elle conçoit le programme sur mesure en fonction des besoins de l'enfant.

Carson vit une lueur d'espoir.

– Alors, tu penses que c'est une bonne idée ?

– Ça ne peut pas lui faire de mal.

Il sourit à contrecœur.

– Oui, je pense que Nate s'en tirera bien, là-bas.

– Tu vas nous aider à avoir un rendez-vous ?

– Je vais téléphoner à Joan et lui expliquer la situation. Je ne peux rien faire de plus.

Carson se pencha vers lui pour l'embrasser, très reconnaissante.

– Merci, Blake.

Il lui sourit à la manière d'un homme qui vient tout juste de se faire avoir.

– Viens ici, dit-il en ouvrant les bras.

Carson soupira et se glissa entre ses bras.

Blake abaissa les lèvres au niveau de sa tête, passa les bras autour d'elle et la serra contre lui, sa joue contre sa tête.

Elle ferma les yeux et se tapit contre sa poitrine. En écoutant le rythme puissant et régulier de son cœur, elle se sentit tout à fait en sécurité. Elle ne voulait pas partir. *Je pourrais aimer cet homme*, se dit-elle plutôt.

~

Lucille revint de son rendez-vous et rejoignit Mamaw sur la véranda en brandissant un paquet de cartes.

– Enfin, s'exclama Mamaw, qui avait hâte de faire une partie de gin-rami.

Mamaw coupa le paquet et Lucille distribua les cartes tout en retournant la défausse. Mamaw n'était pas contente de sa main, mais elle se retint de le montrer. Elle savait que Lucille serait à l'affût de tout indice. Elle rejeta une carte dans la pile de défausse et prit le valet de trèfle, puis fronça les sourcils pour ensuite le défausser immédiatement.

– Je me disais…

– Oh Seigneur, encore des ennuis.

Lucille prit une carte, la garda, pour ensuite se défausser d'une reine de cœur.

Mamaw pigea une carte.

– La tension est tellement palpable entre Harper et Dora qu'à certains moments, je pourrais la couper au couteau. Je me suis dit que si elles avaient quelque chose à faire ensemble, quelque chose de productif, cela pourrait les rapprocher.

Elle défaussa de nouveau.

Lucille prit sa défausse et la plaça dans sa propre main.

– Je pensais que, toutes les deux, elles étaient déjà trop proches.

Elle défaussa.

Mamaw leva la tête de ses cartes.

– Que veux-tu dire ?

Lucille regarda Mamaw comme si elle avait complètement perdu la raison.

– Je veux dire que, toutes les deux, elles partagent la même chambre ! Elles dorment dans des lits jumeaux ! C'est beaucoup de rapprochement pour deux petites filles, alors pour deux femmes adultes ? Ce n'est pas surprenant qu'elles ne puissent pas se supporter. À vous.

Mamaw resta stupéfaite par cette observation. Bien sûr, Lucille avait raison. Comme c'était d'ailleurs généralement le cas. Pourquoi Mamaw n'avait-elle pas compris cela elle-même ? Elle avait gaiement tenu pour acquis que la tension entre elles était simplement le résultat de leur différence d'âge ou de milieu. On pouvait se fier à Lucille pour mettre le doigt sur quelque chose d'aussi élémentaire que la promiscuité.

Mamaw prit une carte et fut ravie que ce soit celle qu'elle espérait.

– Tu as tout à fait raison, admit-elle. Ça se voit comme le nez au milieu du visage. Mais comment y remédier ? Il n'y a aucune autre chambre de disponible, et je n'ai absolument pas les moyens de faire bâtir une nouvelle extension à la maison.

– Pas nécessaire. Défaussez.

Mamaw observa sa main et défaussa rapidement.

– Dora ne veut pas dormir dans la bibliothèque avec Nate, et nous avons bien vu que nous ne pouvions le déplacer. Où proposes-tu que nous fassions une autre chambre ?

Lucille considéra la défausse de Mamaw, puis prit plutôt une carte de la pioche. Elle grimaça et défaussa.

– C'est vous-même qui en avez eu l'idée, il y a quelque temps.

Mamaw s'adossa à sa chaise et se mit à fouiller sa mémoire. Soudain, son visage s'illumina comme l'aurore.

– Mon boudoir !

– C'est la solution la plus simple.

Lucille prit la carte.

– Très bien. Ça ne demanderait pas beaucoup de travail, et les coûts seraient raisonnables.

Elle se redressa sur sa chaise, enthousiasmée par cette perspective.

– Chacune des filles aurait sa propre chambre.

Mamaw était tout sourire tandis qu'elle étudiait ses cartes.

– Nous avons réglé le problème des chambres, mais nous n'avons toujours aucune idée pour rapprocher Harper et Dora.

– Eh bien, qu'ont-elles en commun ? s'informa Lucille.

– Pas grand-chose, autant que je puisse dire. Dora est un peu une snob du Sud quand il s'agit des gens du Nord, et j'ai bien peur que la réciproque soit vraie pour ce qui est de Harper. Harper aime courir, et Dora commence à peine son programme de marche. C'est déjà un début.

– Mais pas une chose qu'elles peuvent faire ensemble.

– C'est vrai. Alors, peut-être faire la cuisine ?

– Dora est au régime, et Harper ne mange rien que des aliments pour lapin.

Mamaw savait bien que Lucille ne pourrait jamais accepter le végétarisme de Harper.

– L'autre chose que je vois toujours Harper en train de faire, c'est d'utiliser son ordinateur. Elle est toujours en train de taper…

Lucille plaça ses cartes sur la table.

– Qu'est-ce qu'elle écrit ? Voilà ce que je voudrais savoir. Ses doigts se déplacent à une telle vitesse…

Mamaw hocha la tête et baissa la voix.

– Carson dit qu'elle fait plus que naviguer sur Internet. Elle est en train d'écrire quelque chose.

– Naviguer sur Internet ? Qu'est-ce que ça veut dire ?

Mamaw fit une grimace.

– Moi aussi, j'ai dû poser la question. Ça veut dire qu'elle ne se contente pas de faire des recherches ou de regarder des vidéos. Harper est réellement en train d'écrire quelque chose, comme un journal ou un journal intime. Ou un article de voyage sur les îles

– Qu'y a-t-il de si secret là-dedans ? voulut savoir Lucille.

Mamaw hocha la tête, tout à fait d'accord avec elle.

– Exactement.

– Eh bien, dit Lucille en reprenant ses cartes, je suppose qu'elle nous le dira quand elle sera prête.

Mamaw leva la main, prit une carte, la regarda, puis la défaussa immédiatement.

– Rien de tout cela ne vient aider ou soutenir notre cause. Peut-être si nous pensons à des choses que Dora aime faire.

Il y eut un silence, les deux femmes fixant leurs cartes. À vrai dire, Mamaw avait bien de la difficulté à penser à quoi que ce soit que Dora aimait faire.

Lucille prit une carte, puis la défaussa rapidement.

– Je sais !

L'attention de Mamaw fut piquée tandis qu'à son tour, elle prenait une nouvelle carte.

– Dora aime jardiner. Autrefois, elle avait un gigantesque jardin à Summerville.

– Mais penses-tu que Harper aime jardiner ?

– J'en sais rien, répondit Lucille. Vous m'avez demandé ce que Dora aimait faire.

Mamaw éclata de rire et déplaça quelques cartes dans sa main.

– Il faudra continuer d'y réfléchir. De la manière que je comprends les choses, c'est un plan en deux étapes pour rapprocher Harper et Dora. D'abord, nous les séparons en donnant à chaque fille sa propre chambre. Ensuite, nous les rapprochons en leur trouvant un projet sur lequel elles peuvent travailler ensemble. Quelque chose me viendra, dit-elle en tirant une carte et en la brandissant dans les airs. Et quand ça sera le cas, je sauterai dessus.

Enfin, elle déposa la carte sur la table et d'une voix mélodieuse, s'exclama :

– Gin !

~

Dora ne pouvait plus remettre à plus tard. Vêtue d'un vieux short de gym et d'un vieux t-shirt des Gamecocks appartenant à Cal, elle laça ses vieilles espadrilles et sortit pour sa marche. Mamaw et Lucille étaient sur la véranda, et comme elle ne voulait pas attirer leur attention, elle sortit à toute vitesse par la porte avant. Elle n'avait aucun plan, au contraire de Harper, qui se précipitait hors de la maison comme un boulet de canon tôt chaque matin. C'était déjà le milieu de l'après-midi et contrairement à sa sœur, Dora ne mesurait pas la distance parcourue ni son rythme cardiaque, elle ne portait pas de vêtements de course sophistiqués absorbant la sueur ni de chaussures de course. Son intention était simplement de commencer à bouger. Mamaw lui avait dit de commencer par sortir et explorer, sans avoir un programme défini, et plutôt d'observer les alentours et de se laisser absorber par les paysages. De se donner la liberté de simplement vagabonder sans que rien, ni personne, ne la retienne.

Dora prit ce conseil à cœur. Elle prit une grande respiration, puis se mit en marche, à une vitesse modérée ; pas assez vite pour se mettre à transpirer, mais plus rapidement que pour une promenade. De grands chênes aux rameaux tombants créaient une ombre qui était la bienvenue le long des petites rues. En dépassant les quelques maisons que l'on pouvait distinguer, elle admira leur aménagement paysager, tout en examinant quelles fleurs étaient écloses. C'était une splendide journée au ciel bleu. Elle dut alors se demander pourquoi il lui avait été si difficile de sortir de la maison avant aujourd'hui. La réponse était, elle le savait bien, ce nuage noir qui la dominait et donnait au monde cet air lugubre.

Quoi qu'il en soit, maintenant elle marchait, brandissant ses poings avec détermination. Dora atteignit la fin de la chaussée puis elle se mit à descendre un chemin de plage composé de sable sur lequel des roches étaient éparpillées et bordé de chaque côté par des fourrés d'arbustes maritimes impénétrables. Elle s'arrêta pour examiner les séneçons, les ciriers, les buissons de yaupon qui survivaient (et qui même prospéraient) sous les durs effets du sel et du sable transportés par le vent. C'étaient des survivants, chacun d'eux. *Voilà une leçon qui mérite d'être retenue,* se dit-elle en reprenant son chemin.

Dora suivit donc l'étroit sentier jusqu'au point où il s'ouvrait, révélant avec un coup de vent le panorama de l'océan Atlantique. La mer étincelante reflétait le ciel azuré, la lumière du soleil se réfléchissant sur sa surface comme des diamants. Encouragée, Dora reprit sa marche à une vitesse plus rapide, en restant sur le sable solidement tassé. Elle pensa aux nombreuses années pendant lesquelles elle avait franchi cette même portion de plage. Quand elles étaient petites filles, Carson et elle faisaient semblant d'être des poneys Chincoteague, soulevant leurs genoux bien haut et hennissant tout en galopant le long des vagues.

Sa mère la déposait à Sea Breeze au début de juin à la fin de l'année scolaire et venait la chercher au début du mois d'août, à temps pour l'équiper pour la nouvelle année. Quand Dora devait retourner à Charlotte avec elle, Carson pleurait. Dora avait toujours éprouvé un peu de tristesse pour cette petite fille sans mère. Mais elle était aussi un peu jalouse d'elle, car Carson pouvait vivre à temps plein avec Mamaw dans la grande maison d'East Bay, la rue la plus charmante du monde, pensait-elle. Et les fins de semaine et lors des vacances, elle allait avec elles à Sea Breeze. Mamaw tentait bien de ne pas faire montre de favoritisme lorsque les filles étaient ensemble, mais tout le monde savait que Carson lui était spéciale. En tant que femme adulte, Dora pouvait comprendre que c'était tout à fait naturel que Mamaw ait eu des sentiments plus puissants pour la petite à laquelle elle servait de mère. Mais quand elle n'était qu'une enfant, Dora enviait Carson pour les choses les plus ridicules, par exemple que Carson ait la plus grande chambre, laquelle selon Dora aurait dû revenir à l'aînée.

Des années plus tard, elle avait abandonné les jeux enfantins pour s'asseoir au soleil, recouverte d'huile pour bébé, rôtissant comme un poulet plumé. À cette époque, Carson la suppliait de jouer avec elle, mais Dora avait trois ans de plus, et ses intérêts s'étaient déplacés vers un théâtre plus sédentaire consistant dans le fait d'être assise sur une serviette, de bavarder avec ses amies, de tenter de séduire les garçons ou de lire un livre. Elle avait été submergée par un océan d'hormones, oscillant entre le rire et les pleurs, ayant envie de jouer à ses anciens jeux avec Carson un jour, tout en essayant de se débarrasser de la petite fille plus jeune qu'elle le lendemain. Cet été-là, l'été de ses seins naissants, des garçons et des meilleures amies, avait été plein de confusion.

Ce premier été où Dora était sur le bord du précipice de l'âge adulte avait aussi été le premier été de Harper à Sea Breeze. Carson, à l'époque, avait 11 ans et Dora, elle, en avait déjà 14. Et voilà que cette minuscule petite fille de six ans, avec son air de poupée, ses grands yeux bleus si expressifs et ses cheveux roux était arrivée de Manhattan. On la leur avait présentée comme leur demi-sœur, Harper. Tout le monde pourvoyait à ses moindres besoins, se pâmant devant sa joliesse, devant ses bonnes manières, son intelligence. Dora avait entendu parler de cette sœur plus jeune qu'elles, mais elle ne l'avait jamais rencontrée. La différence d'âge était trop grande pour qu'elles puissent vraiment jouer ensemble, comme elle l'avait fait avec Carson. Au mieux, elles trouvaient quelques activités qu'elles pouvaient partager pendant l'été. Au pire, Dora devait la garder.

Quand Dora se souvenait de ces jours d'été, cependant, elle revenait toujours à une journée en particulier pendant laquelle les trois sœurs étaient ensemble à Sea Breeze. Mamaw les avait emmenées à la plage, comme elle le faisait souvent, et elle était assise sur une chaise en toile sous un grand parasol multicolore. À côté d'elle, il y avait trois serviettes sur le sable. Pendant que Mamaw lisait, les filles, elles, jouaient; construisant des châteaux de sable, ramassant des coquillages, se poursuivant dans les vagues. La règle la plus sévère de Mamaw était qu'aucune d'elles n'avait le droit d'aller dans l'eau sans être sous sa surveillance.

Lors de cette journée de soleil, Carson avait harcelé Dora pour qu'elles surfent ensemble le long de la côte en partant de la plage. Dora commençait à être irritée. Carson était vraiment un garçon manqué et cela en devenait embarrassant. Après tout, seuls les garçons surfaient, et Dora n'avait pas l'intention d'avoir l'air d'une idiote devant des gens qu'elle connaissait. Harper construisait un château dans le sable humide à la laisse de marée basse. Dora, sur sa serviette, s'était allongée sur le ventre, avait pris *Seventeen* et avait bien vite été absorbée par son magazine.

Soudain, elle avait entendu Harper pousser un cri.

Instantanément, Dora avait laissé tomber son magazine et d'un bond était debout, parcourant du regard la plage à la recherche de la petite fille au maillot de bain rose. Elle avait repéré Harper, debout, figée à côté de son château de sable, les bras dressés comme si elle avait été sur le point de se mettre à courir, fixant le gigantesque cargo passant le long de l'île. Dora l'avait rejointe en courant et lui avait pris la main. Carson, elle aussi, avait entendu son cri et avait abandonné le surf pour arriver aux côtés de Harper tout juste après Dora. La petite fille tremblait de peur au passage du navire monstrueux. L'énorme mastodonte noir et rouillé, naviguant si près de la côte, était effrayant pour un enfant, et même pour Dora. Aussi haut qu'un gratte-ciel, il se déplaçait à la vitesse d'un colosse et avait rapidement dépassé l'île.

Ce dont Dora se souvenait le plus, c'était d'avoir été debout côte à côte avec Carson et Harper, se tenant toutes les trois la main, se donnant l'une l'autre du courage tandis que le monstre déployait son ombre sur elles. Toutes deux, Carson et elle, étaient accourues quand Harper avait crié. À ce moment précis, Dora avait ressenti un puissant sentiment de solidarité avec ses sœurs.

Une fois que le navire avait été parti et que la chaleur du soleil avait brillé de nouveau sur la plage, les filles s'étaient laissé aller la main et chacune d'elles était retournée à son propre jeu. Pourtant, ce moment avait été le sceau d'un pacte tacite entre elles. Elles étaient des sœurs. Elles seraient là l'une pour l'autre.

Mamaw, comprenait aujourd'hui Dora, n'avait jamais oublié cette promesse implicite que s'étaient faite les trois sœurs, même si elles, pendant les nombreuses années qu'elles avaient passées séparées, l'avaient oubliée. Mamaw avait été derrière elles sur la plage, en train de les regarder. Des années plus tard, elle les avait ramenées ici, dans cette même île, sur cette même plage, pour qu'elles ressentent de nouveau ce lien.

Était-ce possible ? se demanda Dora. Une personne pouvait-elle retrouver l'innocence et la confiance de sa jeunesse après être passée au cynisme de l'âge adulte ?

Elle continua de marcher, perdue dans ses pensées, avant de prendre un virage et de voir une douzaine ou plus d'adeptes de surf cerf-volant glissant sur l'eau, leurs toiles colorées tels des oiseaux au plumage brillant dans le ciel. Elle sourit, émerveillée par ce spectacle. Carson lui avait parlé de ce nouveau sport et, curieuse, Dora prit place avec d'autres personnes le long du rivage à regarder les amusantes acrobaties aériennes au loin, au-dessus de l'eau. Évidemment, Carson avait déjà appris à en faire par l'entremise de Blake. Dora sourit. *L'année prochaine, peut-être,* se dit-elle.

Ayant atteint l'extrémité de l'île, elle fit demi-tour et entreprit le long chemin du retour en suivant Middle Street. Elle ne s'était pas aperçue qu'elle avait marché si loin. Elle avait atteint l'extrémité nord de Sullivan's Island. Sa gorge était sèche et tout son corps lui faisait mal. Elle était épuisée, en sueur, et elle avait un long chemin à parcourir avant de regagner Sea Breeze, à l'extrême opposé de l'île. Dora se reprocha d'être partie sans bouteille d'eau, mais elle n'avait pas prévu d'aller si loin ! Toutefois, comme il n'y avait nulle part où en trouver ou en acheter une, elle n'avait d'autre choix que de mettre un pied devant l'autre et de continuer à marcher.

La sueur dégoulinait de son visage et s'accumulait le long de son cou, entre ses seins, formant une tache sur son t-shirt. Sa soif devenait palpable, et elle commençait à s'inquiéter. *Tu es tellement bête d'être allée si loin le premier jour. Et si tu faisais une vraie crise cardiaque maintenant ?*

Juste à ce moment, un véhicule klaxonna et elle sursauta violemment. Clignant des yeux face au soleil étincelant, Dora plaça sa main en visière pour voir qui lui faisait signe de s'approcher. Une camionnette rouge luisante avec de gros pneus et une calandre rutilante avançait au ralenti le long du trottoir.

– Bonjour ? dit-elle d'un ton interrogatif.

– Dora ! Dora Muir, c'est bien toi ?

Dora ne reconnaissait pas l'homme qui était au volant, et elle ne voulait pas non plus que quiconque qu'elle puisse connaître la vit habillée d'une telle manière, toute en sueur. Elle agita donc la main et continua de marcher.

La camionnette la suivit.

– Dora ! l'appela-t-on de nouveau.

Elle ne s'arrêta pas.

– Attends un instant. C'est moi, Devlin.

Devlin ? Dora s'arrêta de nouveau, plissant les yeux en direction du conducteur de la camionnette. C'était un homme au torse puissant, aux cheveux hirsutes délavés par le soleil et à la peau très bronzée ; il portait un polo bleu. Il avait l'air d'un insulaire. Elle ne pouvait déterminer exactement ce qui donnait cet air à quelqu'un, mais c'était aussi profondément ancré que l'ADN.

– Devlin Cassel ? lança-t-elle.

Plus tôt cet été, Carson avait mentionné à Dora qu'elle était tombée sur lui.

Le conducteur de la camionnette lui fit un grand sourire.

– Le seul et unique.

Voilà un nom qui faisait jaillir bien des souvenirs qui avaient été rangés dans une jolie boîte étiquetée « anciens petits amis » et entreposée dans les tréfonds de son cerveau. Si Dora n'avait pas déjà été si rouge d'avoir eu si chaud, Devlin aurait vu ses joues devenir roses. Elle avait entendu dire qu'il était devenu un agent immobilier prospère, et qu'il était divorcé. Dora s'essuya le front. C'était typique qu'elle tombe sur un homme comme Devlin Cassel 15 ans plus tard au moment où elle était épuisée et trempée de sueur.

— Salut, Devlin, lança-t-elle sans enthousiasme. Contente de te revoir.

— Eh bien, viens par ici, jeune fille, répondit Devlin en lui faisant signe de s'approcher. Après tout, nous ne voulons pas continuer de hurler.

— Je suis tout en sueur, s'excusa-t-elle.

— Et alors ?

— Alors, je n'ai pas envie de m'arrêter maintenant.

La nervosité lui rendait la bouche aussi sèche qu'un désert. Elle se mit à tousser, une de ces toux sèches qui aurait pu durer à jamais.

— Ça va ? cria Devlin.

Elle agita la main pour lui indiquer que ça allait, souhaitant qu'il s'en aille ou que la terre s'ouvre et l'avale.

Dev mit la camionnette sur le neutre et se précipita vers elle, une bouteille d'eau à la main. Il la lui tendit et lui tapota doucement le dos. Elle but avidement, et comme sa toux diminuait, elle prit de grandes respirations, embarrassée au plus profond d'elle-même.

— Merci, dit-elle entre deux respirations.

Elle avait si chaud que si elle avait été seule, elle se serait vidé le reste de l'eau sur la tête.

— Allez, viens t'asseoir un moment dans ma camionnette. Elle est climatisée.

Elle en avait vraiment envie. Désespérément. Dora regarda de droite à gauche pour voir si une connaissance quelconque pourrait la voir monter dans le véhicule d'un homme qui n'était pas son mari. Évidemment, c'était idiot, étant donné qu'elle n'avait plus vraiment de mari, aujourd'hui. Mais les vieilles habitudes ont la vie dure.

– D'accord, merci, accepta-t-elle.

Dora suivit Devlin jusqu'à la camionnette tout en tirant sur son t-shirt en marchant pour qu'il ne lui colle pas tant à la peau.

À l'intérieur de la camionnette, il faisait divinement frais. Elle faillit pleurer de reconnaissance lorsqu'il ajusta le ventilateur pour qu'il souffle directement sur elle.

Devlin était appuyé contre la portière et souriait comme le chat d'*Alice au pays des merveilles* tandis qu'ils s'examinaient l'un l'autre. Ses yeux d'un bleu étonnamment pâle créaient un contraste avec son bronzage si foncé, et elle se souvint que, quand ils étaient adolescents, les filles disaient toutes qu'il ressemblait à Paul Newman. En tout cas, pensa-t-elle tout en avalant une nouvelle gorgée d'eau, elle n'était pas la seule à avoir pris du poids, depuis le bon vieux temps. Cependant, Devlin n'était pas tant lourd que massif. Il s'était ajusté à sa corpulence et avait l'éclat d'un homme qui aimait la nature et un verre, en parts égales.

– Dora Muir, dit-il sur un ton qui sous-entendait qu'il n'arrivait pas à croire qu'il la revoyait. J'en ai le souffle coupé…

– Eh bien, moi-même, je peux à peine respirer, dit-elle avec un petit rire d'autodérision.

– Pourquoi es-tu en train de courir par une chaleur pareille ? Il doit faire près de 38 degrés aujourd'hui.

Il pensait qu'elle avait été en train de courir ? Dora laissa passer.

– Je ne savais pas qu'il faisait si chaud. Je, euh, je suis peut-être allée un peu trop loin.

– Ton visage est aussi rouge qu'une betterave. Laisse-moi te ramener à Sea Breeze.

Elle aurait pu l'embrasser.

– Ça serait gentil, répondit-elle en essuyant la sueur de son front de la manière la plus discrète qu'elle le put. Merci.

Devlin fit démarrer le puissant moteur qui vrombit en se mettant en marche.

— Belle camionnette, dit-elle.

Puis, se souvenant soudain de la vieille camionnette Ford grise qu'il conduisait à l'époque, elle ajouta :

— Bien plus belle que celle que tu conduisais à l'époque.

Il sourit de toutes ses dents et éclata de rire.

— Tu te souviens de ce vieux tacot ?

— Si je m'en souviens ? Certains de mes plus beaux souvenirs proviennent de cette vieille camionnette nauséabonde.

Ses yeux étincelaient de rire à ces souvenirs et elle savait que tous deux pensaient aux séances de tripotage intense qu'ils avaient connues sur la banquette avant toute déchirée de cette vieille camionnette alors qu'elle avait 16 ans et Devlin, 17. Durant cet été long et torride, Dora, avec Devlin, avait connu son premier baiser, et avait goûté à presque chacune des figures de style. Puis, par un soir torride, elle avait même failli aller jusqu'au bout.

— Ouais, dit-il d'une voix traînante en changeant de vitesse.

Le véhicule s'élança le long de la route.

— J'ai presque eu le cœur brisé quand j'ai dû me débarrasser de cette camionnette. Je m'y suis accroché aussi longtemps que j'ai pu.

Il regarda dans sa direction.

— Je suis vraiment content de te revoir. Tu es toujours aussi jolie.

— Oh, arrête ! dit-elle en agitant la main. Je ne suis vraiment pas à mon mieux. Je sue comme un porc.

— Tu étais en train de courir. C'est normal.

Dora n'allait pas le contredire.

Ils venaient d'atteindre l'angle où se trouvait le pub Dunleavy.

— Tiens, dit Dev, et si je t'offrais un verre ? Il y a une place où je peux me garer tout juste ici. On n'a pas tous les jours cette chance...

— Mon Dieu, non. Je n'entre pas dans cet endroit habillée comme ça.

Il dépassa donc le Dunleavy et la portion de Middle Street où il y avait des restaurants qui, pour la plupart, n'étaient pas encore bondés, mais qui, dans une heure, déborderaient tous de clients.

— Eh bien alors, si je te déposais pour que tu puisses te faire une beauté ? Je reviendrai te prendre, disons, dans une heure. Ça t'irait ?

— Je ne sais pas..., dit-elle pour ne pas se compromettre.

Tout allait trop vite.

— Allez, Dora, tenta-t-il de l'amadouer avec cette voix traînante à laquelle elle n'avait jamais pu dire non. Nous avons tellement de choses à nous dire. Laisse-moi t'offrir un verre. Ou dîne avec moi.

En ce moment précis, tout ce dont elle avait envie était de prendre une douche et de se mettre au lit. Peut-être de regarder un peu la télévision. Sortir prendre un verre ne faisait pas partie de son répertoire.

— Pas ce soir.

— Demain soir, alors ? insista-t-il.

— Je ne sais pas.

— Je vais continuer de te le demander, alors, aussi bien dire oui.

Elle éclata de rire, tombant sous le charme de son sourire.

— D'accord, dit-elle, surprise d'être sincère. À quelle heure ?

Devlin s'arrêta dans l'allée gravelée de Sea Breeze et se tourna vers elle en mettant le bras sur le dessus du siège. Il avait ce même sourire irascible dont elle ne se souvenait que trop bien.

– Chérie, lui dit-il en accentuant chaque voyelle, je vais rester assis ici jusqu'au Jugement dernier si tu me dis que tu y seras.

Elle inclina la tête, bien prête à croire qu'il pourrait le faire.

– Nous ne pouvons laisser une telle chose se produire. Disons donc après-demain dans l'après-midi ? À 17 h.

~

Dora attendit que la camionnette de Devlin se soit éloignée pour exploser de ce bon gros rire qu'elle avait contenu jusqu'ici. C'était à se plier de rire ! Après toutes ces années, Devlin Cassell qui l'invitait à prendre un verre.

Elle se sentait nerveuse. Étourdie. Elle se dirigea à toute vitesse vers la maison pour prendre une douche et se changer, puis s'arrêta soudainement, quelque chose lui venant à l'esprit. Elle se souvint que Harper et Carson se lavaient toujours dans la douche extérieure après avoir couru ou être allées dans l'océan avant de pénétrer dans la maison. Quand elle était petite et qu'elle venait à Sea Breeze, il n'y avait pas de douche extérieure. À l'époque, elles utilisaient le tuyau d'arrosage pour se laver.

Dora revint donc sur ses pas et suivit le sentier de pierre qui contournait les énormes buissons de gardénia vers la douche extérieure. Il s'agissait simplement de quatre cloisons de bois, sans plafond. Dora y pénétra en évitant les toiles d'araignée qui reposaient dans les angles. Il n'y avait qu'un robinet, mais l'été, dans l'île, toute l'eau était tiède. Dans cette douche, Mamaw gardait du savon à la lavande, du shampooing et du revitalisant dans des paniers en bois, et en les sentant, Dora se souvint d'avoir senti cette même odeur sur ses sœurs.

Elle se déshabilla et se mit sous le faible jet d'eau, qui paraissait néanmoins du plus grand luxe sur sa peau brûlante.

En plus, le fait d'être les fesses à l'air dehors, au soleil, était excitant, libérateur, et elle éclata de rire juste pour le plaisir. Penser qu'elle faisait comme ses sœurs célibataires, belles, en forme et séduisantes ! Bien sûr, elle avait encore du chemin à faire avant d'être de nouveau en forme, elle aussi, mais pour la première fois, elle avait l'impression qu'elle pourrait réussir. Son objectif n'était pas d'être mince. Après la peur que lui avait faite son cœur, tout ce que Dora voulait était d'être en santé et de resplendir de cette confiance que possède une femme bien dans sa peau.

~

Harper et Carson étaient assises à la table de la cuisine en train de manger des fraises et de répéter ce qu'elles diraient à Dora.

— Je ne pense pas qu'elle voudra, dit Carson.

— Moi, je pense que si, répliqua Harper. Nous avons fait toute la recherche.

Elle souleva une pile de documents qu'elle avait imprimés au sujet de divers programmes de thérapie impliquant les dauphins et les rapports médicaux relatifs en tant que preuve.

— *Tu* as fait toute la recherche, la corrigea Carson.

— Et c'est *toi* qui en as parlé à Blake. Je n'arrive toujours pas croire qu'il nous ait obtenu une place au Dolphin Research Center si rapidement.

Elle regarda sa sœur, les yeux plissés par la spéculation. Elles avaient toutes deux été excitées par ce projet, mais maintenant, Carson semblait hésiter.

— Songerais-tu à abandonner parce que tu ne veux pas emmener Nate ? Car si c'est le cas, moi, je peux m'en occuper.

— Non, ce n'est pas du tout ça. J'étais juste en train de me souvenir de la réaction de Dora quand Cal lui a suggéré de laisser Nate à Sea Breeze.

– Pour l'été, lui rappela Harper. Ce programme ne dure qu'une semaine. En plus, c'est tout à fait différent. Elle ne sera pas en train de se débarrasser de Nate. C'est pour son bien. Une fois qu'elle comprendra cela, je pense qu'elle acceptera.

Carson laissa échapper une bouffée d'oxygène avant de claquer de la main sur la table.

– Très bien alors. Allons-y.

Elles prirent les rapports et le portable de Harper et se dirigèrent vers la chambre que Dora partageait avec cette dernière. Après avoir frappé, sans attendre, elles ouvrirent la porte et sautèrent sur son lit comme elles en avaient l'habitude quand elles étaient petites.

Dora baissa son magazine tout en riant.

Carson et Harper se placèrent de manière à être assises en tailleur en face d'elle, les yeux grands ouverts d'enthousiasme. Harper pouvait sentir la fraîche senteur de lavande de son savon et de son shampooing.

– Que se passe-t-il ? demanda Dora.

– Tu as l'air bien, répondit Carson. Tes joues ont un peu de couleur.

– Merci. Je suis allée marcher.

– Bravo ! s'exclama Harper en s'installant sur le lit. Tu as fait des exercices de réchauffement auparavant ?

– Non.

– Je t'en montrerai quelques-uns. Ça t'évitera les raideurs.

– D'accord, dit Dora d'une voix traînante.

Il y eut un moment de silence pendant lequel Harper et Carson se regardèrent.

– Nous avons quelque chose à te proposer, annonça finalement Carson avec importance.

– Écoute-nous jusqu'au bout avant de dire quoi que ce soit, intervint Harper en voyant les yeux de Dora s'illuminer subitement.

– D'accord, répondit Dora, avec plus d'hésitation cette fois.

— Bon, commença Carson pendant que Harper ouvrait son portable et le mettait en marche. Pendant que tu étais en train de marcher, nous avons discuté. Alors voici, dit-elle en levant les mains pour souligner l'importance de ce qu'elle allait dire. Nous pensons que tu mérites un peu de temps pour prendre soin de toi-même, du temps complètement égoïste, pendant lequel tu n'aurais absolument aucun souci.

— Un peu comme aller passer une semaine dans un spa, sauf que le spa serait ici, ajouta Harper.

Dora fit un petit sourire ironique.

— Voilà qui me plaît.

— Nous parlions aussi de Nate, reprit Carson. De ses besoins.

Immédiatement, l'attention de Dora s'accrut.

— Et du fait qu'il a du mal à passer au travers de ce qui est arrivé à Delphine, poursuivit-elle.

— Nous savons aussi à quel point le fait qu'il reste enfermé dans sa chambre te préoccupe, renchérit Harper. Alors, nous nous sommes demandé ce qui pourrait le faire sortir de sa carapace. Nous avons rapidement trouvé la réponse : les dauphins. Cependant, il se sent coupable de ce qui est arrivé à Delphine, même s'il ne le devrait pas. Tu le sais, nous le savons. Mais pas Nate. Alors j'ai fait un peu de recherche, et j'ai appris qu'il y a plusieurs endroits qui offrent des programmes avec dauphins pour les enfants. Un endroit où il pourrait interagir avec eux en toute sécurité, ce qui lui donnerait une nouvelle perspective. Nous avons vérifié avec Blake, et il est d'accord que le Dolphin Research Center, en Floride, serait un bon endroit.

— Il s'agit d'un programme thérapeutique ? demanda Dora, des plus sceptique.

Ce fut Harper qui lui répondit.

— Ce n'est pas un programme de thérapie en tant que tel, mais un programme pour les enfants aux besoins spéciaux. L'objectif du programme, d'une durée d'une semaine, est déterminé en conjonction avec le personnel et toi, afin de le personnaliser, ce qui, je pense, est important, surtout pour Nate.

– Nate pourra de nouveau être avec des dauphins, ajouta Carson. Mais cette fois, dans un environnement approprié. Pas dans la nature. Il pourra se sentir en sécurité, tout en sachant qu'il ne peut pas leur faire de mal, et eux non plus.

– Regarde, indiqua Harper en déplaçant son portable pour que Dora puisse voir l'écran, c'est leur site Web.

Dora prit l'ordinateur.

– Ça semble intéressant. Nate a toujours mieux réagi aux animaux qu'aux humains, en particulier aux dauphins. Alors vous pensez que je devrais l'emmener là-bas ?

Harper regarda Carson avant de se tourner de nouveau vers Dora. Elle savait que cet aspect de la question serait le plus délicat.

– En fait, nous pensons que nous, nous devrions l'emmener, et que toi, tu devrais rester ici.

Dora eut un mouvement de recul.

– Quoi ?

– Nous savons bien que c'est un sujet délicat pour toi, mais aie un peu d'ouverture d'esprit, dit Harper. Dora, tu as besoin d'une pause.

– Pas du tout. Je ne peux pas vous laisser emmener Nate sans moi.

– Pourquoi pas ? demanda Carson.

– D'abord, il ne voudra pas y aller avec vous. Ensuite, eh bien…

Elle bredouilla.

– Je ne vous laisserai pas l'emmener.

– Évidemment, c'est toi qui décides, déclara Harper sur un ton persuasif, mais considère cet aspect. Les mères des enfants aux besoins spéciaux ont besoin d'une pause. Non ? Nate a-t-il des besoins spéciaux ?

– Bien sûr que oui, lui répondit Dora avec colère.

– Es-tu sa mère ?

Dora remua la tête, les sourcils froncés.

– Je sais où tu veux en venir, répondit-elle, irritée, mais je ne peux pas le laisser partir.

– Pense à ce que tu viens de dire, dit doucement Carson. Tu ne peux pas le laisser partir. Dora, ma sœur chérie, tu t'accroches tellement à lui. Laisse-le un peu aller. Nous n'avons aucun moyen de te persuader que ce que tu crains n'arrivera pas, mais aie confiance en Nate. Aie confiance en nous. Tout ira bien.

– Il t'en veut toujours ! répliqua Dora. Qu'est-ce qui te fait croire qu'il irait avec toi ?

Carson sourit et à ce moment précis, Dora pensa qu'elle ressemblait de manière troublante à Mamaw.

– Delphine, répondit Carson avec prudence.

Dora plissa les yeux.

– Après le programme, je l'emmènerai voir Delphine, précisa Carson.

– Combien de jours en plus ça représenterait ?

– Un seul, mais là n'est pas la question.

– Alors où est-elle ?

– S'il a besoin de voir Delphine, il dira oui, et nous aurons la réponse. Et s'il dit non…

Elle leva les mains :

– Nous serons d'accord avec toi et nous tirerons un trait sur toute cette idée.

– Mais peu importe sa réponse, pourquoi ne pourrais-je pas l'emmener suivre ce programme *moi-même* ? questionna Dora.

– Tu pourrais, répondit Harper. Ou alors, tu pourrais te reposer.

Elle prit les mains de Dora et les examina.

– Regarde tes ongles. Tu as tellement besoin d'une manucure.

Dora tenta de retirer sa main, mais Harper la retint.

– Tu as besoin d'avoir un peu de temps pour remarquer ce genre de chose, dit-elle doucement. De prendre un peu de temps pour toi-même.

– Juste une semaine, ajouta Carson. Ce n'est pas si long. Si tu allais dans un spa, tu en aurais au moins pour cinq jours.

Dora se tourna vers Carson, et on pouvait lire son déchirement sur son visage.

– Carson, tu penses vraiment que tu pourrais t'occuper de Nate ? C'est un gentil petit garçon, mais il peut être difficile.

– As-tu oublié que je me suis occupée de lui presque aussi longtemps le mois dernier ? Regarde comme il allait bien.

– Mais c'était ici… avec les dauphins.

– Justement, ce sont des dauphins que nous irons voir ! insista Carson. Dora, j'aime Nate, et même s'il m'en veut, je sais que lui aussi, il m'aime.

– Moi aussi, ajouta Harper. Nous sommes vite devenus amis.

Dora prit les documents que Harper avait imprimés et se mit à les feuilleter pendant que Harper échangeait un regard plein d'espoir avec Carson. Après plusieurs minutes, Dora mit les documents de côté et étudia longtemps Carson en essayant de prendre une décision.

– Ça me fait vraiment peur.

– Nous en sommes conscientes, répondit Carson.

– Ça semble être une bonne idée…, dit-elle évasivement.

Harper et Carson ne dirent mot, laissant plus de temps à Dora. Le silence dura un moment pendant que celle-ci hésitait. Quand elle eut fini, elle posa la main sur le bras de Carson.

– Tu es la seule à qui je pourrais confier Nate.

Le visage de Carson s'adoucit tandis qu'elle plaçait sa main sur celle de Dora.

– Ne t'inquiète pas, je ne te décevrai pas. Je prendrai bien soin de lui. Et je te téléphonerai si j'ai besoin de toi. Mais, bon, c'est mon neveu. Je l'ai gardé avant, tu te souviens ? Tout ira bien.

— Tu es tellement gentille de faire tout ça.

— Tu en ferais autant pour moi, répondit Carson.

Harper se redressa, sentant son enthousiasme flétrir. Dans son cœur, elle savait bien qu'il était logique que Carson emmène Nate en Floride. Carson et Nate avaient partagé des expériences avec les dauphins, et Carson pourrait l'emmener rendre visite à Delphine. C'était ce qu'ils avaient en commun. Pourtant, alors que c'était elle qui avait eu l'idée de joindre ce programme, Carson s'en était emparée et se l'était appropriée. Cela, combiné au fait que Dora ne pensait pas qu'elle avait les qualifications requises pour emmener Nate, la faisait se sentir comme à l'époque où elle était très petite et que ses deux sœurs aînées s'éloignaient, engagées dans un dialogue des plus intense dans lequel elle n'était pas incluse, sans même s'apercevoir qu'elles l'avaient abandonnée.

— Voici la bonne nouvelle, poursuivit Carson en se penchant devant elle, pleine d'enthousiasme, maintenant que la décision avait été prise. Blake a téléphoné au directeur et a obtenu une place pour Nate au sein du programme Pathways.

Elle fit une pause de manière théâtrale.

— Et ils lui ont donné une place dès cette semaine !

Dora en fut abasourdie.

— Si vite ?

— Quelqu'un d'autre a annulé. Sinon, qui sait combien de temps il aurait fallu attendre. Le plus tôt sera le mieux. Tout s'est mis en place automatiquement. Comme si ça devait arriver, n'est-ce pas ?

Dora émit un petit rire et leva les mains.

— Je suppose.

— Demain, tu pourras parler à la directrice du programme, poursuivit Carson. Ensemble, vous pourrez en déterminer les objectifs.

– Je ne sais pas quoi dire…, dit Dora en regardant ses deux sœurs. Merci.

Harper vit le soulagement et la gratitude dans le regard de Dora, puis elle fit un grand effort et laissa passer ce qu'elle avait ressenti comme un affront. Cela valait mieux que si elles étaient toutes les deux allées en Floride, se dit-elle. Diviser pour mieux régner. Carson pourrait donc s'occuper de Nate, pendant qu'elle s'occuperait de Dora.

– L'autre jour, tu as demandé de l'aide. Voilà tout simplement ce que nous essayons de faire, affirma Harper. Pendant que Carson emmènera Nate en Floride, je vais t'aider à commencer un programme d'exercice. Nous allons bien nous amuser. Nous nous ferons faire des manucures et des pédicures, des massages. Nous ferons tout ce dont tu as envie sans avoir à nous préoccuper d'emploi du temps ou de programme ou des besoins de qui que ce soit. Ce qu'il y aura de mieux, c'est que pendant que *tu* seras en train de te rétablir, tu pourras te détendre en sachant que *Nate* est en train de faire de même.

– Me faire faire les ongles n'a aucune importance pour moi, répondit toutefois Dora avant de renifler et de réprimer les larmes qui remplissaient ses yeux. Tout ce que je veux, c'est me promener sur les plages et dormir.

Mon Dieu, aidez-moi, se dit Harper.

Elle commença à se demander si s'occuper de Nate ne serait pas plus facile que de sa sœur qui, non seulement avait des idées bien arrêtées, mais en plus, en ce moment, était particulièrement émotive.

CHAPITRE 8

Les deux pâtés de maisons où étaient situés les restaurants sur Sullivan's Island bourdonnaient du bavardage et des rires de la foule estivale. Dora grommela dans sa barbe en voyant la trombe de touristes de tous les alentours remplissant les rues à la recherche d'un restaurant typique de l'île où savourer un bon dîner. L'époque où Sullivan's Island était un Mayberry au bord de la mer, au style de vie calme et lent, était bien révolue. On s'était passé le mot, et maintenant, quand on voulait dîner, il était difficile de trouver où garer sa voiture, sans parler d'une table. Toutefois, une voiturette de golf était peu imposante, et elle trouva un endroit dans une petite rue entre un arbre et des rochers où elle put se glisser.

Elle activa le frein à main et resta assise un instant dans cet îlot tranquille en se sentant mal à l'aise. Qu'était-elle donc en train de faire ? se demanda-t-elle. Toujours une femme mariée, voilà qu'elle se rendait dans un bar à la rencontre d'un homme qu'elle n'avait pas vu depuis 15 ans. Elle aurait plutôt dû rester à la maison avec Nate. Après tout, il partirait pour la Floride dans quelques jours. Encore que, lorsqu'elle était sortie, il était en train de jouer à des jeux vidéo avec Harper, et c'était à peine s'il lui avait dit au revoir. Lucille lui donnerait son dîner, et elle serait de retour à la maison à l'heure à laquelle il allait au lit.

Dora savait bien que toute cette anxiété était en elle. Elle était réticente à laisser partir Nate, avait peur qu'il lui arrive quelque chose si elle n'était pas avec lui. La soirée en perspective la rendait aussi nerveuse ; la possibilité de dire quelque chose de déplacé, de manquer de tact avec Devlin. De quoi allaient-ils donc parler ?

Elle regarda sa montre. Si vraiment elle allait rencontrer Devlin, elle devait y aller maintenant. Elle détestait être en retard. Elle se rappela le visage de Devlin. Au souvenir des étincelles qu'elle avait ressenties quand il lui avait proposé de prendre un verre avec lui, elle éprouva de nouveau un accès d'impatience. Il y avait bien longtemps qu'elle était allée prendre un verre avec un homme.

Dora prit son sac à main et marcha d'un pas nonchalant derrière un jeune couple qui se déplaçait en se tenant le bras et en parlant d'une manière pleine de considération qui lui indiquait qu'il s'agissait sans doute de leur premier rendez-vous. La soirée se prêtait parfaitement aux histoires d'amour. L'air était doux, et non pas humide, les guirlandes électriques qui longeaient l'aire de consommation scintillaient dans la lumière du crépuscule. Dora se sentait jolie dans son fourreau estival de Lilly Pulitzer. Ses cheveux blonds caressaient ses épaules, passés derrière ses oreilles ornées de perles. Elle était consciente du fait que sa coupe de cheveux et sa manière de s'habiller avaient peu changé depuis leur temps à l'école, mais sa mère lui avait toujours dit que ce qui était classique n'était jamais démodé. Quand enfin elle atteignit le coin de la rue, des clients étaient partout en terrasse, attablés sous des parasols.

Dora regarda de nouveau sa montre. Il était 17 h 2. Elle se rentra le ventre et franchit la porte. Les banquettes étaient occupées par une foule de clients en train de rire, de manger et de s'amuser. Au plafond, les ventilateurs tournaient, et toutes les fenêtres étaient ouvertes. Elle examina nerveusement les tables à la recherche de Devlin.

Il n'était pas là.

Tout le vertige qu'elle avait ressenti en venant ici vint se tarir dans son estomac. Elle resta près de la porte, embarrassée, sentant ses joues s'échauffer et se colorer. Ainsi, Devlin ne l'avait pas attendue.

Sa déception était plus forte que ce qu'elle aurait dû éprouver. Après tout, ce n'était pas un vrai rendez-vous. Devlin avait simplement suggéré qu'ils prennent un verre. C'était un geste improvisé à la dernière minute, en signe de gentillesse pour une vieille amie. Il avait peut-être attendu quelques minutes, mais pourquoi aurait-il décidé de passer la soirée ici, juste au cas où elle viendrait ?

Un autre couple tentait d'entrer dans le restaurant. Dora se déplaça pour les laisser passer. Toutes les tables semblaient occupées, mais elle ne voulait pas rentrer chez elle la queue entre les jambes, comme un chien battu. Après avoir jeté un coup d'œil, elle aperçut une place libre au bar.

Dans sa tête, elle pouvait entendre la voix de sa mère : *Une fille bien ne s'assied pas seule au bar.* Dora ne l'avait jamais fait. Elle avait toujours suivi les règles pour les filles bien. *D'accord, mais regarde ce que ça t'a donné,* se rappela-t-elle. Ce soir, elle avait pris une douche, elle avait mis une jolie robe, avait soigné son maquillage et s'était même vaporisé une touche de parfum. Rentrer serait vraiment se montrer défaitiste. Dora décida donc qu'elle en avait assez de battre en retraite.

Faisant taire la voix de sa mère qui résonnait toujours dans sa tête, Dora se dirigea droit vers le tabouret libre du bar en se sentant comme une garce éhontée en y prenant place. Elle croisa les mains sur le comptoir et regarda de droite à gauche. À vrai dire, elle se sentait aussi mal à l'aise d'être assise seule ici que si elle avait eu les deux pieds dans le même sabot.

– Qu'est-ce que ce sera pour vous, Mademoiselle ? demanda le barman en s'avançant vers elle.

Elle reconnut cet homme aux cheveux gris qu'elle avait déjà vu quand elle avait déjeuné dans ce pub. C'était le gérant, et l'ancien patron de Carson. Elle n'arrivait pas à se souvenir de son nom, et lui non plus ne la reconnaissait pas.

– Un verre de vin blanc, s'il vous plaît, répondit Dora.

– Notre vin maison est un chardonnay.

– C'est parfait.

Il le lui apporta rapidement, puis servit un autre client. Dora, qui avait besoin d'un remontant, en prit une petite gorgée.

Le temps passait à une vitesse atrocement lente. Elle regarda distraitement autour d'elle, les photos, les canettes de bière de collection et les souvenirs sportifs qui décoraient le pub, en faisant semblant que cela l'intéressait, mais c'était inutile. Elle ne s'amusait pas. À l'extérieur, le jour diminuait. Elle ne prendrait pas plaisir à rouler jusqu'à la maison dans le noir dans la voiturette de golf. Elle n'était pas même sûre que les phares fonctionnaient. Elle regarda sa montre, puis en direction du bar, en espérant croiser le regard du barman pour son addition.

– Dora ! Tu es venue !

Elle sentit un bras passer autour de sa taille.

– Devlin ! Tu es là, dit Dora en essayant d'avoir une voix plaisamment désinvolte plutôt qu'immensément soulagée.

– Bien sûr que je suis là. Je te l'avais dit.

– Mais je ne te voyais pas.

– Je devais faire un appel en vitesse. Je n'entends pas mon téléphone ici. Tu ne pensais tout de même pas que je t'aurais posé un lapin, non ? Je savais trop bien que si je faisais une telle chose, Dora Muir ne me donnerait jamais une deuxième chance. Merde, je suis bête, mais pas à ce point-là. J'avais demandé à Bill de vérifier ton arrivée.

Devlin se tourna et fit un signe en direction du barman, qui rapidement lui apporta une bière bien froide et la plaça devant lui.

– Merci, Bill. Hé, je t'avais demandé d'ouvrir un œil pour Dora, ici présente.

Bill la regarda en plissant les yeux.

– C'est toi, Dora ? Désolé. Il m'avait dit que tu étais la sœur de Carson, mais je n'ai pas vu la ressemblance.

– En général, personne ne la voit, répondit Dora avant d'ajouter : nous sommes des demi-sœurs.

– Dora est celle qui est jolie, dit Devlin.

C'était simplet, Dora le savait bien, mais le regard de Devlin brillait de sincérité, et le compliment lui fit chaud au cœur.

– Elles ont les mêmes yeux. Ce bleu, poursuivit Devlin en remuant la tête d'un air appréciateur.

– Enchanté de faire ta connaissance, dit Bill en hochant la tête. Et Madame Muir, comment va-t-elle ? Il y a un moment que je l'ai vue par ici.

– Elle va bien. Très bien.

– Mets ça sur ma note, déclara Devlin en indiquant le verre de vin.

– C'est compris, répondit Bill avant de passer à un autre client.

Le couple assis à côté de Dora se leva pour partir et Devlin, comme si de rien n'était, se glissa sur le tabouret libre.

– As-tu faim ? demanda-t-il, se comportant en parfait gentleman plein de sollicitude.

Dora fit non de la tête. Elle n'avait pas dîné et les frites sentaient merveilleusement bon. En temps normal, elle en aurait commandé, juste pour grignoter, mais elles ne faisaient plus partie de son alimentation.

Devlin prit une grande gorgée de bière.

– Bill sait ce que tu prends sans que tu aies à lui demander ? remarqua-t-elle.

– Oui, bien sûr. Il y a longtemps que nous nous connaissons. C'est un peu mon bureau, ici.

Dora sourcilla.

– Vraiment ? J'ai du mal à imaginer que tu puisses accomplir grand-chose dans un tel environnement.

– Assez, répondit-il avec un sourire sournois. L'immobilier, c'est en grande partie une question de relations. Tout le monde, dans cette île, passe chez Dunleavy.

– Et il y a plein de bière en fût.

– Oui, aussi, convint-il avec convivialité. Mais je ne t'ai pas vue ici de tout l'été. En fait, nulle part. Où te cachais-tu donc ?

– Me cacher ? J'habite à Summerville. Je viens passer quelques semaines ici, l'été, avec mon fils, Nate. Je ne sors pas beaucoup.

– Et ton mari ?

Elle fit une pause, remarquant son intérêt accru.

– Il reste à Summerville pendant la semaine et vient la fin de semaine. Ou plutôt, c'est ce qu'il faisait, se corrigea-t-elle en regardant son verre de vin.

– J'ai entendu dire que tu divorçais.

Dora leva brusquement la tête. Elle n'aimait pas entendre que sa vie privée était un sujet de conversation pour les habitants de l'île.

– Par Carson, je suppose ?

Il haussa les épaules.

– Ouais.

Elle regarda de nouveau son verre de vin.

– Nous sommes séparés, répondit-elle de manière délibérément vague.

– Moi, j'ai divorcé.

– Oui, j'en ai entendu parler. Je suis désolée.

– Ce sont des choses qui arrivent. Je mentirais si je te disais que ce n'est pas difficile sur le coup. Tout au moins, ça aura donné ma petite fille. Elle est jolie comme un cœur. Le même âge que ton fils.

Dora tourna la tête avec intérêt.

– Comment a-t-elle vécu le divorce ? J'ai entendu dire que c'était difficile pour les enfants.

Son visage s'obscurcit et Dora put distinguer une pointe de souffrance derrière la façade heureuse de Devlin.

– J'ai essayé de faire en sorte que ça se passe le plus simplement possible pour elle. J'ai donné à mon ex-femme tout ce qu'elle demandait. Et pourtant, je dois me plier en quatre pour voir Leigh Anne. C'est ce qui a été le plus difficile.

Il se tut un instant pour prendre une nouvelle gorgée de bière.

– Leigh Anne… Ce n'est pas le nom de ta mère ?

Ses yeux s'illuminèrent de joie.

– Tu t'en souviens, dit-il avec une pointe de surprise.

– Bien sûr. Ta mère a toujours été très gentille avec moi.

– Elle t'aimait bien.

Dora sourit en se souvenant de la solide femme au beau regard triste.

– Elle nous a quittés un an après la naissance de Leigh Anne. Bien trop jeune. J'ai eu l'impression qu'on me la volait.

Il prit une grande gorgée de bière.

– Enfin, elle aura vécu assez longtemps pour voir son premier petit-enfant. J'aurai au moins fait ça de bon.

– Je suis désolée, Devlin. Je ne savais pas que ta maman était partie.

Devlin était fils unique, et sa mère, divorcée, l'avait élevé seule. Ils avaient été très unis.

– Ça a été dur, reconnut-il. Après, j'ai vécu quelques années difficiles. Aujourd'hui, je peux comprendre que ce n'était pas facile pour Ashley. Je buvais, je sortais beaucoup. Ça m'a coûté mon mariage.

Dora se rapprocha de lui, sa voix devenant peu à peu plus basse.

— Mais après un moment, on se remet sur pied et la douleur finit par passer.

— Je suis désolée que tu aies eu à vivre de telles choses.

— La vie continue, dit-il sur un ton plus enjoué, cherchant manifestement à changer de sujet. Toi et moi, c'était spécial, tu sais ? poursuivit alors dans un tout autre ordre d'idées.

Il agita la main quand elle fit la grimace.

— Je ne dis pas ça seulement parce que tu es ici, assise à côté de moi. Je pense souvent à l'époque où nous étions ensemble. Pendant combien de temps avons-nous formé un couple ? Quatre ans ?

Dora sourit en direction de son verre.

— Au moins. Jusqu'au moment où tu es parti pour l'université.

— Columbia n'est qu'à deux heures d'ici, la gronda-t-il.

— Tu oublies que j'habitais à Charlotte et que je n'avais pas de voiture. C'est comme si tu avais été de l'autre côté du pays, se défendit-elle malicieusement.

— Tu sais, je t'ai téléphoné quand tu es allée étudier au Converse College.

Elle sourit en se souvenant du frisson qu'elle avait ressenti juste au son de sa voix au téléphone.

— J'avais déjà commencé à fréquenter Cal.

— Ouais, répondit-il lentement. Nous étions au mauvais endroit au mauvais moment.

Son regard s'attarda sur son visage.

— Tu sais, si nous avions repris juste un peu plus tôt, je n'aurais peut-être pas épousé Ashley, tu ne te serais peut-être pas mariée avec truc-machin, et nous serions mariés juste comme je te parle.

Elle éclata de rire, le visage derrière son verre.

– Peut-être, convint-elle. Mais à ce moment-là, je n'aurais pas eu Nate, et tu n'aurais pas ta gentille petite Leigh Anne.

– Nous ne pouvons pas changer le passé.

Devlin sourit et se rapprocha d'elle.

– Mais nous pouvons changer le futur, ajouta-t-il d'un air séducteur.

Il se tourna et fit signe à Bill de leur apporter une nouvelle tournée.

Dora posa les coudes sur le bar et fit tourner le vin dans son verre tout en écoutant Devlin lui raconter une anecdote haute en couleur dans laquelle, avec des amis, il avait capturé un marsouin. Elle remarqua le rythme plaisant de son élocution, la manière qu'avait son accent du Sud, plus marqué que celui de Cal, de prolonger les voyelles, et l'hilarité dans ses yeux bleus quand il riait.

Devlin était la même personne aimable dont elle se souvenait, tout en étant pourtant complètement différent du garçon qu'elle avait fréquenté il y avait plusieurs années. Il avait acquis une confiance qui avait remplacé son insolence, une assurance qui lui était venue avec le succès. Tout en regardant son visage animé, elle s'aperçut que ce n'était pas tant l'anecdote qu'elle appréciait que la musique de sa voix.

En un moment de clarté soudaine, elle comprit que pour Nate, c'était la même chose. Au moment d'aller au lit, il aimait qu'elle lui raconte des histoires jusqu'au moment où il s'endormait. Quand il faisait une crise, elle savait que ce qu'elle *disait* n'avait pas tant d'importance que sa *manière* de prononcer les paroles qui le calmeraient.

Elle écouta donc Devlin tout en dégustant son vin, appréciant le plaisir tout simple de sortir et d'avoir de nouveau l'attention d'un homme. Elle ne se sentait plus mal à l'aise ou nerveuse d'être assise au bar. Elle n'était plus une femme seule. Elle était avec Devlin, un vieil ami, un ancien amant. Elle était tout simplement en train de prendre un verre dans un bar. Mais ce n'était pas non plus une sortie romantique. Elle pouvait rester, comme elle pouvait s'en aller. Il n'y avait ni attentes ni pression.

Et cela, comprit-elle, amusée, était bien suffisant.

~

Trois jours plus tard, Carson était en chemin vers les Keys de Floride. Elle avait les mains agrippées au volant du Bombardier bleu, le regard rivé sur l'autoroute, en comptant les kilomètres. Elle était épuisée, bourrée de caféine, frustrée et énervée. La Floride était un État bien long ; il y en avait toujours plus !

Le soleil commençait à se coucher quand elle quitta le continent pour se rendre sur la première des îles des Keys. Elle avait espéré arriver au motel avant le coucher du soleil. Cependant, le trajet, qui aurait dû durer 12 heures selon ses plans, en prendrait 14 à cause de tous les arrêts que Nate avait eu à faire. Elle jeta un coup d'œil dans le rétroviseur, soulagée de voir le petit garçon assis, calmement absorbé par son jeu vidéo portatif.

– Dieu merci, grommela-t-elle.

Le trajet avait été éreintant. Le siège avant était recouvert de diverses marques de lingettes qu'elle avait dû acheter avant que Nate finisse par en accepter une variété. Dieu sait à quel point le petit avait besoin d'avoir les mains propres. Manger avait été un cauchemar. Dora et Lucille avaient spécialement préparé de la nourriture qu'elles avaient placée dans une glacière. Malheureusement, il y avait quelque chose qui ne « marchait pas » avec les sandwichs qu'elles avaient faits. Carson ne savait toujours pas quoi au juste. Ça avait à voir avec comment ils étaient faits ou ce dont ils avaient l'air ou comment ils ne retenaient pas leur contenu… Nate n'en voulait absolument pas. Elle avait eu recours aux chaînes de restauration rapide qu'elle rencontrait sur le chemin, en espérant qu'il finisse par trouver quelque chose d'acceptable. La voiture sentait comme l'un de ces restaurants parce qu'elle lui avait acheté des hamburgers, des burgers au poisson, des sous-marins, des crêpes, jusqu'à ce qu'il accepte enfin de manger des croquettes de poulet et des frites, à la condition qu'il n'y ait pas le moindre soupçon de ketchup ou de sauce sur elles. Ce qu'elle avait appris à ses dépens.

Si manger était compliqué pour Nate, éliminer était encore pire. Dans la mesure où elle pouvait s'en rendre compte, Nate avait la vessie d'une femme enceinte. Il devait s'arrêter pour faire pipi toutes les 2 heures, réglé comme une horloge. Il était terrifié d'avoir un accident, et dès qu'il commençait à avoir envie, il criait après elle pour qu'elle emprunte la sortie suivante.

– Nous sommes maintenant sur les Keys, s'exclama-t-elle d'une voix joyeuse pour Nate, assis sur la banquette arrière, après qu'il eut de nouveau hurlé pour une pause-pipi. Retiens-toi. Ça ne devrait plus être long !

– Il est 18 h 47, répondit Nate. Il y a 12 heures et 32 minutes que ce voyage a commencé. Nous devrions déjà être arrivés.

Caron regarda dans le rétroviseur pour voir Nate étudier sa montre. Elle laissa échapper une bouffée d'air et repoussa une mèche de cheveux sur son front. *C'est un bon petit,* se rappela-t-elle. Dora l'avait préparée aux particularités de son comportement ; par exemple, au fait que ni sa voix ni son visage ne montraient d'émotion. Ou à sa manière de s'intéresser subitement à quelque chose de manière obsessive. Ou encore au fait qu'il lui arrivait de réagir de façon excessive à quelque chose qui semblait sans importance. Mais le fait d'aller en Floride en voiture avec Nate était comme faire de la route avec un dictateur. Exécutez ses ordres ou subissez ses foudres !

– Oui, nous avions prévu d'être arrivés à l'heure qu'il est, lui répondit Carson sur un ton posé en maîtrisant sa frustration. Mais nous avons fait tellement d'arrêts que ça nous a ralentis. Il nous reste encore au moins une heure de route.

– Oh.

Un instant passa.

– Je ne peux pas attendre une heure. J'ai besoin d'aller aux toilettes, maintenant!

~

Le motel était un bâtiment de deux étages datant des années 1950 en stuc peint d'un vert lime et qui se prévalait d'être une «station de vacances». Carson avait réservé la chambre en ligne et comme c'était souvent le cas, les photos professionnelles paraissaient mieux que le motel en question. En effet, donner le titre de station de vacances à ce petit motel miteux situé au bord de la route était une exagération, mais il était proche du Dolphin Research Center, bon marché, et avait une chambre de disponible, ce qui représentait un indéniable trio gagnant pour son esprit conscient de son budget.

Il faisait noir quand elle gara la voiture dans l'aire de stationnement gravelée. Après s'être présentée à la réception pour obtenir la clé de sa chambre, elle rassembla leurs valises et entraîna un Nate méfiant le long du sentier goudronné, étroit et mal éclairé les menant jusqu'à l'arrière du motel, tout en priant qu'un serpent, un iguane ou un rongeur quelconque ne profite pas de l'ombre pour se jeter sur eux. La lumière qui éclairait la porte de la chambre était faible, mais elle réussit tout de même à ouvrir la porte sans difficulté. De la main, elle tâtonna le mur à la recherche du commutateur. Au bout d'un instant, la chambre leur fut révélée.

La chambre était petite, à l'ameublement spartiate constitué de meubles en osier blanc de mauvaise qualité évoquant la plage. Et c'était rose. Les murs étaient roses, les draperies étaient roses, les carreaux de la salle de bain, roses encore, avec des notes de rose sur toutes les lithographies marines décorant les murs. La pièce était divisée en deux sections par une demi-cloison qui partait des fenêtres de la façade. La partie du devant était longue et étroite, avec, à gauche, un ensemble de mini-électroménagers blancs qui équipaient la chambre de sa propre cuisinette. À droite se trouvaient un futon à l'allure bosselée et un vieux téléviseur reposant sur une petite table en osier. À l'arrière, une chambre à coucher avec un grand lit, une commode en osier, une petite table en osier, et la salle de bain.

Carson déposa les sacs sur le plancher et fit le tour de la chambre en l'examinant. Puis, elle ouvrit le réfrigérateur en espérant y trouver de la glace. Il n'en contenait pas.

– Installe-toi, indiqua-t-elle à Nate. Nous allons rester ici pendant les cinq prochains jours.

Nate restait près de la porte, raide comme un piquet, tout en s'accrochant à son sac.

– Je n'aime pas ça, ici.

– Ce n'est pas un palace, mais c'est propre.

– Ça sent mauvais.

– Oui, c'est vrai, répondit-elle.

L'odeur de moisissure était prédominante.

– Ouvrons les fenêtres, d'accord ? Ça laissera un peu de ce bon air de l'océan pénétrer dans la chambre.

– C'est sale.

Elle suivit son regard jusqu'à l'angle de la chambre où le linoléum était déchiré et se soulevait.

– Ce n'est pas sale, Nate. C'est seulement vieux.

– Je veux rentrer à la maison, dit-il, son visage se déformant.

Carson sentit son cœur se mettre à battre pour ce pauvre petit qui, toute la journée, avait tenté avec courage de ne pas s'effondrer. Elle se rappela aussi les mises en garde de Dora sur les signes de crise, se rapprocha immédiatement de Nate et lui prit doucement son sac.

– Hé, petit bonhomme, jetons un coup d'œil à la chambre. Nous sommes fatigués, et il fait noir. Nous nous sentirons mieux demain matin. En plus, demain, nous prendrons notre petit déjeuner, puis nous irons tout de suite voir les dauphins, le rassura-t-elle en espérant le mettre plus à son aise en lui présentant le plan de la journée. Tu peux prendre le lit en face de la télé. Ça te plaît ? Ça sera ton petit domaine, poursuivit-elle en allant tapoter le matelas du futon. Voici ce que je te propose : pendant que je prends une douche en vitesse, tu peux regarder la télé et défaire tes bagages. Prends tout ton temps. D'accord ?

Il regarda le futon sans répondre.

Carson sentait tous les kilomètres accrochés à sa peau et avait tellement hâte de les faire disparaître sous la douche. Elle alluma le téléviseur, trouva une chaîne de dessins animés locale et déplia le futon. Les draps étaient frais et sentaient le propre. Elle lui versa un verre d'eau qu'elle déposa sur la table près du futon et attendit un instant. Bien vite, l'intérêt de Nate fut attiré par les dessins animés. Ce que Carson voulait, surtout, c'était qu'il se fasse à sa petite chambre. Elle alla ensuite dans la chambre arrière, se débarrassa de ses vêtements qui puaient la restauration rapide et alla dans la salle de bain rose. Elle était à peine assez grande pour une personne, mais l'eau de la douche était chaude. Ainsi, après un nettoyage merveilleux, elle se sentit revivre.

Après s'être enroulée dans une serviette, elle retourna dans la chambre. Elle y retrouva Nate en train de placer ses nombreux livres sur les dauphins et ses vêtements dans les tiroirs de la commode, sur le dessus de laquelle il avait aligné, de manière bien ordonnée, sa brosse à dents et son dentifrice, sa brosse, son peigne, son shampooing, son savon liquide et un livre.

– Beau travail, dit-elle, se sentant soulagée de constater qu'il commençait à être à l'aise.

Elle fit comme lui, ouvrit son sac et se mit à placer distraitement ses articles de toilette sur la commode.

– Non ! s'exclama soudain Nate d'un air tourmenté. C'est là que mes choses vont.

– Nous ne pouvons pas tous les deux y mettre nos affaires ? Il y a bien assez de place.

– Non.

Tout en faisant un grand effort pour ne rien lui répondre, Carson retira la pochette contenant ses articles de toilette et voulut les mettre dans le tiroir du bas.

– C'est là que je vais mettre mes livres, lâcha-t-il alors au bord de la panique.

– Nate, il y a trois tiroirs. Nous devons les partager.

– Non ! explosa-t-il. C'est là que vont mes livres.

– Alors, où je mets mes vêtements, moi ?

– Je ne sais pas.

Il releva le menton et lui tourna le dos.

Carson entendait l'obstination qu'il y avait dans sa voix et savait que ce soir, il était sur le point de s'effondrer. Pouvant distinguer les signes avant-coureurs, elle se tut de nouveau, se dirigea vers un petit placard et y plaça ses affaires. Après tout, elle avait déjà vécu dans ses valises, se dit-elle.

– Quand tu seras prêt, c'est à ton tour de prendre une douche, dit-elle d'une voix joyeuse.

– Je prends des bains.

Sa voix, quoique monocorde, tremblait.

Carson sursauta et maudit son sort. Il n'y avait pas de baignoire… Elle savait bien que le fait que tout soit différent lui rendait la vie difficile, que son programme lui manquait. Sentant qu'il était une bombe à retardement, elle chercha à s'en sortir par l'humour.

— Eh bien, tu as de la chance. Tu n'as pas besoin de prendre de bain, ce soir ! C'est comme tu préfères. Tu peux d'abord te brosser les dents ou mettre ton pyjama.

— Je vais mettre mon pyjama.

— Parfait.

Carson, épuisée par 14 heures de route discontinues et d'avoir dû composer avec les exigences de l'enfant, savait qu'il lui restait encore une épreuve à traverser. Laissant Nate se changer, elle se dirigea vers la porte et sortit sur la véranda. Elle composa alors le numéro de Dora et fit une prière en pensée quand celle-ci répondit dès le second coup.

— Vous êtes arrivés ? demanda Dora, qui semblait légèrement essoufflée.

— Oui, nous sommes arrivés. Le motel est passable, mais pas fantastique. Ça ira. Mais il n'y a pas de baignoire.

— Oh, mon Dieu, prépare-toi au pire, répondit Dora avec une horreur feinte.

Carson rit.

— Et Nate dit que ça sent mauvais.

— Oh mon Dieu, répéta Dora.

C'était exactement ce que Carson avait besoin d'entendre. Elle avait craint que Dora perde la tête, de devoir composer avec deux hystériques. Or, voilà qu'au contraire, elle plaisantait et chassait la tension. Elle était agréablement surprise par la réaction de sa sœur aînée.

— Que fait-il maintenant ? s'enquit Dora.

— Il met son pyjama. Je lui ai dit que pour ce soir, il n'avait pas besoin de prendre de bain. Ça m'a fait gagner un peu de temps.

— Bien vu ! Ce qu'il ne faut pas oublier en ce moment, c'est que Nate doit faire avec plein de nouveaux stimuli et qu'il n'a pas d'endroit où il se sent en sécurité pour les organiser. Toi et moi, nous avons l'équipement pour composer avec toutes ces choses, mais lui, non. Il est en train de réorganiser sa cartographie mentale du monde. C'est une bonne situation pour une crise. Mais surtout, souviens-toi : s'il en fait une, il n'est pas en colère, il réagit.

— Dis-moi ce que je dois faire.

— Tu t'en sors très bien toute seule. Tu as fait disparaître la source de conflit quand tu lui as dit qu'il n'avait pas à prendre de bain. Je suis impressionnée.

— J'ai peur.

Carson le dit comme si elle plaisantait, mais ce n'était pas le cas. Elle aurait voulu dire à Dora à quel point elle se sentait nulle en s'occupant de cet enfant. Où avait-elle donc la tête? Elle ne savait absolument rien à leur sujet. Et pourtant, elle avait offert toutes les garanties imaginables afin que Dora accepte leur plan. Maintenant, elle ne pouvait pas rendre sa sœur nerveuse.

— Allons, petite sœur, je sais comment tu te sens. Tu le sais. Mais n'aie pas peur. C'est lui qui est effrayé.

La voix de Dora devint un peu éraillée.

— C'est seulement un petit garçon qui a peur. Ne l'oublie pas, et tu t'en sortiras parfaitement, la rassura-t-elle, sa voix redevenant normale. Et s'il fait une crise, tu n'as qu'à le serrer dans tes bras bien fort jusqu'au moment où il aura terminé. Ça ne sera pas facile. Tu seras aussi épuisée que lui une fois qu'il en sera remis. Mais tu passeras à travers. Je pense que l'important, pour le moment, est de recréer un programme le plus vite possible. Tu peux lui faire un emploi du temps.

— Tu veux dire avec des étoiles dorées et autres?

Elle regarda en direction de la chambre en se demandant où elle avait mis la boîte.

— Les enfants qui souffrent du syndrome d'Asperger réagissent mieux aux images qu'aux tableaux. Tu es bonne en dessin?

~

Carson enfila ses tongs et à toute vitesse, dans la nuit, se dirigea vers la voiture pour y prendre la boîte de matériel d'artiste que Dora avait mise dans leurs bagages. Celle-ci n'aurait jamais pu imaginer que ce serait Carson qui s'en servirait. Elle faillit laisser tomber ses clés, mais réussit à retourner dans la chambre avant que Nate se soit aperçu qu'elle était sortie. Elle apporta la boîte jusqu'à la petite table au plateau de verre et l'ouvrit. On y retrouvait l'assortiment traditionnel de papier pour imprimante, de crayons de couleur et de feutres, d'aquarelle, d'albums de coloriage, de colle et de ruban gommé. Carson sourit en voyant les autocollants de dauphin. Sa sœur était vraiment une mère formidable.

Quinze minutes plus tard, elle avait une petite pile de dessins qu'elle emporta dans la salle de bain avec un rouleau de ruban adhésif. Nate s'y trouvait, en train de laisser machinalement couler de l'eau sur sa brosse à dents. Comme il semblait en train de se calmer de lui-même, elle ne l'interrompit pas. Elle tendit plutôt le bras pour coller un dessin à la gauche du miroir. C'était le dessin rudimentaire d'un bonhomme allumette représentant un petit garçon en train de se brosser les dents sous le soleil. À côté, elle colla un dessin similaire représentant un petit garçon en train de se brosser les dents sous la lune et les étoiles. Nate examina les dessins.

– Celui-ci, c'est pour que tu n'oublies pas de te brosser les dents le matin. Et celui-là, c'est pour le soir, expliqua-t-elle.

Elle alla directement dans la chambre, heureuse qu'il la suive. Elle colla le dessin d'une femme dormant dans un lit sous lequel elle avait écrit son nom. La femme quelconque avait de longs cheveux noirs, meilleure manière qu'elle ait trouvée d'indiquer que cela la représentait.

– C'est ici que je dors.

De manière similaire, Carson se dirigea vers la commode que Nate s'était réservée et y colla son nom. Elle mit le sien sur le placard, un dessin d'un garçon dans un lit avec le nom de

Nate au-dessus du futon, et sur le réfrigérateur, elle colla un grand tableau de repas. Le dessin d'une cuillère et du soleil s'élevait au-dessus du dessin d'une horloge indiquant 7 h pour indiquer le petit déjeuner. Une assiette, une fourchette et la lune se trouvaient au-dessus de 18 h pour indiquer le dîner.

— C'est notre emploi du temps, déclara-t-elle en montrant du doigt les dessins. Nous avons de nouvelles règles. À partir de demain, tous les matins nous allons nous lever à 7 h, nous habiller et prendre notre petit déjeuner. À 8 h 30, nous irons au Dolphin Research Center. Et tous les soirs, nous dînerons à 18 h. Tu iras au lit à la même heure qu'à la maison, donc à 20 h, et tu pourras regarder ta télé ou jouer pendant une heure.

Elle pouvait voir son corps se décontracter tandis qu'il étudiait le tableau sur le réfrigérateur.

— Il est déjà passé 21 h, alors mets-toi vite au lit, mais comme c'est notre première soirée et qu'elle est spéciale, si tu en as envie, tu peux regarder un peu la télé, jusqu'à 21 h 30. Ou tu peux dormir dès maintenant. Qu'est-ce que tu préfères ?

Les yeux écarquillés de Nate l'étudiaient et elle pouvait pratiquement voir ses méninges remuer dans sa tête tandis qu'il considérait le choix qui lui avait été présenté. Dora avait raison : les dessins lui avaient procuré une cartographie de son monde.

— Je vais regarder la télé. S'il te plaît, ajouta-t-il.

— Comme tu veux.

Elle plaça sur le futon son oreiller apporté de la maison et il se mit au lit. Il regarda de nouveau le garçon qu'elle avait dessiné et se mit à pouffer de rire.

— Tu dessines mal, tante Carson ! s'exclama-t-il.

Carson éclata de rire.

— Tu as raison ! Je dessine vraiment mal. Regarde ses pieds : ils sont énormes !

Nate la regarda, les yeux écarquillés, à la fois par l'étonnement et le plaisir qu'elle ait ri.

– C'est vraiment un mauvais dessin ! s'exclama-t-il de nouveau, saisissant de quoi il fallait rire.

Montrant le dessin du doigt, il ajouta :

– Tu as donné six orteils au garçon.

Cela fit rire Carson encore davantage. C'était communicatif. Plus l'un riait, plus l'autre riait davantage. Au fond, rien de tout cela n'était particulièrement drôle, mais ils riaient ensemble, pour la même raison, et ça, c'était agréable. Tout en riant, Carson pouvait sentir la tension évacuer son corps. Et en voyant Nate plié en deux et en train de hurler de rire, elle sut qu'il ressentait la même chose. Elle ne l'avait pas vu rire ainsi depuis qu'ils avaient été ensemble dans la crique, avant l'accident de Delphine. C'était la première fois, depuis, qu'ils partageaient quelque chose de bon et d'amusant. Un accès de tranquillité la traversa de savoir qu'elle avait fait le bon choix en amenant Nate jusqu'ici.

Elle allait y arriver, comprit-elle en se séchant les yeux et en s'adossant contre le futon bosselé à côté de Nate, heureuse d'être avec lui.

CHAPITRE 9

SULLIVAN'S ISLAND

Le lendemain matin, Dora s'éveilla en ressentant un martèlement dans ses tempes. Clignant des yeux dans la lumière du matin, elle comprit que ce martèlement provenait de l'extérieur. Elle se traîna de son lit jusqu'à la cuisine pour se verser une tasse de café, et suivit le son de plusieurs voix jusqu'à la véranda arrière.

En sortant de la maison, elle s'arrêta, respirant une bouffée d'air suffocant. L'odeur âcre de la boue des marais était forte ce matin, lui picotant le nez. Elle prit une grande respiration. Cette boue riche et brune, qui avalait tout ce qui y tombait, parfumée par le spartina et l'estran, était l'odeur même de la côte. C'était la senteur du foyer.

Alors qu'elle dégustait son café, ses pensées se déplacèrent rapidement vers Nate. Elle se demanda s'il avait aimé sa première journée au Dolphin Research Center. La veille, elle avait parlé au téléphone avec Carson jusque tard dans la soirée. Dora avait déjà remis en question sa décision de la laisser emmener Nate en Floride, sans elle ; elle avait toujours du mal à croire qu'elle avait donné son accord. Aussi, quand Carson lui avait téléphoné pour lui demander son aide, Dora avait été à un cheveu de sauter dans sa voiture et de rouler en direction du sud pour leur porter secours. Mais elle s'était efforcée de prendre la situation à la légère, autant pour son bien que pour que Carson reste calme. Et cela semblait avoir marché. Pour la première fois, elle s'était détachée et avait donné à Carson la chance de régler elle-même la situation. Elle était aussi fière d'elle-même qu'elle l'était de Carson. Dora avait appris à faire confiance à quelqu'un d'autre, à faire confiance à Nate.

Elle avait aussi appris qu'elle n'était pas indispensable, prise de conscience qui était tout autant une leçon d'humilité que libératrice.

Au-dessus de l'océan, le bleu du ciel matinal était brillant de nuages blancs et moutonneux. Dora prit une grande respiration et expira lentement. La pensée qu'elle était libre de faire tout ce qu'elle voulait aujourd'hui lui vint spontanément, la surprenant de toutes ses possibilités.

À l'ombre du grand auvent aux rayures noires et blanches, Mamaw, assise sur sa grande chaise en osier noir favorite, les jambes sur son pouf, un verre de thé glacé sur la table à côté d'elle, était en train de lire un livre. Elle avait l'air d'une reine dans sa tunique de lin blanc et son pantalon écarlate. La paix du matin fut rompue par un martèlement subit et le vrombissement aigu des outils électriques.

– Mais qu'est-ce que c'est que ce bruit ? demanda Dora en posant sa tasse de café sur la table en osier au plateau de verre.

Harper émergea du jardin, un sécateur dans une main et un bouquet de roses à l'allure pitoyable dans l'autre.

– Ultra-secret, dit-elle en montant l'escalier pour les rejoindre sur la véranda.

Elle sourit sous son chapeau de paille aux larges bords.

– Mamaw fait faire des remaniements dans sa chambre à coucher, mais elle refuse de donner le moindre détail.

Dora accueillit sa sœur et se déplaça nonchalamment vers Mamaw pour lui faire la bise.

– Dis-nous, Mamaw, qu'est-ce que tu nous prépares là-dedans ?

– Une femme ne peut-elle donc pas préparer quelques surprises, même dans son propre boudoir ?

– Non, répondirent les deux filles à l'unisson.

Dora s'installa sur une chaise d'osier à côté de Mamaw en étirant ses longues jambes avec un léger gémissement.

– À quelle heure sont-ils arrivés ? Je pensais que tout ce martèlement était dans ma tête, quand je me suis réveillée.

– Es-tu encore allée chez Dunleavy ? demanda Harper. J'ai remarqué que tu étais rentrée assez tard, hier soir.

Dora jeta un regard noir à Harper pour la mettre en garde, mais il était trop tard. Mamaw saisit cette dernière phrase et elle attaqua.

– Es-tu encore sortie avec Devlin ? la questionna-t-elle.

– Mamaw, baisse tes antennes. Devlin et moi, nous ne sommes que deux vieux amis qui parlent du passé. J'en ai assez dit.

– De vieux amis, hein ? répondit Mamaw d'une voix traînante. Eh bien…

Elle mit ses lunettes de soleil.

– Je dois avouer qu'entendre le nom de Devlin Cassell a quelque chose de déjà vu.

Elle regarda la chemise de nuit courte de Dora avec insistance.

– Et si tu avais 16 ans, je ne te permettrais pas d'être encore en train de te prélasser en chemise de nuit à 10 h. Tu n'es pas censée être en train de marcher, en ce moment ?

Dora réprima un bâillement.

– Je sais, je sais. J'irai marcher plus tard.

– J'essaie seulement de te soutenir.

Harper plaça les tiges d'une poignée de ces petites roses jaunes dans sa bouteille d'eau et les apporta à Mamaw.

– J'ai bien peur que ce soit tout ce que j'ai pu trouver.

– Oh, merci, répondit Mamaw en posant son livre pour accepter les fleurs, avant de retirer délicatement les feuilles brunies et flétries des tiges. Les pauvres petites, regarde comme elles sont rabougries. C'est vraiment pitoyable. Autrefois, mes roses étaient si grandes et si odorantes que j'en avais le souffle coupé.

– Je m'en souviens. Qu'est-il arrivé au jardin ? s'enquit Harper en prenant le pichet pour se verser un verre de thé glacé et en s'installant sur une chaise à côté d'elles. Il y avait tellement de fleurs et de papillons, ici, auparavant. Maintenant, à part les mauvaises herbes, il ne reste plus grand-chose.

Dora se redressa sur sa chaise pour observer le jardin qui était situé le long de la véranda. C'était un lopin de terre petit et étroit entre la maison et les spartinas sauvages qui poussaient le long de la crique. Elle avait étudié l'horticulture à l'université et bien qu'elle n'ait jamais terminé ses études, choisissant plutôt de quitter l'université pour épouser Cal, elle avait continué de suivre des cours de maître jardinier. D'ailleurs, l'un des aspects qu'elle avait préférés de sa maison de Summerville était les terres qui entouraient la maison.

La première année, elle avait cultivé un vaste jardin, investissant une énorme quantité d'énergie et de temps dans ce projet, et elle se souvenait encore du degré de satisfaction qu'elle avait ressentie, un jour, dans son jardin, à la fin d'un après-midi, couverte de terre, un sourire stupide aux lèvres. Cependant, après la naissance de Nate, son attention s'était déplacée vers lui, et tandis qu'il grandissait et que ses besoins devenaient plus exigeants, le jardin était devenu le cadet de ses soucis.

– On dirait mon jardin à Summerville, dit-elle alors, quelque peu sarcastique. Ce climat transforme si vite la nature en jungle, en particulier par ici, dans les îles. La chaleur est comme le souffle d'une fournaise et l'humidité est écrasante.

Elle s'enfonça de nouveau sur sa chaise et se tourna vers Harper.

– Tu dois le ressentir quand tu cours ?

Harper dégagea les cheveux de son cou.

– C'est la raison pour laquelle je cours tôt le matin.

Elle laissa retomber ses cheveux.

– Et c'est ce que, toi aussi, tu devrais faire, ajouta-t-elle avec insistance.

– Des critiques, encore des critiques, toujours des critiques, répondit Dora pour la taquiner. Mais je peux te jurer que le simple fait de marcher me donne chaud, me laisse essoufflée et trempée de sueur.

Elle regarda de nouveau ce qu'il restait du jardin.

– Mamaw, il faut bien admettre que les roses ont toujours été un choix des plus ambitieux. Ça ne vaut rien de planter autre chose que des plantes indigènes sur une île barrière.

– Je m'en fiche. J'aime les roses. Encore que je dois admettre qu'il n'y a pas beaucoup de terre par ici. Mais j'essaie tout de même. Quand je pense au beau jardin clos de ma maison de Charleston…, dit-elle avec nostalgie. Les camélias, les roses… Vous vous en souvenez, les filles ? Les plus charmantes taches de lumière… Les murs protégeaient les plantes du vent et du sel marin. J'ai tenté de recréer quelque chose de similaire ici, mais…

Elle soupira.

– J'ai bien peur que la combinaison de la température et de la vieillesse n'ait eu le meilleur sur moi. Je n'y arrivais plus et au bout d'un moment, le cœur ne m'en a plus rien dit. Tout de même, mes roses me manquent. Mais en fait, Dora, elles poussaient de manière assez surprenante ici, en dépit des probabilités. Ces pauvres plantes sont tout simplement vieilles et fatiguées, comme moi.

Harper lui tapota la jambe.

– Tu n'es pas si vieille.

– Quand je travaille par une telle chaleur, rétorqua Mamaw, je me sens aussi vieille que Mathusalem.

– Tu ne mourras jamais, dit Dora. Mais je te comprends. Moi non plus, je n'y arrivais pas, avec mon jardin. Il faut travailler sans relâche.

– C'est bien vrai, c'est bien vrai, s'exclama Mamaw avant de reprendre sa lecture.

– Quant à moi, je n'y connais rien, dit Harper avec nostalgie. En ville, nous n'avons pas de terrasse, et encore moins de jardinières.

Elle parcourut la propriété du regard.

– J'ai toujours voulu avoir mon propre jardin.

– Et votre maison dans les Hamptons ? demanda Dora.

– Oh, certainement, il y a un splendide jardin, là-bas. Mais je ne m'y rends que les fins de semaine ou pour une semaine de vacances, vraiment pas assez de temps pour m'occuper du jardin. De toute manière, ma mère dépense une fortune pour une armée de jardiniers, et ils feraient une crise de nerfs si je m'approchais de *leurs* plates-bandes avec une pelle ou une bêche.

» Et si tu voyais le jardin de ma grand-mère en Angleterre ! C'est un véritable jardin à l'anglaise recouvert de fleurs et de buissons en pleine floraison. Grand-mère en coupe tous les matins et prépare des compositions florales pour la maison. Elles sont tout à fait charmantes. Elle est plutôt comme toi, Dora. Passionnée par tout ce qui touche au jardinage. L'aménagement paysager a été réalisé il y a une éternité, mais elle fait des changements à droite à gauche, et c'est elle qui a le dernier mot pour la plantation. Mais tout de même, on s'occupe de l'excavation et du désherbage pour elle.

– Ça facilite les choses, dit Dora un peu agressivement.

– En effet, convint Harper. Cependant, ma pauvre grand-mère s'est cassé une jambe récemment. Alors je doute qu'elle puisse faire beaucoup de jardinage cet été.

Elle fit une pause avant de poursuivre avec une pointe de culpabilité.

— Je devrais vraiment aller la voir.

— Vas-tu souvent en Angleterre? l'interrogea Dora.

Harper se mit à retirer ses gants de jardinage.

— Pas aussi souvent que je le devrais.

Puis, plus bas, elle poursuivit :

— C'est une très grande maison qui suscite beaucoup d'attentes.

— Qu'est-ce que tu veux dire? demanda Dora.

Mamaw reposa son livre et se mit à écouter.

— Ma mère est fille unique, et je suis sa seule enfant. Le manoir est le siège des James, et je suis l'héritière. De sorte que, dit-elle d'un ton mal assuré, il n'y a que moi, et chaque fois que je m'y rends, j'ai l'impression de vivre dans une maison de verre.

Harper tirailla l'un des doigts de son gant de manière brusque et colérique.

— Tout le monde m'observe, attend que je trouve un mari adéquat, que je transmette le nom des James.

Elle retira le gant et le regarda, sur ses genoux.

— Ils sont très déçus que j'aie 28 ans et personne en vue.

— Ils s'attendent à ce que tu te maries et que tu vives en Angleterre? poursuivit Dora, s'apercevant du peu qu'elle savait des pressions auxquelles sa sœur cadette faisait face.

Elle avait toujours perçu Harper comme une riche citadine dont la vie de rêve était sans soucis.

— Évidemment, grand-mère serait aux anges. Chaque fois que je vais là-bas, elle organise des fêtes somptueuses pour me présenter à tous les jeunes célibataires. Un peu comme toi, Mamaw, ajouta Harper avec audace en s'adressant à Mamaw.

Celle-ci fit semblant d'être indignée.

— Je n'ai aucune arrière-pensée. Je cherche seulement à ce que tu te sentes chez toi!

Harper pouffa de rire.

— Tu es adorable. Mais tu ne convaincs personne. Et je préfère trouver mon mari par moi-même, merci bien.

De nouveau, sa voix devint nostalgique.

— Il est quelque part.

— Tout ça, c'est bien romantique, intervint alors Dora, mais tic-tac, petite sœur. Tu ne le trouveras pas en restant ici toute seule. Tu n'as pas eu un seul rendez-vous depuis ton arrivée.

— Dixit celle qui s'est enfin décidée à sortir ! fit remarquer Harper d'un ton joueur.

— C'est vrai, c'est trop vrai, répondit Dora en riant. Mais sérieusement, toi qui es si jeune et si jolie.

Harper se redressa sur sa chaise en relevant le menton.

— Je le reconnaîtrai le jour où je le rencontrerai, décréta-t-elle alors. J'ai toujours rêvé que ce serait un coup de foudre. J'ai déjà entendu parler de choses comme ça, pas vous ? On regarde un inconnu dans les yeux et, boum ! On sait que c'est lui.

Dora pensa alors aux frissons qu'elle éprouvait chaque fois qu'elle regardait Devlin dans les yeux. Ce qu'elle répondit alors s'adressait autant à elle-même qu'à sa sœur.

— Je n'aurais jamais cru que tu étais romantique, dit-elle avec un rire sec. Mais tout ça, ce sont des contes de fées. Ce dont tu parles, c'est tout simplement de désir. Le mariage, c'est complètement différent. Le coup de foudre, c'est bien beau, mais un mari doit pouvoir subvenir aux besoins de sa famille. En plus, dans ton cas, ton homme devra avoir une ascendance illustre et ancienne.

Mamaw se tourna sur sa chaise pour regarder Dora d'un œil désapprobateur.

— On dirait ta mère qui parle, dit-elle sèchement.

Dora pâlit et mit la main devant sa bouche.

— C'est vrai, n'est-ce pas ?

Elle se tourna vers Harper.

– Oh, et puis, la barbe ! N'écoute pas ce que je raconte. Qu'est-ce que j'en sais ? Regarde dans quel état est ma vie.

– Tu te débrouilles très bien, la rassura Harper. Assez parlé de moi, ajouta-t-elle, pour que Dora, plutôt qu'elle, soit de nouveau le centre d'attention. En tout cas, je suis contente de voir que pour une fois, c'est *toi* qui as une vie sociale.

– Et ce devrait aussi être ton cas, dit Dora, braquant de nouveau les projecteurs sur Harper. Tu es en train de devenir introvertie, affirma-t-elle, à seulement communiquer avec les gens par Internet. Ce n'est pas une bonne chose.

– Mais si, pour moi, c'est une bonne chose, rétorqua Harper avec insistance. Toute ma vie, même quand j'étais petite, j'étais plongée dans un univers de travail, toujours poussée à atteindre un nouvel objectif.

Elle fit une pause, puis poursuivit d'un ton posé :

– Ma mère était douée pour me fixer des objectifs.

Dora émit un rire nasal qui n'était pas digne d'une dame.

– Ça, je peux comprendre.

De nouveau, Mamaw déposa son livre et regarda Dora.

– Dora, *toi,* dans ta situation actuelle, il est possible que tu aies besoin de voir des gens, reprit Harper. Mais moi, j'ai besoin de solitude.

– La solitude, c'est différent de l'isolement. Je me suis isolée à Summerville, même s'il y avait beaucoup de gens qui m'entouraient, et permets-moi de te dire que je me sentais seule. Je peux comprendre que l'on recherche des moments de paix, mais assure-toi de ne pas être en train de te replier sur toi-même.

– Je connais la différence, répliqua Harper sur la défensive. C'est difficile à expliquer. Quand je suis d'abord arrivée en mai, je ne m'en suis pas aperçue. Je pensais que je venais simplement pour un week-end, pour la fête de Mamaw, puis que je partirais. Évidemment, continua-t-elle en se tournant d'un air honteux vers Mamaw, croisant son regard et lui souriant, les choses ne se sont pas passées comme ça. Depuis que je suis ici, c'est comme si tout mon être avait ralenti. Je m'occupe de menus détails qui me paraissent soudainement tellement importants. Et j'aime ça. Je ne cherche plus à performer. Je n'ai plus l'impression que je dois répondre aux attentes d'autrui. Je peux me contenter d'être *moi-même.*

— C'est ce qu'il y a de magique quand on est à Sea Breeze, souligna Dora. Mais ce n'est pas réel.

— Non ? répondit-elle pour la forme.

— Non. Tu es en vacances, insista Dora.

Harper laissa son regard parcourir les vastes marécages qui s'étiraient à l'horizon.

— Mamaw, tu ne m'as jamais donné l'impression que je devais me conformer à quelque standard que ce soit. Bien au contraire. Je faisais partie de la famille, et tout ce que l'on attendait de moi, c'était que je sois là de temps à autre.

Puis, elle regarda Mamaw avec un sourire narquois.

— Et que j'aie de bonnes manières.

Mamaw fit la grimace.

Harper baissa la tête et regarda son thé glacé, remuant les glaçons du doigt.

— Je sais bien que j'ai l'air de fuir la réalité, reprit-elle. Mais quand je suis ici, à Sea Breeze… Je ne sais comment l'exprimer.

Elle regarda de nouveau en direction de la crique.

— Je me sens loin de cet autre monde. C'est tellement différent ici. Le temps n'importe plus. Mon horloge interne est réglée sur le soleil, la lune et les marées. Je me sens libérée. Et si je reste assez longtemps dans cette tranquillité, je sens quelque chose qui s'épanouit en moi. Quelque chose d'important.

Il y eut un court moment de silence tandis que Harper continua de regarder à l'horizon.

Elle regarda de nouveau les deux femmes et remua la tête, l'air embarrassée de cette confidence.

– Je suis sûre que tout ça, ça paraît Nouvel Âge, ou quelque chose du genre. Je vais bien, vraiment bien, conclut-elle évasivement.

Un autre moment de silence suivit. Dora regarda Mamaw et la vit en train d'étudier Harper.

– Les filles, finit-elle par dire, les yeux brillants, je viens tout juste d'avoir une idée fantastique.

Impatiente qu'elle était de changer de sujet, Harper s'égaya.

– Je suis tout ouïe.

Mamaw mit son livre de côté et se pencha pour se rapprocher des filles.

– Dora, tu adores jardiner, tu en connais un chapitre sur le sujet. Harper, toi, tu veux apprendre. Pourquoi, toutes les deux, ne feriez-vous pas de ce jardin pitoyable votre projet ? Vous pourriez vous en occuper ensemble. Je fournirais les plantes. J'irais même jusqu'à remettre mes gants de jardinage au travail pour vous donner un coup de main. Qu'en dites-vous ?

– Mamaw, répondit Harper avec enthousiasme, quelle idée formidable !

– Je ne sais pas, hésita Dora, montrant peu d'enthousiasme pour cette idée.

Elle avait déjà tellement de travail qui l'attendait.

– Tu imagines tout le travail que ça implique, et la chaleur qu'il fait, ici ?

– Mais Dora, insista Mamaw, un peu déçue, tu adores le jardinage. Il ne s'agit pas d'en faire un projet colossal, comme ton jardin à Summerville. Ça ne prendra pas tant de temps si vous le gardez à petite échelle. De toute manière, ne dit-on pas que le jardinage est bon pour l'âme ?

Dora regarda sa grand-mère d'un air dubitatif. Elle se leva et parcourut le jardin du regard en se tapotant les lèvres du doigt tout en considérant les possibilités. Se remettre les mains dans la terre lui ferait peut-être du bien, se dit-elle.

Créer quelque chose. Elle avait besoin de créativité dans sa vie ; quelle femme n'en a pas besoin ? Elle comprit soudain qu'elle avait laissé tomber cet aspect fondamental de son existence.

— Dans un premier temps, il faudrait faire un plan, finit-elle par dire.

À ces mots, Harper ouvrit son portable avec empressement.

— Très bien.

— Nous sommes déjà au milieu de l'été, de sorte qu'il y a seulement un nombre restreint de plantes qui peuvent soutenir la chaleur estivale de la côte. Je ne sais pas ce qu'il reste dans les centres de jardinage. Spontanément, de la glycérie, ce serait bien. Elle fleurit seulement en octobre, avec une profusion paradisiaque de rose. Ce sera spectaculaire quand tu mettras la maison en vente, Mamaw. Il y a aussi des plantes résistantes comme la gaillarde, le lantanier, la verveine…

— Va moins vite, intervint Harper, je suis en train de les noter.

— Et des roses, ajouta Mamaw, qui se laissait enthousiasmer par cette idée. Il nous faut aussi quelques rosiers.

— Des rosiers aussi, dit Dora avec un soupir théâtral, si c'est ce que tu désires. Il y a maintenant des rosiers sensationnels qui supportent la chaleur. Nous les planterons juste pour toi. Harper, quand tu feras la recherche, souviens-toi d'avoir la géographie en tête. Nous sommes à Sullivan's Island, pas dans les Hamptons.

Harper émit un petit rire nasal.

— Ça, je m'en étais rendu compte.

Mamaw se mit alors à battre des mains.

— Oh, les filles, quelle idée formidable !

Juste à ce moment, le martèlement cessa et une paix soudaine s'installa.

— Bon, je rentre pour me chercher de quoi prendre le petit déjeuner, annonça Dora. Ou est-ce le temps de déjeuner ? Peu importe, mon alimentation varie peu, ces temps-ci ; des fruits et des légumes. D'ailleurs, où est Lucille ? Je ne l'ai pas vue trottiner dans la cuisine.

– Elle avait rendez-vous chez le médecin. Elle devrait rentrer bientôt, répondit Mamaw en reprenant son livre.

Dora plissa le front avec inquiétude.

– Rien de grave, j'espère.

– Chérie, la rassura Mamaw, à l'âge que nous avons, nous y allons régulièrement juste pour l'entretien.

Dora s'éloigna en direction de la cuisine, mais avant de quitter la véranda, elle se retourna pour voir Harper, penchée sur son portable, ses doigts en train de taper. Harper était toujours en train de taper. Que se passait-il donc dans son esprit intelligent ? Ce matin, Dora avait découvert à quel point elle en savait peu à son sujet. Fouiner un peu serait peut-être une bien bonne idée.

~

FLORIDE

C'était un matin de juillet chaud et humide à faire transpirer même une fille de la côte. Le climatiseur de la chambre ronronnait bruyamment, mais avait du mal à rafraîchir l'air. Le réveil de Carson s'était mis à sonner à 7 h. Fatiguée, elle avait ouvert les yeux tandis que le soleil perçait à travers les rideaux fermés. Nate, lui, déjà réveillé, était en train de jouer à son jeu vidéo. Elle se dit que cela lui apportait un peu de réconfort dans ce décor qui ne lui était pas familier, aussi le laissa-t-elle jouer jusqu'au moment de s'habiller.

Ils parlèrent peu, peinant à se conformer au programme matinal. La douche tant redoutée ne fut pas mentionnée, et Nate revêtit les vêtements en tissu souple à la taille élastique qui lui étaient coutumiers. Le petit déjeuner, situation à haut risque, fut pris dans la salle à manger de l'hôtel. Nate examina chaque possibilité, pour finalement décider avec difficulté qu'un yogourt aux fruits et une rôtie de pain blanc étaient acceptables. L'emballage des minuscules boîtes de céréales l'amusa, et il en prit une, même s'il en mangea peu. Pour Carson, le café suffit et elle en but comme un chameau, stockant la caféine dans son corps pour affronter toute surprise que pourrait lui réserver cette journée.

En voiture, le Dolphin Research Center était tout proche, la distance étant tout juste assez longue pour permettre au climatiseur de la rafraîchir. Pourtant, Nate était déjà impatient lorsqu'elle s'arrêta dans l'aire de stationnement, à côté d'une gigantesque sculpture représentant un dauphin et un delphineau. Nate sautillait sur la pointe des pieds, la tirant par la jupe pour qu'elle se dépêche tandis qu'elle verrouillait la voiture. Ils traversèrent ensuite le hall d'entrée et la boutique cadeau à toute vitesse, laissant derrière eux des souvenirs et des t-shirts qui n'avaient aucun intérêt pour lui. Il tapota ses doigts près de sa bouche pendant qu'elle s'occupait des formalités d'inscription et qu'ils recevaient leurs laissez-passer. Dès qu'elle eut ouvert la porte donnant sur le parc, il partit à toutes jambes.

— Nate ! Attends-moi ! cria-t-elle avant de se mettre à courir pour le rattraper le long du chemin sinueux, dépassant des oiseaux exotiques qui accueillaient de leurs cris, un parc aquatique et quelques cabanes pittoresques.

Elle le rattrapa finalement, seulement pour le voir figé, les bras dressés en position d'arrêt. Devant lui se trouvait un grand lagon s'étendant le long du golfe du Mexique, qui chatoyait.

— Pourquoi es-tu parti en courant ? demanda-t-elle en arrivant à ses côtés.

Nate ne répondit pas. Il demeura immobile, les yeux rivés avec incrédulité et émerveillement sur le lagon. Seuls ses doigts remuaient : ils tremblaient.

– Est-ce que ça va ? l'interrogea-t-elle, craignant soudainement qu'il soit sur le point de faire une crise.

Alors, elle entendit les sifflements aigus. À ses oreilles, c'était un véritable concerto de bienvenue qu'elle traduisit pour son cœur. Au premier plan du lagon, elle vit cinq dauphins ensemble près du chemin, en train de regarder les passants et d'attendre. Regardant de nouveau Nate, elle comprit immédiatement pourquoi il s'était soudainement arrêté.

– Nate, vois-tu les dauphins ? N'est-ce pas merveilleux ?

– Il ne faut pas que je m'approche d'eux.

– Mais bien sûr que tu peux. C'est pour ça que nous sommes venus.

– Non. Blake a dit que nous ne devions pas nous approcher des dauphins.

– Blake parlait des dauphins sauvages. Des dauphins de la crique. Ces dauphins, eux, vivent dans le lagon. C'est leur maison. Nous pouvons aller les voir, Nate.

– Je… je ne veux pas leur faire de mal, rétorqua-t-il, la voix tremblante.

Elle eut presque le cœur brisé en entendant ces mots. Elle savait à quel point l'accident de Delphine, au quai, l'avait dérangé, mais elle n'avait jamais compris quelle part de responsabilité il s'était assignée pour le rôle qu'il y avait joué. Elle pouvait l'entendre dans sa voix : il s'en était assigné la totalité, et c'était un bien trop lourd fardeau à transporter pour ces jeunes épaules.

Elle s'agenouilla à côté de lui et lui parla doucement.

– Nate, ce qui est arrivé à Delphine était un accident. C'est d'abord ma faute de l'avoir attirée jusqu'au quai. Mais elle va mieux. Elle va s'en tirer. Tu pourras t'en rendre compte par toi-même quand je t'emmènerai la voir. Ces dauphins, eux, sont en bonne santé. Ils ont l'habitude qu'on aille les voir. Ici, on peut nager avec eux. On peut s'en approcher. C'est pour ça que je t'ai emmené ici. Pour que tu puisses comprendre la différence entre des dauphins qui vivent dans un établissement comme celui-ci et ceux qui sont sauvages. D'accord ?

Il porta ses doigts à sa bouche.

– Écoute ! Ils sifflent, ils t'appellent. Ils veulent que tu ailles les voir. Approchons-nous, d'accord ?

Elle le mena jusqu'au passage couvert qui bordait le devant du lagon. C'était un site naturel d'une grande beauté, avec de l'eau de mer et des poissons qui allaient et venaient. Nate avança petit à petit vers la balustrade en corde qui faisait le tour du lagon. Il regarda par-dessus, prêt à se sauver. À peine un mois plus tôt, Nate courait le long du quai à Sea Breeze et sautait dans la crique. Il n'éprouvait aucune crainte avec Delphine. Maintenant, Carson voyait son attitude prudente, craintive même, et ressentait tout le poids de la responsabilité qu'elle avait d'aider ce petit garçon à se débarrasser de son sentiment de perte.

Un long dauphin lisse nagea directement sous Nate, se redressa pour le regarder, puis se mit à cliqueter. Carson fut soulagée de voir Nate sourire.

– Madame Tupper ?

Carson se tourna en entendant cette voix. Une jeune femme élancée aux cheveux bruns flottants vêtue d'un pantalon de pêche en nylon et d'un t-shirt de dauphin d'un bleu pâle s'approcha, une planchette à pince à la main. Elle sourit quand elle fut près d'elle, et ses beaux yeux chaleureux attirèrent l'attention de Carson et la firent se sentir la bienvenue.

– Je suis Carson Muir, la tante de Nate Tupper. Je l'accompagne au programme.

– Ravie de vous rencontrer. Je suis Joan, la directrice du programme. Je travaillerai avec Nate cette semaine.

– Merci de nous avoir pris à la dernière minute.

– Tout le plaisir est pour moi. D'après ce que je comprends, voilà un petit garçon qui a eu une mauvaise expérience avec un dauphin.

Son regard chercha Nate. Quand elle le vit penché contre la balustrade en train de répondre au dauphin en cliquetant, un sourire se dessina sur son visage.

– Je crois que les dauphins prendront bien soin de lui.

~

– Un pas à la fois, se dit Carson, se répétant le conseil que Dora lui avait donné au téléphone, la veille.

La première séance avec Joan au Dolphin Research Center se déroulait mieux que Carson avait espéré. Ils commencèrent dans une petite salle de classe où des activités de création avec comme thème les dauphins présentaient les objectifs déterminés par Dora et Joan. Avant leur arrivée, Dora avait parlé au téléphone avec Joan et lui avait dit qu'elle voulait que Nate surmonte la culpabilité qu'il éprouvait pour l'accident, mais aussi qu'il reçoive de l'aide pour ses compétences relationnelles. Joan avait formé l'Équipe Nate, en expliquant à Carson qu'ils travailleraient tous ensemble afin de s'assurer que celui-ci atteigne ses objectifs.

Quand elle remit son emploi du temps à Nate, celui-ci le saisit avec fermeté et se pencha immédiatement au-dessus de la table pour l'étudier minutieusement. Carson avait presque pu entendre son soupir de soulagement quand il avait vu l'emploi du temps, une simple feuille de papier qui lui promettait de l'ordre pour toute la journée et éliminait sa peur de l'inconnu.

Pendant la plus grande partie de la séance en classe, Carson resta assise du côté du mur en observatrice. Depuis ce point de vue, comme une petite souris, elle était fascinée de voir Joan travailler lentement et avec fermeté sur des compétences qui permettaient à Nate de devenir à l'aise. Elle parlait avec une inflexion chaleureuse qui finit par rompre sa réserve. Et quelle fierté elle éprouva quand Nate montra comme il était intelligent, et toutes les connaissances qu'il possédait au sujet des dauphins ! De temps à autre, Joan tournait la tête pour croiser le regard de Carson, en haussant les sourcils de surprise que Nate connaisse la réponse à une question.

Quand la séance en classe se termina, il fut temps d'aller travailler avec les dauphins. Carson pouvait sentir l'enthousiasme qui régnait tandis que l'Équipe Nate se déplaçait vers le lagon. Il était nerveux, mais Joan et Rebecca, la dresseuse de dauphin, maintenaient un ton gai et joyeux, et le distrayaient en lui posant des questions tout en l'équipant d'un gilet de sauvetage.

Quand elles emmenèrent Nate jusqu'au quai inférieur, Carson partit à la recherche d'un coin à l'ombre pour s'asseoir et observer.

Elle aperçut un long banc en bois disposé contre le mur du pavillon de la dresseuse. Il se trouvait parfaitement à l'ombre d'un long toit de chaume. Un homme y était assis, en train de regarder le lagon. Il aurait pu s'agir d'un culturiste, avec le renflement de ses muscles à travers son t-shirt noir. Mais sa posture raide, son menton coupé au couteau, ses cheveux courts, ses lunettes de soleil noires et sa manière de garder les bras croisés sur sa poitrine firent se demander à Carson s'il ne s'agissait pas plutôt d'un militaire. Il émettait une puissante vibration qui disait *Ne vous approchez pas*. Mais il n'y avait nulle part ailleurs où s'asseoir et de toute manière, Carson ne se laissait pas facilement impressionner, de sorte qu'elle se dirigea vers le banc et s'assit à l'autre extrémité.

Il regarda dans sa direction quand elle prit place et lui fit poliment un signe de tête pour la saluer.

– Bonjour, répondit Carson.

Puis, comme elle était curieuse, elle lui demanda :

– Vous êtes venu nager avec les dauphins ?

Ses lèvres s'ourlèrent d'un léger amusement. Il avait une belle bouche, pensa-t-elle, et un nez fort et droit, qui lui fit penser au *David* de Michel-Ange. En tant que photographe professionnelle travaillant avec les étoiles du cinéma, elle avait l'habitude de remarquer et de classer les détails physiques. En fait, d'une manière typiquement masculine, il était superbe. Si elle avait été en train de travailler, elle aurait pu lui donner sa carte pour une audition.

— On pourrait dire, répliqua-t-il.

Carson n'était pas certaine de comprendre ce que cela signifiait. *Oui ou non ?* pensa-t-elle, quelque peu irritée. En plus, il ne proposa pas d'autre répartie pour que la conversation se poursuive. Curieuse, et entêtée, Carson refusa de se laisser dissuader par sa froideur.

— Je suis ici avec mon neveu. C'est lui, avec les dauphins, ajouta-t-elle en pointant du doigt le quai du lagon, droit devant eux.

À l'extrême droite du lagon, un autre groupe se trouvait sur le quai. On aurait dit une famille constituée des parents et de deux jeunes enfants d'environ huit ans.

— Ce sont des membres de votre famille ?

Il regarda le groupe avant de faire non de la tête en pouffant de rire.

— Non.

Parler avec cet homme était comme parler à Nate, se dit-elle. Sauf que cet homme ne faisait pas partie de sa famille et n'avait pas neuf ans. Aussi n'avait-elle aucune raison de composer avec *son* impolitesse. Elle laissa tomber, prit son appareil-photo et sa lentille pour se concentrer sur Nate, assis sur le quai, les jambes dans l'eau. Un dauphin gris et lisse attendait à quelques mètres de lui. Carson se rapprocha en observant à travers sa lentille tandis que Nate tendait la main avec hésitation et faisait un signe au dauphin. En un éclair, le dauphin sauta de l'eau et tourna sur lui-même dans un spectacle impressionnant de force et d'agilité. Rebecca poussa un coup de sifflet et l'Équipe Nate poussa des cris d'encouragement venus du fond du cœur pour le dauphin et Nate. À travers le gros plan de sa lentille, Carson vit les yeux du garçon s'illuminer et un grand sourire se dessiner sur son visage. Avec rapidité, Carson prit une photo pour capturer cet instant, puis porta la main à la bouche pour siffler de toutes ses forces.

Elle était toujours tout sourire en retournant vers le banc.

– Quel sifflement, dit l'homme, les lèvres contractées par un sourire.

Elle le regarda et comme elle se sentait heureuse au sujet de Nate, elle répondit d'un air insolent :

– Merci.

Après une pause, il parla de nouveau.

– C'est la première fois qu'il va avec des dauphins ?

Surprise que l'homme commence la conversation, Carson tourna à moitié la tête vers lui. Son regard était dirigé vers l'eau, mais elle sentait que derrière ses lunettes de soleil, ses yeux observaient chacun de ses mouvements.

– Non. Il a passé beaucoup de temps avec un dauphin sauvage près de notre maison en Caroline du Sud.

Il tourna la tête, soudainement intéressé.

– Vous venez de Caroline du Sud ?

– C'est là que je suis née, mais j'ai passé la plus grande partie de ma vie en Californie.

– Où ?

– Los Angeles.

– Non, je voulais dire, d'où en Caroline du Sud ?

– Je suis née à Sullivan's Island, mais quand j'étais petite, j'habitais à Charleston, sur East Bay, ajouta-t-elle, mentionnant le nom de la rue élégante de la ville. Nous passions nos étés dans la maison de ma grand-mère à Sullivan's. C'est là que j'habite en ce moment.

– Sullivan's Island est une jolie région, répondit-il en décroisant les bras pour en étirer un sur le dessus du banc.

Il semblait que leur relation mutuelle avec la Caroline du Sud ait un peu rompu la réserve intense qu'il maintenait autour de lui-même.

– Il nous arrivait parfois d'y aller à la plage. Ma famille n'habite pas très loin, je viens de McClellanville.

– Oui, bien sûr, je connais McClellanville. Une très jolie région près des eaux. C'est là que se trouvent les chalutiers à crevettes, non?

– Ce qu'il en reste.

Il s'appuya contre le mur et croisa une jambe par-dessus l'autre.

– Mon père avait un chalutier à crevettes, mais il a dû quitter le métier. Comme la plupart des pêcheurs.

– C'est là que vous habitez en ce moment?

– Non, j'habite par ici, mais je pense y retourner. Quand je serai prêt.

Carson se demanda ce que voulait dire cette dernière phrase, mais ne voulut pas être indiscrète. Elle n'avait pas l'impression que cet homme soit du genre à donner volontiers des informations personnelles.

– Alors, nous sommes voisins, déclara Carson, heureuse de ce moyen de briser la glace.

– Presque, répondit-il, pince-sans-rire.

– Nous sommes ici seulement pour une semaine, reprit-elle. Nate, mon neveu, est venu pour le programme Pathways.

– Il travaille avec Joan?

Carson inclina la tête, curieuse qu'il connut Joan.

– En effet.

Une nouvelle fois, il se contenta de hocher la tête, sans rien révéler de plus. Puis, un autre long silence suivit, pendant lequel ils regardèrent Nate donner de nouveaux ordres aux dauphins aux cris d'encouragement de l'équipe. Carson siffla et applaudit pour soutenir l'Équipe Nate. Après un dernier cri d'encouragement vibrant, l'équipe se leva et se mit à rassembler son équipement. La séance venait de prendre fin.

Carson se leva aussi, se pencha pour ranger son équipement de photographie et pour prendre une serviette de son grand sac en toile. Elle se retourna vers l'homme du banc.

– J'ai aimé notre conversation. Je m'appelle Carson.

Elle lui tendit la main.

Il la prit immédiatement et la serra fermement.

– Moi, c'est Taylor. Ravi de vous connaître. Il a l'air d'un gentil garçon, ajouta-t-il en faisant un geste en direction de Nate.

Ce compliment la remplit de fierté.

– Absolument.

CHAPITRE 10

SULLIVAN'S ISLAND

Le réveil du matin suivant se fit au son de coups secs frappés sur la porte et de l'appel et du cri de ralliement :

– Debout, il est l'heure de se lever !

Dora lança son oreiller contre la porte.

– Harper, va-t'en !

– Une livraison pour toi !

Dora sourit malgré elle. Harper s'était installée dans la chambre de Carson pendant que celle-ci était partie, mais en dépit du fait qu'elles ne partageaient plus la même chambre, cette semaine, elle faisait un effort délibéré pour se rapprocher de Dora. Cette dernière était touchée, flattée même, par la persévérance de sa petite sœur. Sentant un accès d'énergie la traverser, elle repoussa sa couverture de coton et traversa la chambre pour ouvrir la porte.

– Qu'est-ce que tu…

Harper n'était pas là. Devant la porte, sur le parquet, se trouvaient une boîte de chaussures et un sac plastique plein d'achats. Dora les prit et les apporta jusqu'à son lit. Elle s'assit à côté de son butin, se sentant un peu comme si c'était Noël en juillet. Dans la boîte, elle trouva une paire de chaussures de marche, de la marque haut de gamme que Harper portait. Dora passa le doigt sur la chaussure blanche à la bordure rose pour en vérifier la pointure ; parfait. Maintenant excitée, elle fouilla dans le sac et eut le souffle coupé en sortant un short de course blanc en tissu extensible, un soutien-gorge de course, et un t-shirt de course aux motifs roses haute technologie. Elle examina les étiquettes, et les prix la laissèrent bouche bée. Ces vêtements étaient de la marque sélecte que Harper choisissait pour ses vêtements de sport. Qui plus est… elle les avait choisis en rose, la couleur préférée de Dora.

Dora souleva le t-shirt, puis le reposa sur le lit. En regardant ces vêtements, elle se sentit un peu embarrassée. Faisait-elle si mauvais effet dans ses vieux t-shirt et short ? Mon Dieu, Devlin l'avait vue les porter. Au fond, peut-être n'avait-elle pas envie d'avoir l'air à la mode quand elle s'entraînait, se dit-elle, entêtée.

En continuant de regarder les vêtements, Dora savait que ce n'était pas vrai. C'était seulement qu'auparavant, elle n'avait jamais fait un programme d'exercice et qu'elle ne savait pas quoi choisir. Elle avait toujours été un peu jalouse en voyant ces femmes en train de courir dans leur équipement de sport.

Une note était agrafée au sac. On y avait écrit à la main : *Retrouve-moi devant à 7 h pile !*

Dora regarda son réveil : il était 6 h 50. Sentant un accès d'adrénaline la traverser, Dora retira son pyjama et enfila ses nouveaux vêtements de course. Elle poussa un soupir de soulagement quand elle constata que tout lui faisait. Avant de sortir, elle vérifia rapidement son reflet dans le miroir : la femme qui y était reflétée n'avait pas le moins du monde l'air mal habillée, avec un vieux short de gym et le t-shirt trop grand de son mari. Dora sentit même que cette allure sportive lui donnait un élan, et elle se dépêcha de quitter sa chambre d'un pas léger.

Harper était en train de l'attendre, une bouteille d'eau à la main.

– Comme tu es belle ! s'exclama-t-elle en voyant Dora trotter vers elle.

Dora courut droit sur Harper et lui fit un gros câlin.

– Merci, merci ! Je les adore, mais c'est trop. Mon Dieu, je pourrais acheter une robe de soirée à ce prix-là.

– Tu exagères. Ce n'est rien, répondit Harper en balayant cette dernière phrase du revers de la main. Je te dois plusieurs cadeaux d'anniversaire, alors considère qu'il s'agit d'un premier versement. En plus, j'ai eu du plaisir à les choisir.

– Je ne sais quoi dire.

– Alors, ne dis rien. Conserve ton énergie. Nous sommes en train de perdre du temps d'ensoleillement. Je vais te montrer quelques exercices d'étirement que tu devras faire tous les matins avant de t'y mettre, parce que tu ne veux pas te blesser. Alors, tu es prête ?

Encore qu'elle prît du plaisir à faire ces exercices d'étirement, pouvoir les faire avec Harper lui en donna encore plus. Celle-ci lui montra l'ensemble des exercices à exécuter. Puis, après lui avoir envoyé la main et lui avoir souhaité bonne chance, elle partit. Dora la regarda s'en aller au pas de course, sa queue de cheval sautillant gaiement de droite à gauche, puis elle soupira, en supposant que Harper courrait probablement huit kilomètres, au moins.

Avec courage, Dora démarra sur son propre chemin.

~

FLORIDE

Le lendemain matin, Carson fut surprise de voir Taylor de nouveau assis en face du lagon. Il tourna la tête et esquissa un sourire en la voyant approcher d'un pas nonchalant.

– Vous me suivez partout, ou quoi ? dit-il en souriant.

— Oui, bien sûr, c'est exactement ça.

Carson plaça l'équipement qu'elle transportait pour Nate sur le banc abrité par le toit de chaume et s'assit. Elle regarda du côté du lagon. Une jeune femme vêtue d'un t-shirt de compression d'un bleu vif et d'un maillot de bain était assise sur le quai devant deux jeunes dauphins. À ses côtés se trouvait une glacière bleue remplie de poissons sur lesquels le regard des dauphins restait fixé. Taylor et Carson regardèrent la dresseuse faire exécuter leur programme aux deux dauphins. La matinée fut ponctuée de ses coups de sifflet brefs et de ses compliments aux dauphins, prononcés d'une voix aiguë. Un couple plus âgé et deux jeunes enfants, probablement leurs petits-enfants, s'alignaient le long du lagon pour regarder. La petite fille était captivée et battait des mains chaque fois qu'un dauphin exécutait sa tâche.

— Où est Nate ? finit par lui demander Taylor.

Carson fut impressionnée qu'il se souvienne du prénom de son neveu.

— Il est en classe avec Joan. Je suis censée leur ficher un peu la paix afin qu'ils puissent travailler en privé. Je craignais que Nate fasse une crise quand elle m'a demandé de les laisser, mais pas du tout. Même pas un gémissement. Je ne sers plus qu'à jouer les mulets.

— C'est typique de Joan. Tout le monde tombe sous son charme. Vous disiez qu'il est dans le programme Pathways… Nate a des besoins spéciaux ?

Les yeux de Carson s'écarquillèrent un tant soit peu. Apparemment, une certaine personne avait beaucoup plus envie de bavarder, aujourd'hui.

— Nate souffre du syndrome d'Asperger, un autisme de haut niveau. Il est très intelligent, s'empressa-t-elle d'ajouter, mais il s'est replié sur lui-même, ces derniers temps, et nous espérons que ce programme l'aidera à devenir un peu plus extraverti.

– Ça va l'aider, répondit Taylor.

Elle lui jeta rapidement un regard en se demandant comment il pouvait en être si convaincu.

– Je l'espère. Mais en ce moment, ma plus grande préoccupation est de faire en sorte qu'il s'adapte à un nouveau programme. Il n'est pas très souple. À notre arrivée, nous avons évité une crise de peu, mais j'ai fait tout ce que j'ai pu pour lui créer un nouveau programme.

Elle émit un petit rire.

– Je me sens comme une parfaite femme au foyer. J'ai affiché des images partout dans notre chambre et collé un emploi du temps sur le réfrigérateur, avec en plus des autocollants brillants pour souligner ses efforts. L'heure à laquelle nous nous levons, à laquelle nous mangeons, nos habitudes de toilette, et l'heure à laquelle nous nous couchons, tout ça, c'est immuable.

– Voilà qui a de quoi plaire à un marine.

Elle éprouva un instant de surprise.

– Vous êtes un marine ?

– Oui, Madame.

Elle avait donc eu raison de considérer qu'il avait le tonus et la coupe de cheveux courte d'un militaire.

– Je me disais bien que vous étiez peut-être un soldat.

– Pas un soldat, la corrigea-t-il, un marine. Un soldat fait partie de l'armée.

– Oh, je suis désolée.

Carson ne savait pas qu'il y avait une différence.

– Ce n'est pas pareil, expliqua-t-il, mais la plupart des militaires ont un emploi du temps strict.

– Moi, les emplois du temps, ça n'a jamais vraiment été mon truc. Je ne suis pas paresseuse, s'empressa-t-elle d'ajouter en voyant l'air dubitatif que prenait son visage. Je suis très disciplinée. Je fais du surf, et je suis sur l'océan dès l'aube presque tous les matins. Mais vivre en fonction d'une horloge ? Très peu pour moi. De ce point de vue, je suis plutôt anticonformiste. Faire un emploi du temps était quelque chose de nouveau pour moi, permettez-moi de vous le dire.

– Vous n'avez pas d'enfants ?

– Mon Dieu, non. Loin de là. Je ne suis même pas mariée. Et vous ?

– Non. Pas marié. Pas d'enfants. Juste un chien.

– Une copine ?

Il tenta de cacher son sourire.

– Non.

Elle remarqua qu'il ne lui demandait pas si elle avait un petit ami. Sa méfiance était intrigante.

– Et pourquoi êtes-vous de retour aujourd'hui ? demanda-t-elle, lui posant enfin la question qu'elle avait en tête depuis le début. Hier, je pensais que vous étiez un touriste. Mais vous êtes de retour aujourd'hui, et vous connaissez Joan.

Il regarda en direction du lagon.

– Je reviens presque tous les jours.

Curieux, pensa-t-elle. Faire parler cet homme était comme lui arracher les dents, mais elle pouvait être têtue, elle aussi, de sorte qu'elle attendit qu'il se décide. Elle ne voulait pas le harceler. Sa réticence lui faisait penser qu'il n'aimerait pas.

– Moi aussi, je participe à un programme avec Joan, finit-il par admettre.

Surprise qu'il ait répondu à sa question, Carson tourna la tête pour le regarder. Il était toujours en train d'observer le groupe qui se trouvait dans l'eau.

Comme s'il sentait sa curiosité, Taylor s'étira et commença à rassembler ses affaires.

– Je dois y aller. Ma séance va bientôt commencer.

– Où a lieu votre séance ?

– De l'autre côté du parc, où tous les garçons se tiennent. On appelle cet endroit le nid de célibataires.

– Mignon, répondit Carson avec un sourire en coin.

Taylor se leva et passa son sac à dos du Corps des Marines des États-Unis en bandoulière.

– À bientôt.

Ils se dirent au revoir rapidement et elle le regarda s'éloigner le long du chemin vers une autre section du parc. Elle se demanda si elle le reverrait. Elle espérait que ce serait le cas. Dans son long short cargo, son t-shirt gris et ses sandales, il ne différait en rien des autres touristes s'attroupant autour du lagon. Il ne boitait pas et n'avait aucun signe physique de blessure. En fait, on ne pouvait douter de la puissance de ses muscles tandis qu'il avançait sur le chemin. Mais maintenant qu'elle était plus au fait de son milieu, elle put facilement distinguer cette manière qu'il avait de tourner la tête de droite à gauche pour parcourir la foule des yeux.

~

SULLIVAN'S ISLAND

Dora enfila ses vêtements de course et traversa sur la pointe des pieds la maison calme et peu éclairée, en faisant attention de ne réveiller personne. Elle était ravie de s'être réveillée avant Harper pour sa marche matinale. Elle se déplaçait rapidement dans les rues, tandis que dans les arbres, les oiseaux piaillaient leur chant matinal. Bien vite, ses pieds arrivèrent sur le sable meuble du chemin de la plage et enfin, à la grande étendue de plage et la mer. Elle se tint au bord du précipice de la dune, respirant l'air salin, sentant son souffle sur son visage et sa poitrine se gonfler à la vue du soleil de ce nouveau jour en train de se lever. Le ciel était glorieux de ses couleurs pastel qui scintillaient en se réfléchissant sur la mer étale.

Si tôt le matin, le sable était sans entrave. Des bouts de mica brillaient dans la lumière lavande. Dora s'arrêta pour retirer ses nouvelles chaussures de marche, préférant parcourir cette portion nu-pieds. Le sable compact était humide sous ses pieds tandis qu'elle avançait d'un pas rapide vers le rivage. C'était le moment du petit déjeuner pour les oiseaux du littoral. Les bécasseaux couraient sur leurs pattes toutes droites, jouant à qui attraperait l'autre avec les vagues. Les goélands volaient en rase-mottes, puis prenaient de l'altitude dans les cieux. Les pélicans, eux, volaient en formation.

Très tôt le matin, sur la plage, c'était un moment pour l'introspection. Un jeune couple la dépassa au pas de course. Au loin, un homme jouait avec son labrador chocolat, lui lançant une balle dans la mer pour ensuite regarder le grand chien plonger avec exaltation dans l'océan pour aller la chercher. Dora, elle, ne courait pas encore, mais en quelques jours à peine, elle avait accéléré le pas et il y avait quelque chose de net et de précis dans sa marche. De plus, elle n'était plus aussi essoufflée. Tout en marchant, elle maintenait la cadence en pensant aux nouveaux termes avec lesquels elle se décrivait : *vivante, pleine de nouvelles forces, résistante*. Le simple fait de penser à ces mots lui permettait de se sentir mieux.

Ils lui rappelaient que tout comme Harper, elle ressentait un renouveau vibrant. Peut-être même la résurgence de la jeune fille audacieuse qu'elle avait été naguère, et qui, pensait-elle, se cachait toujours au sein d'elle-même.

Elle vit en esprit les photos de Nate que Carson lui avait envoyées par courriel, la veille. Voir son petit garçon en train de rire et de jouer de nouveau était plus qu'elle n'avait espéré. Comme elle souhaitait que Cal puisse voir ce côté plus extraverti, plus joueur de leur fils ! Peut-être cela lui permettrait-il de mieux apprécier ce que Nate avait d'unique. Mamaw et Lucille s'étaient réunies au-dessus des photos, argumentant afin de déterminer qui avait eu l'idée de suggérer ce voyage.

Dora savait bien que c'était le résultat d'un effort collectif, le remue-méninges de Harper et Carson, et le généreux financement de Mamaw, mais pour Dora, c'était Carson qu'il fallait remercier d'être partie seule avec Nate telle la battante sans peur qu'elle était, en dépit de son manque total d'expérience avec les enfants. Carson et elle avaient discuté plusieurs fois au cours des derniers jours, d'abord des progrès de Nate, mais plus tard, leur conversation s'était simplement orientée sur ce qui leur passait par la tête. Jamais, depuis l'époque où elles avaient été de petites filles, elles n'avaient passé de soirées à bavarder ainsi.

Elle était en train de croiser le phare blanc et noir de Sullivan's Island quand elle aperçut un petit groupe de femmes réunies sur le dessus d'une dune, près du panneau orange vif indiquant un nid de tortues. Curieuse, elle tourna et traversa en diagonale le sable plus fin menant à la dune. Trois des cinq femmes portaient des t-shirts Équipe tortue du même bleu. Les deux autres restaient à côté, regardant avec impatience une des femmes agenouillées à côté du nid de tortues de mer.

Dora se dirigea vers la femme qui avait une planchette à pince, un bon signe qu'elle devait être la responsable. Cette femme était grande, tout comme Dora, élancée, avec des cheveux noirs brillants sous sa casquette.

– Qu'est-ce qui se passe ? demanda Dora en s'approchant.

– Nous faisons un inventaire des nids, répondit-elle.

Elle se pencha vers son sac à dos, dont elle sortit une paire de gants en plastique qu'elle tendit à une bénévole de l'équipe, après s'être redressée. Puis, elle se tourna vers Dora.

– Trois jours après l'éclosion d'un nid, nous l'ouvrons pour compter les œufs qui sont éclos et ceux qui ne le sont pas. Le ministère des Ressources naturelles contrôle le taux de succès des nids le long de notre côte. Parfois, nous trouvons quelques bébés tortues pris dans leur coquille, et nous les libérons.

Elle sourit.

– C'est ce qu'il y a d'amusant.

Il y avait quelque chose de familier chez cette femme que Dora tenta de replacer. Elle portait des lunettes de soleil, de sorte qu'il lui était difficile d'être certaine.

— Est-ce que je vous connais ? demanda Dora.

Elle détestait poser cette question, puisque la plupart du temps, la réponse était non.

La femme retira ses lunettes de soleil, révélant ainsi un visage qui attirait l'œil avec ses yeux brun foncé surmontés de sourcils arqués. Elle était sympathique, mais avait l'attitude d'une personne habituée d'être la responsable. Elle plissa les yeux et remua lentement la tête.

— Peut-être. Vous aussi, vous me dites quelque chose.

— Mon nom est Dora Tupper, Dora Muir, auparavant, ajouta-t-elle, utilisant son nom de famille local. La petite-fille de Marietta Muir.

Les yeux sombres s'écarquillèrent en même temps que la femme sourit.

— *Petite Dorrit ?* Ma parole, bien sûr que je te connais ! Je vois très bien qui tu es, maintenant. C'est moi, Cara ! Je te gardais, il y a très, très longtemps.

L'esprit de Dora traversa le temps à toute allure jusqu'à ces premiers étés qu'elle avait passés avec Mamaw, quand elle n'avait que sept ans et que Carson en avait quatre. On ne l'avait pas appelée Petite Dorrit depuis qu'elle n'était plus une petite fille.

— Cara Rutledge ! C'est vraiment toi ? Je n'arrive pas à y croire.

Elle pointa le nid du doigt.

— Mais évidemment que oui. Tu es une Rutledge. Tu prends soin des tortues.

Cara leva les yeux au ciel.

— Oui, ma mère m'y a enrôlée de force, malgré mes pleurs et mes grincements de dents. Mais maintenant, je suis Cara Beauchamps.

– Comment va ta mère ? Je suis surprise qu'elle ne soit pas ici avec les tortues et toute sa cour. Même après tout ce temps, chaque fois que je vois un de ces panneaux orange, je peux seulement penser à mademoiselle Lovie.

– Maman nous a quittés.

– Oh, Cara, je suis tellement désolée. Je ne savais pas. Ta mère était une femme extraordinaire. Le personnage charismatique de ces îles. Nous l'aimions tous. Te souviens-tu comme nous la suivions tout autour de l'île pendant qu'elle s'occupait des tortues ?

Dora rit doucement à ce souvenir.

– Quelquefois, je me souviens, tu nous emmenais à votre maison au bord de la mer, sur Isle of Palms, et mademoiselle Lovie nous donnait des biscuits au sucre et du thé glacé.

– En fait, j'essayais de faire en sorte que ma mère m'aide à vous garder, ajouta Cara.

– Tu possèdes toujours cette maison ?

– Bien sûr. Je ne la vendrai jamais. Ma mère l'adorait. Un peu de son esprit y réside toujours. Et ta sœur, comment va-t-elle ? Elle était tellement mignonne.

Cara remua la tête.

– Je n'arrive pas à me souvenir de son nom. Ça fait si longtemps.

– Carson.

– Oui, bien sûr. Vous formiez un tel duo, toi, avec tes cheveux blond pâle, et elle, avec ses cheveux noirs. Vous n'aviez pas une autre sœur, aussi ?

– Oui, Harper, mais je ne pense pas que tu l'aies souvent gardée. En fait, au moment où elle a commencé à passer ses étés avec nous, j'étais assez grande pour m'en occuper. Mamaw n'a jamais craché sur la main-d'œuvre gratuite.

Ces derniers mots firent rire Cara.

– Il y si longtemps que j'ai vu ta grand-mère. Elle va bien ?

– En pleine forme. J'espère bien qu'elle vivra pour toujours.

Un cri d'enthousiasme interrompit les réminiscences des deux femmes. Cara se tourna rapidement et Dora, en suivant son regard, vit que la bénévole qui avait été occupée à creuser tenait un bébé caouanne dans sa main. D'autres personnes s'étaient attroupées pendant qu'elle parlait à Cara, et maintenant, elles se rapprochaient encore davantage du nid pour mieux voir.

— Nous nous redonnerons des nouvelles plus tard, indiqua Cara. Je dois me mettre au travail.

Cara saisit un seau en plastique rouge et l'apporta à sa coéquipière, qui y plaça le bébé tortue. Dora se rapprocha pour regarder, fascinée, les deux femmes qui avaient ouvert le nid, apporter des douzaines de morceaux de coquilles d'œuf, quelques œufs entiers décolorés et pour le plus grand enthousiasme des spectateurs, trois autres bébés en provenance du nid.

Cara, selon les souvenirs de Dora, se déplaçait avec la même efficacité et la même grâce que mademoiselle Lovie, et elle ressentit du plaisir de savoir qu'il y avait une telle continuité entre mère et fille. Elle avait toujours voulu avoir une fille, quelqu'un avec qui elle pourrait partager les traditions, faire le tour des boutiques, cuisiner et faire de la pâtisserie, juste être une fille, quoi. Puis, elle pensa à la manière dont sa prière avait été exaucée. Peut-être n'aurait-elle jamais une fille, mais si tard dans sa vie, elle avait renoué avec ses sœurs.

Dora suivit Cara qui transportait le seau rouge plus près de la mer. Celle-ci demanda au groupe assemblé près du rivage de former une ligne de chaque côté d'une grande ouverture qui permettrait aux bébés tortues de trouver leur chemin jusqu'à l'océan. Dora prit place près du bord de l'eau, l'excitation tambourinant dans ses veines parce qu'enfin elle verrait ce spectacle. Elle était venue dans ces îles, l'été, presque toute sa vie, et pourtant, elle n'avait jamais vu de bébé tortue de mer.

Cara posa le bord du seau rouge contre le sable et l'inclina tout doucement. Les quatre bébés noirs se dépêchèrent d'en sortir, leurs nageoires se déployant de toutes leurs forces en commençant leur chemin à travers le sable. L'un d'eux avait la carapace légèrement bosselée et avait de la difficulté à avancer. Dora douta que le pauvre petit soit capable d'aller bien loin, avec tous les poissons affamés qu'il y avait dans l'océan. Les trois autres étaient vigoureux et se ruaient vers les vagues.

Cara retourna se mettre à côté d'elle tout en regardant les bébés tortues.

– Je n'arrive pas à croire que je n'aie jamais assisté à ce spectacle, dit Dora.

– Moi non plus. Il a lieu tous les ans, souligna Cara avec un sourire en coin.

– Depuis combien de temps fais-tu partie de l'équipe ?

– Oh, je suppose que cela fait environ cinq ans, maintenant. J'ai commencé par aider maman quand elle est tombée malade, et puis je suis devenue accro. Jamais je ne me serais doutée que mon intérêt pour les tortues de mer deviendrait la passion de ma vie.

La passion. Voilà qu'une fois de plus, ce mot revenait, pensa Dora. Ce que Harper espérait trouver. Ce qui, selon Winifred, ne valait pas la peine qu'elle perde Cal.

Elle suivit les bébés tout près du bord de l'eau.

– Ne perds pas les bébés de vue, l'informa Cara. Une fois qu'ils atteignent l'eau, l'instinct surgit et ils plongent. Je ne me lasse jamais de les voir passer de bébés tortues en train de se ruer vers la mer aux nageuses élégantes qu'ils deviennent ensuite. L'instinct est si puissant.

En silence, Dora encouragea les bébés en train de nager de toutes leurs forces à travers les vagues quand soudain, l'une d'entre elles, qui revenait vers le rivage, balaya les tortues et les rejeta sur la plage, les faisant culbuter comme des galets.

— Ne bougez pas ! cria Cara aux spectateurs. Il y a des tortues à vos pieds. Restez immobiles et laissez-les ramper de nouveau vers la mer.

— C'est tellement triste, dit Dora plaintivement. Ils ont fait tant d'efforts pour se rendre dans l'océan, et voilà qu'ils sont rejetés sur la plage. Vous ne pouvez pas leur donner un petit coup de main ? Les prendre et les transporter dans l'eau ?

Cara fit non de la tête énergiquement.

— Non, ils doivent y arriver par eux-mêmes. C'est merveilleux tout ce que la nature leur apprendra. Nous avons découvert que même si on dirait que les vagues leur mènent la vie dure, en fait, elles les aident à s'orienter dans la bonne direction. Ils nageront pendant 24 à 36 heures pour atteindre le courant du Golfe, où se trouvent de grandes quantités de sargasse. Les vagues leur serviront alors de pouponnière pour les 10 prochaines années, environ.

Elle fit une pause.

— Il n'en reste pas moins que l'on estime que seul 1 bébé sur 1000 survit et atteint la maturité. C'est pour cela que nous sommes ici. Chaque bébé compte. Par ailleurs, même si le nombre de nids le long de notre côte est toujours bien inférieur à ce qu'il était à l'époque où maman s'occupait des tortues… celui-ci commence à augmenter, finit-elle après avoir fait une pause pour sourire.

— Tu fais tellement penser à ta mère.

Cara sourit.

— Je considère que c'est le plus beau compliment.

Dora regarda l'océan juste au moment où une autre vague rejetait deux des trois bébés sur le rivage. Mais, une fois de plus, les petites tortues se redressèrent et repartirent dans leur ruée comique en direction de la mer. Elle suivit l'une d'elles jusqu'au rivage, ressentant un attachement particulier pour ce bébé qu'elle n'avait jamais vu auparavant et qu'elle ne reverrait jamais. Était-ce son instinct maternel ? Ce désir de prendre soin d'une jeune vie ? Comme avait dit Cara, l'instinct était si puissant.

Cette fois, quand l'instinct de plonger se fit sentir, le bébé plongea et réussit à dépasser les brisants. Dora, dans l'eau tiède jusqu'aux chevilles, en train d'encourager la tortue jusqu'à ce qu'elle plonge de nouveau pour disparaître, sentit son humeur se remplir de joie. Elle continua un instant de regarder la surface lisse de l'eau au-delà des brisants.

Elle les revit ! Son souffle s'accéléra quand elle distingua deux têtes minuscules émergeant pour respirer.

Elle resta là encore un instant, juste à regarder le déferlement des vagues, se représentant la ruée épique des tortues vers la mer, leur foyer. Peut-être que dans son cas aussi, se dit-elle, le fait d'être bousculée, ballottée un peu partout avait été une bonne chose. Avec un peu de chance, elle finirait par se redresser et commencerait à se diriger dans la bonne direction. Elle devait avoir confiance dans ses instincts.

Après tout, se dit-elle en riant, ses chances étaient sans doute plus grandes que 1 sur 1000.

~

Alors qu'elle était sur le chemin du retour pour Sea Breeze, la camionnette de Devlin s'arrêta à côté d'elle et il poussa un sifflement admiratif.

Dora adora cela, mais fit semblant d'être irritée.

— Devlin Cassell, c'est gênant.

— Bel ensemble, cria-t-il.

Dora rougit en pensant que Devlin l'avait vue dans son short de gym et son t-shirt miteux. Elle se rendit vers la camionnette d'un pas nonchalant et se pencha dans l'ouverture de la fenêtre.

— Il fait beaucoup plus frais là-dedans.

— Alors, monte.

— Je ne peux pas. Je veux finir ma marche.

— Oh, allez, il y a quelque chose que je voudrais te montrer. Ça ne prendra qu'un instant. Monte.

Dora plissa les yeux en se demandant ce qu'il voulait, mais la curiosité l'emporta et elle contourna le devant de la camionnette et monta du côté passager. Devlin écrasa le champignon, et les pneus firent crisser le gravier en démarrant dans la direction de Breach Inlet.

— Tu étais vraiment mignonne en train de marcher comme ça, affirma-t-il.

Elle ne porta aucune attention à ce compliment.

— Qu'est-ce que tu veux me faire voir ?

— Minute papillon ! Nous y sommes presque.

Il se gara dans l'aire de stationnement de Breach Inlet et ouvrit sa portière.

— Allez. Dépêche-toi.

Ensemble, au pas de course, ils traversèrent le chemin jusqu'au pont qui se jetait au-dessus des eaux turbulentes séparant Sullivan's Island d'Isle of Palms. Du côté ouest du pont se trouvait Hamlin Creek, les marécages et l'Intracoastal Waterway. Du côté est, l'eau se jetait dans l'océan Atlantique. C'était superbe de voir à quel point l'eau était calme à l'ouest et comme elle était agitée et turbulente à l'est. Devlin la mena jusqu'au milieu du pont, puis ils changèrent de côté afin de pouvoir regarder au-dessus de la crique. Elle se tenait à côté de lui tandis que les voitures passaient d'une île à l'autre. Soudainement, il pointa quelque chose du doigt.

— Là ! Regarde droit devant toi. Tu vois les dauphins ?

Dora porta la main en visière au-dessus de ses yeux et les plissa. Ce fut alors qu'elle les vit. Un dauphin de taille plus importante était en train de décrire un arc dans l'eau, puis, elle en poussa un petit cri ravi, elle aperçut la nageoire dorsale de moins grande dimension de son petit.

– Je les vois. Une mère et son bébé ! Ils sont tellement beaux !

Devlin, quant à lui, la regardait et souriait en voyant ses réactions.

– Les mères aiment emmener leurs petits ici pour les nourrir. Tu vois comme l'eau est turbulente ? Il y a beaucoup de poisson là-dedans, et il est facile à attraper. J'ai même entendu dire que les femelles viennent donner naissance à leurs petits dans ces eaux, mais je ne les ai jamais vues.

Il regarda en direction de l'eau agitée aux profondeurs brunes sur lesquelles le soleil scintillait.

– Juste en dessous de nous ! Tu vois ? cria-t-il en pointant du doigt, tout excité. Il y en a deux autres.

Juste sous le pont, Dora aperçut une autre mère en train de décrire un arc dans l'eau et juste derrière elle, son delphineau. Elle agrippa le bras de Devlin, en réponse à quoi il lui passa autour de la taille.

Dora observa l'harmonieuse symétrie qui régnait entre la mère et le petit en train de parcourir ensemble cette étendue d'eau. Le delphineau se déplaçait en sécurité dans le sillage de sa mère. Naturellement, ses pensées se tournèrent vers son propre petit qui, soudain, lui manqua. Comme il aurait aimé assister à un tel spectacle. Comme elle souhaitait qu'il soit avec elle, en ce moment. Elle voulait partager des moments de bonheur extraordinaire tels que ceux-ci avec son fils, plutôt que de toujours être une figure d'autorité.

Ils restèrent côte à côte à regarder les dauphins, sentant la chaleur du soleil sur leurs dos, jusqu'au moment où ceux-ci s'éloignèrent dans la crique. Dora baissa les yeux vers la main de Devlin sur sa taille, puis regarda son visage tandis qu'il fixait les eaux avec un air de profonde appréciation, et même de paix. *J'aime être avec Devlin*, se dit-elle. Il était simple, d'une intelligence surprenante. Il jouait le rôle du bon vieux garçon, mais en réalité, il était très intelligent. Peu de gens connaissaient la côte aussi bien que lui. Il aimait la mer, la terre, la culture et l'histoire; tout sans exception. Ces îles, c'était chez lui, et elle trouvait cela très attirant.

Devlin tourna la tête et la surprit en train de le regarder. Ses yeux s'enflammèrent.

— Je me disais que tu aimerais les voir.

Dora fut touchée qu'il ait pensé à ce qu'elle aimerait voir. Elle ne pouvait se souvenir que Cal ait jamais pensé à elle d'une telle manière. Elle lui sourit en espérant que cela lui communique tout ce qu'elle avait ressenti.

— Tu peux en être sûr.

— Il vaut mieux que je te ramène. Il faudra bien que je finisse par travailler, aujourd'hui.

Avec réticence, Dora se détourna de la vue et suivit Devlin jusqu'à sa camionnette.

— Quelle matinée, dit-elle. D'abord les tortues, et maintenant les dauphins.

— C'est un matin ordinaire, sur la côte, rétorqua-t-il d'une voix magnanime en lui ouvrant la portière. Il te suffit de sortir et d'observer.

— Tu as raison, reconnut-elle.

Combien de personnes étaient comme elle, se demanda-t-elle, en train de vivre dans ce paradis sans en explorer les merveilles? Elle se glissa sur la banquette et attendit qu'il monte à côté d'elle.

— Je suis restée à l'intérieur trop longtemps.

Devlin mit la clé dans le contact, fit une pause puis tourna la tête vers elle.

— Jeune fille, tu sais ce dont tu as besoin?

Ses lèvres tressaillirent.

— Non.

— Je crois qu'il te faut quelqu'un pour te faire redécouvrir ta propre contrée.

Elle inclina la tête, amusée par sa suggestion.

— Tu crois?

— Tout à fait.

Il fit démarrer le moteur.

— Et, par hasard, tu n'aurais pas quelqu'un en tête, pour ce boulot?

Il passa en première, lui lança un sourire malin, et son cœur battit la chamade.

— Ce n'est pas impossible.

— Ouais, dit-elle d'une voix moqueuse, pour ensuite éclater de rire quand la camionnette quitta l'aire de stationnement.

Il dépassa quelques pâtés de maisons sous l'ombre tachetée de Middle Street.

— Que dirais-tu si je t'emmenais faire du bateau? finit-il par lui demander. Tu te souviens comme nous aimions être sur l'eau?

Dora regarda par la fenêtre et se rappela les fois innombrables, quand ils étaient jeunes, où ils avaient pris le bateau de Devlin pour aller sur l'océan, remontant dans les criques, jetant l'ancre près d'un quelconque tertre boueux, s'embrassant au balancement léger du bateau sur les vagues.

— Oui, répondit-elle d'une voix rêveuse. Je me souviens.

La camionnette s'arrêta à un panneau de circulation.

— Alors, refaisons-le, suggéra-t-il en tournant la tête.

Les étincelles dans ses yeux bleus étaient contagieuses.

— Nous flânerons le long de la côte, nous prendrons un verre, puis je t'emmènerai dîner.

Dora abaissa ses lunettes de soleil le long de son nez pour pouvoir le regarder dans les yeux.

— On dirait un rendez-vous romantique.

— Eh, j'espère bien! laissa-t-il échapper. C'est ce que je voulais. Il m'a fallu trois satanés jours pour trouver le courage de te le proposer. Alors, qu'en dis-tu? Oui ou non?

Dora rajusta ses lunettes de soleil sur son nez.

— Oui.

CHAPITRE 11

Harper avait tellement hâte de retourner au jardin. Déjà, elle avait commandé quatre livres sur le jardinage dans le Sud, des plantes pour climats chauds et des jardins à papillons. Elle et Dora avaient conçu un plan de jardin simple, et Harper avait commandé les plantes. Dora avait le dernier mot, approuvant ou désapprouvant chaque suggestion de Harper. Son manque de confiance l'irritait, d'autant plus que Dora n'avait pas eu assez confiance en elle pour la laisser emmener son fils en Floride. Peu importe ce qu'elles faisaient, peu importe les efforts de Harper, Dora semblait la garder à distance.

Harper était donc occupée à comparer des variétés de lantaniers quand la paix matinale fut rompue par un cri de plaisir, suivi par le bruit de deux pieds en train d'approcher. En même temps qu'elle levait la tête de son ordinateur, la porte de la véranda s'ouvrit et Dora sortit de la maison avec précipitation, le visage rayonnant de ce qu'elle voulait lui annoncer.

– J'ai perdu cinq kilos ! s'exclama Dora, à bout de souffle. Cinq kilos !

Harper se tourna sur sa chaise, surprise de voir Dora presque en train de sautiller sur place.

– Eh, toutes mes félicitations ! C'est beaucoup, ça. En combien de temps ?

– Depuis la dernière fois que je me suis pesée à l'hôpital.

– Je t'ai dit que tu maigrissais.

– Tu as toujours été mince et en forme. Tu ne peux pas comprendre l'importance que cette perte de poids peut représenter pour moi, répondit Dora, les yeux toujours éclatants de triomphe. Il y a 10 ans que j'essaie de perdre 5 kg.

Harper se demanda pourquoi être en forme l'empêchait d'éprouver moins d'enthousiasme pour sa sœur.

– C'est l'exercice, bien plus que n'importe quel régime, renchérit-elle toutefois en tentant de l'encourager.

Elle ferma son portable et se leva.

– Eh bien, il faut célébrer.

– À quoi bon ? Je ne peux rien manger de bon.

– Pourquoi manger ? Allons faire les magasins !

Dora eut l'air surprise par cette suggestion, comme si elle n'avait jamais imaginé célébrer quelque chose sans manger.

– Bon, en fait, j'aurais bien besoin de quelque chose de joli à mettre pour mon rendez-vous avec Devlin.

– Quelque chose qui mettra ta silhouette en valeur.

– Enfin, je n'en suis pas encore au point de m'exhiber, lança Dora, soudain intimidée. J'ai encore cinq kilos à perdre, au moins.

– Tu vois le verre à moitié vide, contra Harper en remuant le doigt. Tu pourras toujours t'acheter une autre robe quand tu auras perdu ces cinq kilos de plus. Allez, ma sœur, la vie est trop courte pour ne pas célébrer chaque événement important.

Harper prit son portable, sa bouteille d'eau, ses stylos et son papier qui étaient sur la table.

– En plus, nous ne nous sommes toujours pas organisé de séance dans les magasins ni de manucure-pédicure. Si je me souviens bien, c'était sur notre liste de choses à faire cette semaine. Allez, nous allons nous amuser. Juste toi et moi, entre sœurs.

~

Bien que pour Harper, cette séance dans les magasins eût pour but de les rapprocher, jusqu'à maintenant, c'était tout *sauf* cela. Harper attendait à l'extérieur de la cabine d'essayage du cinquième magasin qu'elles avaient ratissé sans pitié. Chaque robe, chaque chemisier qu'elle avait apportés à Dora pour qu'elle les essaie avaient été brûlés en effigie et rejetés du revers de la main.

Harper, attendant à l'extérieur de la cabine d'essayage, était en train de compter jusqu'à 10 en se disant que ce serait les derniers vêtements qu'elle choisirait dans cette jolie petite boutique. Harper ne savait plus que faire. Elle n'arrivait pas à libérer Dora de ce style arrêté une fois pour toutes, qui consistait à se cacher sous des étoffes lâches dépourvues de tout cintrage, sans compter que Dora refusait de révéler le moindre centimètre de chair. Dora voulait se rendre dans un autre magasin de vêtements qui pourvoyait aux besoins de femmes en surcharge pondérale ou de femmes d'un certain âge ne souhaitant pas montrer trop de rondeurs. Avec entêtement, Harper l'avait néanmoins emmenée dans certaines de ses boutiques préférées de King Street, à Charleston, en espérant insuffler dans l'allure de sa sœur aînée un peu de jeunesse et de style.

Harper adorait les vêtements. Quand elle était à New York, faire les magasins était l'une de ses activités favorites, et elle se pâmait devant les toutes dernières tendances exposées dans les vitrines avec tant de fantaisie. L'avantage qu'il y avait à faire les boutiques de King Street était qu'il y avait toutes ces boutiques merveilleusement chic, mais sans la foule new-yorkaise à affronter. Elles auraient dû avoir tant de plaisir.

Au lieu de cela, c'était la guerre. Dora rejetait tous les ensembles élégants que lui apportait Harper. Ils étaient « trop serrés » ou « trop petits », ou d'allure « trop jeune ». Dora était carrément désagréable. Elle s'adressait à elle sur un ton sec ou grognait comme un chien pris au piège dans la cabine d'essayage, et boudait pendant que Harper repartait à la recherche de nouveaux ensembles qu'elle pourrait essayer.

Elle éprouvait donc du ressentiment envers Dora, qui lui donnait l'impression qu'elle cherchait à la torturer, alors que Harper ne voulait que l'aider. Ce lot représentait donc sa dernière tentative avant d'abandonner. Rassemblant toute sa résolution, elle frappa à la porte de la cabine d'essayage.

– Prête ? demanda-t-elle d'une voix aimable.

– Encore d'autres ? répondit Dora en grognant.

Harper ferma les yeux avant de reprendre avec un enjouement forcé :

– Ce sont les derniers ! Je suis sûre que nous avons un gagnant là-dedans.

Dora entrouvrit la porte, juste assez pour révéler son air obstiné. Elle avait l'air au bord des larmes.

– Je ne veux plus en essayer d'autres. C'est terminé.

– Dora, encore quelques-uns. À mon avis, certaines de ces robes t'allaient très bien.

– Non, elles ne m'allaient pas. J'avais l'air grosse. J'ai l'air grosse dans tout ! laissa-t-elle échapper.

Juste à ce moment, une vendeuse, jeune et joyeuse, pleine d'empressement, s'approcha d'elles.

– Il y a quelque chose qui vous convient ?

– Nous ne sommes pas encore tout à fait certaines, répondit poliment Harper.

– Oui, nous sommes sûres. Rien ne me convient. Vous pouvez tout emporter, riposta sèchement Dora.

– Bon, très bien, dit la vendeuse en sentant la tension. Je vais entrer et vous débarrasser pour que vous ayez un peu plus d'espace, ajouta-t-elle en contournant Harper pour se glisser vers la porte.

Cette invasion fit sourciller Dora, mais elle se poussa, tout en se cachant rapidement avec l'une des robes qu'il y avait sur une petite chaise. Une fois la porte ouverte, Harper put apercevoir le grand soutien-gorge blanc de Dora et sa culotte de grand-mère. Elle vit la cabine d'essayage, et ce fut un choc. On aurait dit qu'il y avait eu un cataclysme : des robes, des chemisiers et des jupes avaient été jetés un peu partout. Harper pénétra dans la vaste cabine et aida la jeune femme à ramasser quelques-uns des vêtements éparpillés sur le sol, embarrassée par l'état de la cabine comme par le manque de respect pour tous ces vêtements. Une fois la vendeuse partie, elle resta à l'intérieur avec Dora, les poings fermés sur les trois dernières robes qu'elle avait choisies.

Dora, les yeux pleins de colère, s'attaqua à elle.

— Toi, reste à l'extérieur. J'ai vu ton air quand tu as vu mon corps. Tu étais choquée.

Harper ferma les yeux et grogna.

— Ce n'est pas ton corps qui m'a choquée, rétorqua-t-elle à bout de patience, mais l'état de la cabine d'essayage !

— Ouais, c'est ça.

— En fait, reconnut alors Harper en esquissant un sourire, ce sont peut-être tes sous-vêtements qui m'ont choquée. Prochaine étape, nous allons t'acheter un soutien-gorge convenable ! Quelque chose qui appartient à ce siècle.

Dora comprenait que Harper tentait de plaisanter, mais cette dernière ne se rendait pas compte à quel point ses traits d'esprit pouvaient l'insulter. Comparée à Carson et elle, ne se sentait-elle déjà pas comme une matrone vieillotte ? Elle lança un regard noir au reflet de Harper dans le miroir.

— S'il te plaît, Harper, sors, dit-elle avec une courtoisie forcée. Je veux m'habiller et rentrer.

– Pourquoi est-ce si difficile de choisir des vêtements avec toi ? s'écria Harper avec frustration. Cette sortie devait être amusante, mais tu ne fais que bouder et lancer les vêtements aux quatre coins de la cabine comme une enfant gâtée.

– Alors, arrête de te comporter comme si tu étais ma mère ! cracha Dora.

– Quoi ? Comment je me comporte comme ta mère ?

– Tu n'écoutes pas ce que je veux. Tu me dis quoi porter. Tu me donnes des ordres. Nous ne faisons pas le tour des boutiques. Tu cherches à me donner un nouveau style !

Les accusations de Dora mirent tellement Harper en colère qu'elle jeta sur la chaise les robes qu'elle tenait. Elles tombèrent immédiatement sur le sol.

– J'essaie de t'aider ! Je connais la mode, et je te montre des ensembles qui, à mon avis, t'iraient bien, mais tu ne veux même pas les essayer. Bon sang, tu es insupportable. Tu es totalement incapable d'essayer quoi que ce soit de nouveau.

– Je ne t'ai pas demandé de me trouver un nouveau style. Arrête d'essayer de me changer.

Ce fut alors que Harper explosa.

– Tu t'habilles comme une grand-mère !

La bouche de Dora s'ouvrit et ses yeux s'emplirent de larmes.

Dans la stupéfaction et le silence qui suivirent, Harper se sentit horrible de s'être mise en colère. Dans le miroir, elle vit Dora en train de se recroqueviller derrière le morceau d'étoffe de la robe. Tout chez Dora (sa posture, son visage défait, sa résistance) exprimait l'échec.

– Je suis désolée, reprit Harper d'une voix plus douce. La dernière chose que je voulais, aujourd'hui, c'était de te faire sentir mal. Qui sait, peut-être que *j'essayais* de te donner un nouveau style. C'est seulement parce que je voulais que tu te rendes compte comme tu es belle.

Le ton de sa voix se modifia, exprimant sa frustration.

– Mais tu refuses tout changement. Dora, tu es tellement entêtée, et pour aucune bonne raison. Je commence à me demander si tu n'aimes pas l'ornière dans laquelle tu te trouves simplement parce que tu t'y sens à l'aise.

Dora ne dit rien.

S'ensuivit un silence tendu durant lequel Harper se pencha pour ramasser les robes et les suspendre à la patère. Dora resta raidie contre le mur, le visage tourné, la robe serrée contre son corps, comme un bouclier.

Harper se tourna et lui fit face.

– Je suis désolée si tu n'aimes pas ton apparence, mais tu n'as pas à te défouler sur moi. En fait, il ne s'agit pas seulement d'aujourd'hui. Dès mon arrivée, tu t'es mise à me repousser. C'est une de tes spécialités, Dora.

– Je ne te repousse pas, se défendit Dora.

Puis, elle haussa une épaule avec insolence.

– J'en suis juste venue à la conclusion que nous ne nous entendions pas.

On aurait dit que Harper venait de recevoir une gifle.

– Mais *pourquoi* ? Pourtant, j'ai essayé, Dieu sait que j'ai essayé.

– Peut-être à cause de la manière dont nous avons été élevées. Tu es de New York, et moi, de Charleston.

Le ton de Harper devint froid.

– Ne viens pas me servir l'opposition Nord-Sud, ce n'est qu'un cliché, et toi et moi, nous avons dépassé ces différences. Ça va plus loin. C'est une question de confiance.

– Que veux-tu dire ?

Harper regarda le plafond.

– Où commencer ?

Elle baissa la tête et son regard croisa celui de Dora.

– D'accord, voici un exemple récent. J'avais vraiment du plaisir à jouer aux jeux vidéo avec Nate, mais quand tu as vu ça, tu m'as engueulée sans même me donner la possibilité de m'expliquer. Au cas où tu ne le saurais pas, Dora, les jeux, c'est ce qu'il aime, c'est là-dedans qu'il excelle ; il y a amplement de preuves que ça ne le gêne pas de jouer avec quelqu'un d'autre. Le mot clé, Dora, c'est *jouer*. Il n'était pas seul. Nous interagissions.

Elle transperça Dora d'un autre regard dur.

– Un autre exemple. C'est *moi* qui ai eu l'idée d'emmener Nate au programme de thérapie avec dauphins. Je ne veux pas de remerciement, et je comprends pourquoi c'est Carson qui s'en est chargée, récita Harper, comme une leçon apprise par cœur. C'est elle qui a de l'expérience avec les dauphins. Elle connaît la Floride. Nate et elle ont Delphine en commun.

Sa voix s'adoucit.

– Mais ça m'a quand même blessée que tu ne considères même pas me laisser l'emmener.

Elle s'adressa alors directement à Dora :

– M'aurais-tu laissée m'en charger ?

– Je... je..., bégaya Dora.

– Non, tu ne m'aurais pas fait confiance, répondit Harper à sa place, parce que, quand il s'agit de Nate, tu ne me fais pas confiance. En fait, tu ne me fais même pas confiance avec le satané jardin !

– Je ne fais confiance à *personne* avec Nate ! rétorqua Dora. Pas même à son père. Peux-tu seulement comprendre ce que ça représentait pour moi de le laisser partir avec Carson ? Jamais de ma vie je n'avais montré autant de confiance à quelqu'un qu'en le laissant partir. Et tu es comprise dans cette confiance. J'ai confiance dans ce que tu m'as dit au sujet du programme. Si je t'ai écoutée, eh bien, c'est parce que, merde, je sais que tu es intelligente et que tu examines tous les aspects d'une question, et que je te respecte.

Harper se raidit.

– J'étais en état de panique en laissant Nate partir, poursuivit Dora, que toutes ces émotions faisaient trembler. C'est toujours le cas. Il me manque.

Elle se frotta les bras, ayant soudain très froid.

– Maintenant, va-t'en.

Elle frissonna.

– J'en ai vraiment fini avec tous ces essayages.

– D'accord. Moi aussi, j'en ai fini. Je m'en vais.

Harper allait se tourner pour partir, mais elle se retourna de nouveau.

Dora se détourna.

Harper regarda le dos de sa sœur, et ses propres épaules s'affaissèrent.

– Tu es ma sœur, dit-elle d'une voix sans émotion. Je t'aime. Mais en ce moment précis, tu ne m'es vraiment pas sympathique. Fais ce que tu veux. Je m'en fiche. Je vais au café au coin de la rue. Quand tu auras terminé, rejoins-moi là-bas et nous rentrerons.

Harper fit demi-tour et sortit, fermant la porte derrière elle.

~

Dora resta immobile dans la cabine d'essayage, tout son corps tremblant de douleur, de surprise et de colère à la suite de l'explosion de Harper. Comment pouvait-elle oser lui dire des choses pareilles ? Elle ne lui était pas sympathique ? Eh bien, elle non plus ne trouvait pas Harper très sympathique, se dit-elle en saisissant son short et en y enfonçant les jambes. Tout en le boutonnant, elle vit de nouveau à quel point il était grand au niveau de la taille et des hanches. Soudain, elle se souvint de l'exultation qu'elle avait ressentie en découvrant qu'elle avait perdu cinq kilos, et à quel point les félicitations de Harper avaient été spontanées et sincères.

Par ailleurs, qui était donc cette fille ? se demanda Dora, abasourdie par la manière dont Harper s'était emportée. La souris avait rugi ! Dora dut toutefois admettre qu'elle admirait ce côté de Harper que jamais elle n'avait vu auparavant. Elle avait du cran, et c'était une chose que Dora pouvait respecter.

Sa colère fut rapidement remplacée par les remords. Elle se laissa tomber sur la chaise et regarda son reflet dans le miroir. Ses joues étaient roses grâce au soleil, mais ses cheveux étaient d'un châtain clair sans brillance. Quant à son bermuda et son soutien-gorge, sa mère aurait pu les porter. Comment pouvait-elle être en colère contre Harper quand c'était elle qui avait raison ? Dora détestait comment elle s'habillait.

Harper avait-elle aussi raison pour le reste ? Dora repoussait-elle les gens ? Elle pensa à Cal. Combien de soirs l'avait-elle repoussé en prétextant la fatigue, les maux de tête ? Elle savait bien que nombre de femmes utilisaient tout un éventail d'excuses les soirs où elles n'en avaient pas envie, mais avec Cal, c'était devenu exagéré, et il se fâchait. *Tu n'en as jamais envie,* se plaignait-il. Elle ne pouvait lui expliquer que le fait de ne pas se sentir jolie, séduisante, désirable ou même féminine était souvent la véritable source du problème. Il était plus facile de repousser les gens que de les laisser se rapprocher.

Oui, Harper avait raison. Une fois de plus. Elle l'avait bien repoussée. Elle avait été jalouse. Elle avait toujours pensé que Carson et elle menaient des vies excitantes. Elles avaient parcouru le monde alors que Dora n'avait jamais quitté le Sud. Elles étaient plus jeunes, plus minces, plus riches ; tout au moins, Harper l'était. La prétention à la gloire de Dora était son mariage, son enfant, sa stabilité. Elle avait maintenu sa façade de parfaite femme du Sud. Jusqu'au moment où la façade s'était écroulée, avec plus rien pour la faire se sentir bien.

Justement, les façades, de loin, avaient l'air mieux entretenues.

Néanmoins, c'était le moment où *toutes* leurs façades se fissuraient et s'écroulaient. Depuis qu'elles étaient revenues à Sea Breeze, peu à peu, les vérités étaient mises au jour. Carson avait été brutalement honnête, partageant avec elles les détails sordides de son enfance. Harper avait révélé la solitude qui régnait derrière la fortune de la famille James. Pourquoi Dora avait-elle eu honte de parler de son divorce à ses sœurs ?

Cette voix dans sa tête qui lui disait que son divorce était un scandale embarrassant qu'il fallait éviter à tout prix était le même critique sévère qui lui chuchotait qu'elle était grosse, qu'elle n'était pas jolie. Étaient-ce donc ses insécurités qui la faisaient se comporter de manière si rigide et l'empêchaient de changer ? Était-elle trop prompte à juger les autres, leur trouvant toujours des défauts pour mieux les repousser et avec eux, tout espoir de bonheur ?

Elle porta les mains à son visage. Au cours de la dernière semaine, elle avait pu découvrir à quel point sa vie pourrait changer. Ce qu'elle commençait à ressentir à son propre sujet lui plaisait. Dans son reflet, elle apercevait même la jeune fille qu'elle avait été naguère. La jeune fille qui avait confiance, qui avait des rêves. Celle qui croyait que tout était possible.

Comment pourrait-elle sortir de ses vieux modes de comportement qui avaient poussé autour de son cœur comme des vignes japonaises ? Comment pourrait-elle faire taire toutes ces voix négatives et écouter celles qui étaient positives ?

Dora baissa les mains, leva lentement les yeux en direction des robes suspendues à la patère. Harper lui avait dit qu'elle était jolie dans ces robes. Devlin lui avait dit qu'elle était belle. Quand donc commencerait-elle à y croire ?

– Bon, prends donc cette maudite robe, se dit Dora en se levant et en saisissant la première qui lui tomba sous la main.

~

Harper était assise à une petite table du café City Lights avec, devant elle, une pile de serviettes recouvertes de son écriture. Chaque fois qu'elle était blessée ou en colère, elle trouvait thérapeutique de transformer en dialogue tout ce qu'elle aurait souhaité avoir eu le courage de dire. Elle griffonnait donc avec une fureur intense une scène au vitriol dans laquelle Dora et elle, dans la cabine d'essayage, se lançaient des insultes et des vêtements, véritable crêpage de chignon. Une fois qu'elle eut terminé, elle se redressa sur sa chaise, lâcha son stylo et prit son café au lait.

Elle le termina et déposa la tasse vide avant de regarder autour d'elle dans le café. Le long du mur se trouvaient de grosses machines à expresso en acier inoxydable, des pâtisseries étaient disposées sur le comptoir. Des femmes et des hommes de tout âge étaient assis aux petites tables, en train de bavarder, de lire ou de taper sur leurs portables. Elle trouvait l'odeur enivrante de café fraîchement moulu et de pâtisseries sucrées réconfortante, exactement ce dont elle avait besoin en ce moment.

À New York, elle se rendait souvent dans des cafés avec son portable rien que pour observer les gens. Elle aimait décrire ce qu'elle voyait : les gens, le décor, ce qu'ils commandaient. Elle notait des commentaires qu'elle trouvait amusants ou poignants. Parfois, elle était même tellement inspirée par une conversation qu'elle avait surprise qu'elle faisait de ces bribes une nouvelle en laissant son imagination se déchaîner. Jamais elle ne montrait ce qu'elle écrivait à quiconque. Il y avait longtemps qu'elle avait appris qu'elle était dénuée de tout talent. Mais elle aimait tout de même écrire. Ou bien elle mettait ces petites pièces à la poubelle ou elle les cachait dans une boîte dans son placard. Elle ne savait pas pourquoi elle écrivait. C'était simplement une chose qu'elle avait toujours faite.

Quand elle était petite, elle avait l'habitude de montrer ses histoires. Ce n'était que de petites histoires bébêtes sur n'importe quel sujet ayant capté son imagination. Mais elle en était fière. Jusqu'au jour où, alors qu'elle avait huit ans, sa mère l'avait convoquée dans son bureau.

~

– Harper James-Muir !

La voix de sa mère avait résonné dans leur appartement de New York.

– Viens dans mon bureau, je te prie.

Harper était assise à la table de la cuisine, en train de balancer machinalement les jambes et de manger une rôtie à la cannelle tout en fixant du regard le motif cristallin du givre recouvrant la fenêtre. En entendant la voix de sa mère, elle s'était raidie et avait jeté un regard plein d'appréhension en direction de sa nounou. Quand sa mère utilisait son nom complet, c'était que Harper était dans de beaux draps, et le fait d'être convoquée dans son bureau signifiait qu'il s'agissait de quelque chose de grave.

Luisa, sa nounou, avait remué la tête pour lui indiquer qu'elle ne savait pas de quoi il s'agissait.

Harper avait donc posé le reste de sa rôtie tandis que Luisa se précipitait à ses côtés pour essuyer quelques miettes autour de sa bouche et sur son uniforme scolaire avant de lui lisser les cheveux, puis, lui prenant les épaules, de la diriger vers le bureau de sa mère.

Georgiana était assise dans son étude aux murs rayonnés de livres, derrière un superbe bureau en bois d'ébène. Elle portait ses vêtements de travail, un élégant tailleur pied-de-poule en laine noire et blanche. L'odeur nauséabonde de la fumée de cigarette qui dérangeait toujours l'estomac de Harper lui avait fait plisser le nez.

– Entre, avait indiqué Georgiana, et ferme la porte derrière toi. Ce sera tout, Luisa.

Harper avait entendu le ton autoritaire et, avec nervosité, avait fait ce qu'on lui demandait, avant d'attendre, les mains jointes devant elle.

— Assieds-toi.

Harper avait traversé la pièce recouverte d'un tapis luxueux pour aller s'asseoir sur l'une des chaises en velours rose vif, les épaules droites et les chevilles croisées, comme on lui avait appris. Elle avait parcouru du regard le bureau de sa mère, à la recherche d'indices lui expliquant pourquoi celle-ci l'avait convoquée. Elle avait alors aperçu le livre qu'elle avait elle-même confectionné, *Raoul, le renne rêveur*. Il se trouvait que Harper était particulièrement fière de cette histoire dans laquelle un jeune renne était à la recherche des siens. C'était elle qui avait peint les illustrations et relié le livre à l'aide d'une perforeuse et d'un ruban. Elle avait même composé une chanson pour l'accompagner. Elle avait donc poussé un soupir de soulagement en pensant que sa mère, qui était éditrice, serait fière de tous ses efforts. Après tout, elle avait créé son premier livre !

Ce fut alors que Georgiana avait soulevé le volume.

— C'est toi qui as écrit ça ?

— Oui.

— Tu écris souvent des histoires ?

Harper avait souri, se sentant encouragée.

— Oui. Enfin, parfois. Je veux dire, quand j'ai une idée.

— Et où as-tu trouvé l'idée pour celui-ci ?

Harper avait haussé les épaules.

— Je ne sais pas. Ça m'est simplement venu en tête.

— Ça t'est simplement venu en tête, avait lentement répété Georgiana. Je vois.

Harper savait que quand sa mère devenait de glace, c'était qu'elle était sur le point de se mettre en colère. Elle avait donc attendu en retenant son souffle.

— Es-tu en train de me mentir ?

À ces mots, Harper avait pâli et son estomac s'était soudainement noué.

– Non!

– Tu as trouvé cette idée dans un des livres que tu as lus, n'est-ce pas?

– Je... je...

Harper ne savait que répondre. Sa mère l'effrayait.

– Je ne sais pas.

– C'est bien ce que je pensais, avait-elle dit en tirant une bouffée de sa cigarette avant de la replacer dans le cendrier.

Elle avait croisé les mains sur son bureau, et Harper avait fixé du regard ses ongles roses parfaits.

– Harper, écoute-moi bien. Il ne faut jamais, absolument jamais, copier les ouvrages des autres. Dans le monde de l'édition, ça s'appelle du plagiat. Et c'est un crime. Sans mentionner que c'est un scandale. C'est inacceptable, même seulement pour jouer. Me comprends-tu?

Harper avait hoché la tête, devenue sans voix d'être injustement accusée d'avoir menti et triché en écrivant son livre. L'idée lui en était venue comme elles lui venaient toutes : en rêvant, en lisant, en écoutant les gens parler. D'autres fois, elles lui venaient alors qu'elle était au parc ou au jardin zoologique avec sa nounou et qu'elle regardait les animaux. C'était copier, ça? Elle se comportait donc mal?

– De toute manière, pourquoi écris-tu des livres? avait demandé sa mère, visiblement contrariée.

Puis, elle l'avait transpercée d'un regard insistant.

– Essaies-tu d'être comme ton père?

Harper avait violemment secoué la tête. Elle savait que soudain, elles abordaient un sujet dangereux.

Les yeux de sa mère avaient scintillé de colère, comme chaque fois qu'elle mentionnait Parker Muir.

– Eh bien, n'essaie pas. Tu ne l'as pas connu. Moi oui et fais-moi confiance, tu ne voudrais pas être comme lui.

C'était un ivrogne et un coureur de jupons. Un paresseux irresponsable.

Elle avait pointé Harper de l'un de ses doigts à l'ongle parfaitement vernis.

– Tu es une James, tu lui es supérieure. À lui et à tous les siens.

Son visage s'était durci en même temps que sa voix.

– Ton père n'était pas un écrivain, avait-elle poursuivi avec dérision. Ce qu'il écrivait était dépourvu de toute originalité. Il n'avait pas le talent nécessaire. Et, avait-elle ajouté en soulevant le livre que Harper avait confectionné avant de le rejeter sur son bureau comme s'il s'était agi d'un vulgaire détritus, toi non plus.

Dans son cœur, Harper avait senti l'enthousiasme et la fierté qu'elle avait ressentis pour son livre se flétrir et être remplacés par la honte.

Georgiana avait pris une dernière bouffée de sa cigarette et en avait exhalé la fumée tout en étudiant sa fille, assise, les épaules affaissées, sur la chaise qui faisait face à son bureau. Puis, elle avait porté la main vers le cendrier et l'avait éteinte.

– Je suis contente que nous ayons eu cette petite conversation, avait dit sa mère. Tu es ma fille. Je t'aime et je m'attends à ce que tu réalises de grandes choses. Je sais que tu ne me décevras pas.

Elle lui avait alors souri de ce sourire qu'elle utilisait avec les invités quand ils quittaient l'appartement, ce sourire d'un million de watts qui leur donnait l'impression d'avoir reçu un cadeau.

– Tu peux y aller, maintenant. Nous nous verrons pour le dîner, d'accord ?

~

Harper frissonna en se rappelant cet épisode et tendit la main vers sa tasse de café, fronçant les sourcils en constatant qu'elle était vide et froide. Elle en avait assez d'attendre et elle était prête à partir. *Où donc est Dora ?* se demanda-t-elle, irritée. Elle appuya son menton sur sa main et laissa son regard parcourir le café, puis se diriger vers la fenêtre. Elle aperçut soudain sa sœur en train de se rapprocher de l'établissement. Elle se redressa, pleine d'attentes. La porte fit résonner la clochette suspendue au-dessus d'elle et Dora entra.

Harper sentit toute la frustration et la colère accumulées dans sa poitrine s'évanouir en un petit rire ravi. Dora était rayonnante dans l'une des robes qu'elle lui avait choisies. C'était un imprimé bleu marine aux rayures verticales qui mettait sa silhouette en valeur. Harper ne savait pas ce qui avait provoqué ce changement d'attitude chez sa sœur, mais pour elle, ça valait tout l'or du monde. Tout sourire, elle leva la main et la remua avec enthousiasme. Dora l'aperçut, et ses yeux s'illuminèrent.

– Tu es ravissante ! s'exclama Harper en se levant pour l'accueillir. Comme je t'aime dans cette robe !

Dora la souleva du sol avec un gros câlin.

– Et moi, je t'aime tout court, lui murmura-t-elle à l'oreille.

Elles s'étreignirent un long moment, toute parole étant inutile pour exprimer à quel point elles étaient désolées, tout comme le lien durable et inaltérable qui les unissait.

Enfin, Dora la laissa aller et recula d'un pas, un peu nerveuse. Harper pouvait voir que ses yeux étaient rouges et qu'elle avait pleuré.

– Un café ? demanda-t-elle.

– Je m'en occupe. C'est ma tournée. Je t'ai fait attendre assez longtemps.

Harper regarda donc Dora aller faire la queue pour donner sa commande au barista. Tout en attendant, son esprit fut submergé par les possibilités d'activités amusantes auxquelles elles pourraient s'adonner ensemble ; deux femmes, deux amies, deux sœurs avec un après-midi à passer sur King Street. En souriant, elle se dépêcha de rassembler les serviettes noircies par son griffonnage plein de colère, les chiffonna, pour ensuite traverser le café et les mettre à la poubelle.

~

Le soleil de l'après-midi était en train de baisser au moment où les filles revinrent à Sea Breeze. Pendant tout ce temps, Mamaw, restée près des fenêtres, les avait attendues.

– Lucille ! cria-t-elle, le cœur lui battant à tout rompre. Elles sont là !

Lucille, qui était dans la cuisine, arriva à toute vitesse malgré sa démarche raide, en s'essuyant les mains sur son tablier blanc amidonné.

– Enfin, dit-elle avec un peu d'irritation. J'espère qu'elles n'ont pas mangé. Il y a plus d'une heure que je leur prépare leur nourriture de lapin en essayant de lui donner un peu de goût.

– J'espère qu'elles aimeront ce que j'ai fait, admit Mamaw avec nervosité.

Elle se tourna vers Lucille.

– Tu penses que ça leur plaira ?

– Bien sûr que oui. Qui n'aimerait pas ça ?

– Je ne veux pas qu'elles pensent que je suis…

– Sournoise ?

Mamaw fronça les sourcils.

– Quel mot dur. J'aime penser que généreuse est tout à fait approprié.

Lucille s'esclaffa.

– Eh bien, regardez-les, en train de rire ensemble. Je suppose que votre générosité a marché avec ces deux-là.

Mamaw sentit son inquiétude s'atténuer.

– Oui, je dois admettre qu'elles étaient comme chien et chat.

– Ou plutôt comme du bicarbonate de soude et du vinaigre. Mais maintenant, chut, elles arrivent. Mon Dieu, on dirait qu'elles ont vidé les magasins.

La porte d'entrée s'ouvrit et Mamaw entendit des rires avant de voir Harper et Dora entrer d'un pas nonchalant, les bras chargés de sacs d'achats aux couleurs vives.

– C'est nous ! annonça joyeusement Dora. Nous nous sommes tellement amusées ! Harper est la fille la plus gentille au monde. Venez voir ce que nous avons acheté ! Ou plutôt, ce que Harper a acheté. Cette femme est dangereuse avec une carte de crédit !

Mamaw tourna la tête pour partager avec Lucille un regard plein de surprise. Voilà qui était certainement un changement d'attitude entre les deux filles, et l'euphorie de Mamaw se manifesta quand elle les salua.

– Dora, tu es superbe ! Mais tu es complètement différente ! s'exclama-t-elle en se dirigeant vers elle les bras ouverts.

Les cheveux blonds de Dora avaient maintenant des mèches pour accentuer leur couleur avec une nouvelle coupe élégante. Sa robe d'été des plus chic lui donnait l'air d'avoir perdu cinq kilos de plus, et Mamaw n'aurait pu dire si c'était de la joie ou son maquillage, mais son visage était tout simplement radieux.

Alors qu'elle se glissait dans les bras de Mamaw, Dora était resplendissante.

– Tout ça, c'est grâce à Harper. Elle a complètement changé mon image.

Mamaw se tourna pour constater que Harper était déjà en train de disposer tous les sacs pleins d'achats sur le canapé chippendale et d'ouvrir des boîtes. Il semblait bien qu'elle n'avait rien acheté pour elle, ce qui en disait long à Mamaw.

— Tu es douée pour ce genre de choses, dit-elle à Harper. Tu devrais te lancer en affaires.

— Je n'ai pas les moyens, répondit Harper avec un petit rire.

Dora se répandit alors en effusions au sujet de sa sœur.

— Tu penses que moi, *je suis* du genre à diriger ? Je suis tout à fait radine comparée à cette fille. Elle m'a fait aller chez le coiffeur, me faire faire une séance de maquillage et regarde ! Une manucure ! Une pédicure ! Lucille, que penses-tu de cette couleur ?

Elle lui présenta ses mains révélant un rose vif.

— Est-ce que ça ne fait pas été ?

Lucille se pencha sur ses mains.

— En tout cas, ça fait quelque chose, c'est bien vrai.

Dora pouffa de rire et se précipita vers le divan pour fouiller dans l'un des grands sacs, duquel elle sortit deux plus petits.

— Ensemble, nous avons choisi ceci pour toi. Oh, Harper, c'est vraiment à toi de leur donner. J'oublie les bonnes manières.

Harper se contenta de rire et de remuer la main, appréciant l'enthousiasme de Dora.

— Mais non, vas-y.

Mamaw accepta le sac avec surprise.

— Pour moi ? Mon Dieu, les filles, je ne mérite rien. Ce n'est pas mon anniversaire.

— Vraiment, ce n'est rien, insista Harper. Un *petit cadeau*[4].

Du sac, Mamaw sortit une bougie parfumée.

— Merci, ma chérie. Elle est adorable, dit-elle.

Lucille avait aussi reçu une bougie.

— Elles ont des parfums différents, expliqua Harper. J'espère que vous les aimerez.

4. N.d.T.: En français dans le texte original.

– Vous avez intérêt, ajouta Dora. Elles coûtent les yeux de la tête.

Harper éclata de rire et remua la tête avec embarras.

Lucille avait mis ses lunettes de lecture et examinait sa bougie.

– Ça dit qu'elle s'appelle Nuits d'été. Je ne sais pas ce que ça veut dire, mais, pour moi, ça sent le jasmin, et j'adore le jasmin de nuit.

Elle leva la tête avec un grand sourire.

Dora était retournée aux sacs posés sur le canapé.

– Attendez de voir ce que j'ai eu d'autre.

– Les filles, intervint alors Mamaw en serrant les mains près de sa poitrine.

Elle regarda Lucille, qui hocha la tête pour acquiescer.

– Il y a quelque chose que je voudrais d'abord vous montrer. C'est mon propre petit changement d'image.

Dora laissa échapper le sac et regarda en direction de Harper.

– Ça a quelque chose à voir avec tous ces coups de marteau des derniers jours ?

– Tu devras t'en rendre compte par toi-même, répondit Mamaw de manière évasive.

– J'adore les surprises, dit Harper.

– Parfait. J'espère que tu aimeras celle-ci. Suivez-moi.

Mamaw les emmena hors du salon et leur fit traverser le couloir jusqu'à sa chambre. Elle ouvrit les portes qui menaient dans l'antichambre de sa suite, où une photographie encadrée d'elle et de grand-père Edward les accueillit, suspendue au-dessus d'une console. Immédiatement à leur gauche se trouvait une salle d'ordinateur qui avait été transformée en un grand placard. Elles pénétrèrent dans la grande chambre ornée de la collection de peintures de Mamaw, des œuvres d'artistes locaux qui, toutes, représentaient le paysage de la côte qu'elle adorait. Sur chaque centimètre du mur, une peinture était suspendue, et elle avait souvent raconté aux filles qu'alors qu'elle était au lit, en particulier maintenant qu'Edward était parti, elle se sentait entourée d'amis.

Mamaw se dirigea vers deux portes coulissantes en bois qui séparaient sa chambre de son boudoir et qui n'existaient pas quelques jours auparavant.

Harper regarda Dora, et elles échangèrent un air perplexe.

Mamaw examina leurs visages pleins d'attente.

– J'ai fait faire quelques travaux, commença-t-elle.

Son regard s'arrêta alors sur Harper.

– Harper, ma chérie, tu as été une véritable perle, cet été, de supporter sans une seule plainte d'être expulsée de ta chambre. Ce que nous avons toutes apprécié.

– Mais Mamaw, répondit Harper, bien sûr, ce n'est rien. En plus, je me suis bien amusée à partager une chambre avec Dora.

Elle la regarda en souriant.

– C'est exactement de cette attitude que je parlais. Néanmoins, poursuivit Mamaw, Carson et Nate seront de retour dans quelques jours et j'ai fait faire quelques travaux de réaménagement qui, je l'espère, te conviendront. À partir de maintenant, voici ta chambre.

Mamaw se tourna pour prendre entre ses mains les grosses poignées de laiton et avec une poussée, ouvrit les portes coulissantes. Depuis l'oriel, la lumière du soleil pénétrait dans la chambre, révélant un boudoir transformé en chambre à coucher. Au lieu du canapé et du fauteuil, un lit ancien, aux formes féminines toutes en volutes et en courbes, était placé perpendiculairement à la fenêtre, avec à ses pieds un tapis persan aux motifs bleu clair.

Harper retint sa respiration et avança lentement dans la chambre ensoleillée, la tête tournant de droite à gauche afin de saisir tous les changements. Le petit bureau qui se trouvait dans la chambre de Dora avait été repeint d'une couleur crème et placé dans l'oriel. Sur ce bureau, des fleurs fraîchement coupées étaient disposées dans un vase chinois à médaillon rose, celui justement que Harper avait dit aimer à Mamaw. Elle seule pouvait montrer tant d'attention aux plus petits détails.

– Tu as créé une chambre… juste pour moi ? demanda Harper d'une voix faible.

– Ce n'est pas grand-chose. Ce lit et cette armoire étaient entreposés. J'ai bien peur que tu n'aies pas de placard. Toutefois, tu peux avoir la salle d'ordinateur d'Edward rien que pour toi. Plus personne ne l'utilise. Sinon, Lucille et moi avons déplacé quelques objets. Oh, nous nous sommes dit que tu aimerais en choisir un nouveau toi-même, dit-elle en indiquant le couvre-lit bleu pâle.

– Oh, Mamaw, un matelas gonflable aurait suffi.

Mamaw éclata de rire d'une manière qui montrait que ce que Harper venait de dire était absurde.

– C'est justement pour cette raison que tous ces changements m'ont procuré tant de plaisir.

Elle embrassa Harper sur le front.

– De plus, j'ai fait installer ces portes pour que tu puisses me mettre tout simplement à la porte. On peut les verrouiller, tu vois ? dit-elle en pointant du doigt le verrou en laiton. J'ai aussi fait percer une porte pour que tu aies ton entrée privée sur la véranda. Je sais que tu aimes ton intimité.

– Merci, Mamaw, je… je suis bouleversée.

L'éducation qu'elle avait reçue avait enseigné à Harper que toute émotion devait être réprimée. Elle cligna donc rapidement des yeux en essayant de retenir ses larmes.

Dora restait derrière elles, ses yeux détaillant la nouvelle chambre avec émerveillement.

– Je dois reconnaître que partager une chambre avec toi me manquera.

Mamaw regarda Dora à la recherche de tout signe de jalousie causé par sa marque d'attention pour Harper. Ce fut avec soulagement qu'elle ne vit qu'un authentique plaisir sur son visage. Ce qui lui donna encore plus envie de passer à sa surprise suivante.

— Tu ne penses tout de même pas que je t'ai oubliée ? s'enquit-elle à Dora. Nous avons aussi commencé les travaux dans ta chambre. Suis-moi, allons jeter un coup d'œil.

Elles suivirent Mamaw en pouffant de rire, traversant de nouveau le salon en direction de l'aile ouest de la maison. Tandis qu'elles croisaient la bibliothèque, l'odeur de peinture fraîche imprégnait l'atmosphère. Regardant par-dessus son épaule pour s'assurer que Dora était bien derrière elle, elle sourit en voyant les visages des trois femmes avec des expressions dignes d'enfants le matin de Noël. Sans plus attendre, elle ouvrit la porte.

Dans la petite chambre régnait le chaos des travaux. La plus grande partie des meubles avait été déplacée hors de la chambre, une bâche de peintre recouvrait le parquet, toutes les moulures avaient été peintes d'un blanc luisant. L'un des murs était maintenant recouvert d'un papier peint aux rayures rose pâle et blanches, à la fois chic et féminin.

— Il reste encore beaucoup de travail à faire, indiqua Mamaw. J'ai dû m'occuper de chaque détail et j'ai passé mon temps au téléphone à harceler toutes les couturières de la ville.

Avec fierté, elle les mena à travers la pièce en indiquant chaque changement.

— Demain, le papier peint sera installé et dès qu'il sera sec, nous pourrons mettre les rideaux. Je dispose seulement d'une courte période de temps, et je suis déterminée à ce que tout soit en place avant que Carson revienne de Floride. Entre-temps, il faudra que tu dormes dans sa chambre. Si ça te convient, bien sûr. Lucille a déjà changé les draps. Tout est prêt.

— Bien sûr que oui, bredouilla Dora. Je ne sais que dire. Jamais je ne me serais attendue à quoi que ce soit du genre. Un plus grand lit m'aurait contentée. Mais…

Sa voix s'était soudain remplie d'inquiétude.

– Mamaw, tous ces efforts, ces dépenses. Je… Nous ne serons ici que pour peu de temps…

– Je sais bien, mais ça me donne tant de plaisir. Et puis, de toute manière, l'agent immobilier m'a dit qu'il fallait rafraîchir un peu la maison.

Elle haussa les épaules en levant les yeux au ciel.

– *Que sera sera*. Quoi qu'il en soit, Dora, il y a un objet en particulier que je veux que tu voies, et c'est ce qui a provoqué tous ces efforts, ajouta-t-elle en menant Dora hors de la chambre. Pour le moment, je l'ai fait mettre dans la chambre de Carson. Viens voir.

– Un nouveau lit, j'espère, dit Dora.

Elle détestait dormir dans un lit jumeau.

– Oui, ça aussi, la rassura Mamaw. J'ai fait venir un grand lit de l'entreposage.

– Dieu m…, murmura Dora avant que sa voix reste prise dans sa gorge.

Mamaw avait ouvert la porte de la chambre de Carson et dans un angle, dominant la chambre, Dora vit l'imposante coiffeuse française de Mamaw. Dora, immobile, admira l'antiquité inestimable qu'elle aimait tant, sans voix.

– Dora, la coiffeuse est à toi.

Lentement, Dora se dirigea vers celle-ci, la main tendue pour suivre délicatement le contour du miroir en laiton.

– Oh, Mamaw, souffla Dora. Comment pouvais-tu savoir à quel point j'aime cette coiffeuse ?

Mamaw sourit avec indulgence.

– Je suis ta grand-mère. C'est le genre de choses que je *dois* savoir.

Dora se tourna pour lui faire face.

– Mais toi, de quoi vas-tu te servir ?

– Oh, ma petite, à mon âge, le moins je me regarde dans le miroir, le mieux c'est.

Elle jeta un coup d'œil en direction de Lucille, restée près de la porte et qui était resplendissante de joie.

– Surtout si cette vieille chouette refuse toujours de me donner la recette de sa crème pour la peau.

Le sourire de Lucille s'élargit.

– De toute manière, maintenant, il est trop tard !

Mamaw renifla en remuant la tête, résignée, avant de se tourner vers Dora et de lui prendre les mains.

– Ma chère petite fille, tu as travaillé si dur pour redécouvrir à quel point tu es belle, intérieurement aussi bien que physiquement. J'espère que tu te regarderas dans ce miroir chaque jour et que tu y verras toute la beauté qu'il réfléchit.

Elle pressa la main de Dora.

– Tu m'entends ?

Les yeux de Dora s'emplirent de larmes tandis qu'elle faisait oui de la tête, son rire interrompu par un sanglot étouffé.

– Tu es en train de ruiner son maquillage ! s'exclama Harper en riant.

Mamaw serra Dora dans ses bras, prenant plaisir à sa douceur, à la délicate senteur de tubéreuse de son parfum, et à la profondeur des sentiments que Dora se permettait enfin de libérer.

CHAPITRE 12

Le scintillement des bougies sur l'épaisse nappe de coton, les authentiques œuvres d'art de la côte ornant les murs, les orchidées dans des soliflores, le ronronnement des conversations ponctuées à l'occasion d'un rire, le bruit de l'argenterie ; tout était combiné pour créer l'ambiance d'un parfait rendez-vous romantique au restaurant.

Dora bougea nerveusement sur sa chaise et fit tourner le cabernet dans son grand verre de cristal. Elle remarqua ses ongles parfaitement vernis de rose. Ce soir, elle portait sa nouvelle robe en soie bleue chatoyante que Harper lui avait dénichée durant leur frénésie d'achats. Autour du cou, elle portait le rang de grosses perles à la couleur crémeuse de Mamaw, et elle savait que, dans ce restaurant cinq étoiles de Charleston, elle était à son mieux.

En face d'elle, Devlin étudiait le menu format géant. Lui aussi était transformé, ce soir, beau qu'il était dans son costume brun clair parfaitement coupé, une chemise rose clair et une cravate Ferragamo. Elle examina ses mains sur le menu ; contrairement à ceux de Cal, ses doigts n'étaient pas longs. Devlin avait des mains larges et rougeâtres du temps passé sur l'eau. C'étaient des mains d'homme. À l'annulaire gauche, il portait une lourde chevalière. Elle prit une petite gorgée de vin tout en laissant aller son imagination. Qu'éprouverait-elle donc, se demanda-t-elle, au contact de ces mains sur son corps ?

Devlin leva les yeux du menu et s'apercevant qu'elle l'observait, il lui sourit.

– Tu es ravissante, ce soir. D'ailleurs, à ce propos…

Il déposa le menu sur la table et les yeux brillants, il glissa les doigts dans la poche intérieure de son veston et en sortit un petit écrin. Il le posa sur la table, devant Dora.

– Qu'est-ce que c'est ? demanda-t-elle, soudainement prise de panique.

– Juste un petit quelque chose que j'ai vu et que je me suis dit que tu pourrais aimer. Allez, ouvre-le.

Dora lui lança un regard de suspicion feinte et tendit la main vers l'écrin de velours gris. En l'ouvrant, elle découvrit une paire de boucles d'oreille composées de deux grosses pierres bleues serties de minuscules diamants.

– Elles sont superbes ! s'exclama-t-elle, frappée par leur taille.

Elles devaient être hors de prix.

– J'ai toujours dit que tes yeux étaient de la couleur des aigues-marines. Les topazes sont trop claires. Le bleu de tes yeux est plus foncé, comme les profondeurs de l'océan.

– Je ne peux pas les accepter. Elles ont dû coûter bien trop cher.

– Je t'en prie, ne joue pas à ce jeu-là. Il y a longtemps que nous n'en sommes plus là. Je les ai vues, je veux que tu les aies et en plus, elles s'accordent à la couleur de ta robe. Ne voilà pas assez de raisons pour les mettre à l'instant et me donner le plaisir de t'admirer en train de les porter ?

Dora sourit et retira les boucles d'oreille de leur écrin. Elle retira les perles qu'elle avait aux oreilles avant de les remplacer par les aigues-marines. Une fois qu'elle eut terminé, elle chercha un miroir dans son sac à main et le prit pour observer son reflet. Les grosses pierres bleues étaient éblouissantes et étaient en effet de la même couleur que ses yeux, les faisant ressortir en contraste avec son léger bronzage.

— J'avais raison, déclara Devlin en s'adossant à sa chaise avec un sourire suffisant.

— Merci, dit Dora en baissant son miroir pour donner à Devlin toute son attention. Merci 1000 fois. Je n'ai jamais eu de boucles d'oreille aussi belles. Je vais les conserver précieusement.

— Ne les laisse surtout pas dans ton coffre à bijoux en ayant peur de les porter. Porte-les tous les jours. Si tu les perds, je t'en achèterai d'autres.

Dora écouta ces paroles, émerveillée. Cal avait toujours été économe et ne faisait jamais de folles dépenses pour lui offrir des bijoux. Il était plutôt du genre à lui donner un électroménager ou une écharpe. Ce soir, Devlin l'emmenait dîner dans un restaurant cinq étoiles et lui offrait maintenant un cadeau ; il mettait tous les moyens de son côté pour parvenir à son but.

Juste à ce moment, le serveur se présenta à leur table. Il était vêtu d'un pantalon noir, d'une chemise blanche et d'un nœud papillon noir. Après un peu de bavardage, il se lança dans une description pleine de fioritures de la table d'hôte. Après des semaines de repas maigres et à faible teneur en gras, Dora en avait l'eau à la bouche.

Devlin prit alors le menu et se mit à passer la commande.

— Pour commencer, les beignets de homard. Puis, nous aimerions une soupe au crabe.

Il regarda Dora.

— C'est la spécialité de la maison. Il faut que tu y goûtes.

Puis, regardant de nouveau le serveur, il reprit :

— Le canard rôti au miel a l'air bon, lui aussi. Et je peux vous dire immédiatement que nous voudrons tous les deux un morceau de votre fameux gâteau à la noix de coco.

— Devlin, attends…, l'interrompit Dora.

Il tourna la tête, dans l'expectative.

Dora se tourna vers le serveur.

— Nous aurons besoin de quelques minutes de plus.

Le serveur hocha la tête et se retira discrètement.

— Dev, je ne peux pas manger tout ça. Je suis au…

Elle ne voulait pas prononcer le mot régime.

— Le médecin dit que je dois éviter tous ces plats riches. Mon Dieu, juste la soupe au crabe pourrait me tuer.

Devlin perdit son sourire en même temps que ses yeux s'agrandirent.

— Je suis désolé. J'avais oublié. Quel idiot je fais.

— Mais non, répondit-elle immédiatement, ne voulant pas qu'il se sente mal. Tu te comportais en gentleman. Mais je crois qu'il vaut mieux que je commande moi-même mon dîner.

— Bien sûr, concéda Devlin.

Toutefois, elle pouvait voir que son erreur le rendait nerveux. Il leva la main un instant et le serveur réapparut rapidement.

— La dame commandera elle-même son dîner, indiqua-t-il.

— Bien entendu.

Le serveur se concentra alors sur Dora.

Elle se racla la gorge en examinant l'énorme menu.

— Je prendrai donc la salade du chef, sans vinaigrette… les crevettes grillées, sans *hushpuppy*[56]. Et pourrais-je remplacer le maïs en crème par du chou cavalier ?

Elle referma le menu et en le tendant au serveur, elle ajouta :

— Et pas de dessert.

— Bien joué, dit Devlin.

Lui aussi referma son menu et le tendit au serveur.

— La même chose pour moi. Sauf que je veux tout de même un morceau de ce gâteau à la noix de coco.

5. N.d.T.: Accompagnement typique de la cuisine du Sud américain à base de semoule de maïs sous forme de boulettes frites.

Il regarda de nouveau Dora.

— Je pourrai peut-être même convaincre cette dame d'y goûter.

— Dev…

— Juste une bouchée ! s'exclama-t-il avant d'éclater de rire.

Ce fut alors que leurs rires furent interrompus par le portable de Dora qui s'était mis à sonner. Elle s'empara immédiatement de son sac à main de soirée et y prit l'appareil, qu'elle gardait allumé au cas où l'appel concerne Nate.

— Allô ? répondit-elle.

— Bonsoir, Dora. C'est moi, Cal. Je me suis dit que j'allais te téléphoner et voir comment tu allais.

— Euh, Cal, je ne peux pas te parler en ce moment. Je peux te rappeler ?

— Où es-tu ?

— Je dîne au restaurant.

— Ah… Bon.

Il y eut une pause.

— Avec qui ?

— Il faut que je te laisse. Je te rappelle. Au revoir.

Elle remit son téléphone dans son sac et regarda un peu honteusement Devlin, qui était lui-même en train de l'observer avec un air des plus sceptique.

— Je suis désolée. Je pensais que ça concernerait Nate.

— C'était ton mari ?

Le fait que les lèvres de Devlin prononcent le mot *mari* alors qu'ils passaient une soirée romantique ensemble vint anéantir l'atmosphère intime dont ils avaient profité.

Dora grimaça. Quelles étaient les probabilités que Cal, qui lui téléphonait rarement, choisisse justement ce soir pour l'appeler ? pensa-t-elle.

— Oui, Cal.

— Il te téléphone souvent ?

— En fait, non.

– Mais vous *êtes* séparés… et en procédure de divorce ?

– Mais oui, bien sûr, rétorqua Dora, soudainement hérissée. Tu ne penses tout de même pas que je serais en train de dîner avec toi et d'accepter tes cadeaux si ce n'était pas le cas ?

Il leva les mains.

– Je ne faisais que poser la question.

Dora ne trouva rien à répondre. Un moment embarrassant suivit tandis qu'elle dégustait son vin, et ce fut un soulagement quand on apporta les entrées.

Le reste de la soirée se poursuivit dans la même veine, chargée de malaise. On eut dit que Cal avait tiré une chaise et s'était assis à table avec eux. Leur conversation était guindée ; c'était un premier rendez-vous raté. Leurs échanges naturels qu'ils appréciaient tant habituellement avaient disparu. Quand on leur présenta le fameux gâteau à la noix de coco, ni Dora ni Devlin n'en voulait tant il leur tardait à tous deux de partir.

Le chemin du retour vers Sea Breeze, pourtant court, leur parut long, même dans la luxueuse berline BMW de Devlin. La nuit était noire. Des nuages épais masquaient la lune et les étoiles. Dora était fatiguée et en fermant les yeux, écoutait les ballades mélancoliques que chantait Michael Bublé. Quand la voiture s'arrêta dans l'allée, Devlin la mit sur le neutre, mais sans arrêter le moteur.

– Tu n'as pas besoin de m'accompagner jusqu'à la porte, indiqua Dora dans le noir.

En se tournant vers lui, elle ajouta d'une voix douce :

– Merci, j'ai passé une charmante soirée.

Il y eut une pause, puis Devlin arrêta le moteur. Il se tourna à son tour et passa le bras autour de la taille de Dora. Elle se raidit, mais il ne la laissa pas aller.

– Inutile d'être polie. Tu n'as pas passé une soirée charmante, dit-il tout bas.

– Je… Le repas était délicieux.

Il hocha la tête.

– Oui, c'est vrai. Mais je suis désolé que l'appel de Cal m'ait tellement dérangé. En plus, ce restaurant, ce n'est pas mon genre. Je voulais t'impressionner.

– M'impressionner ? Mais pourquoi ? Je te connais depuis que nous sommes enfants.

– C'est exactement pour cela. Tu me connaissais alors que je n'avais pas un sou. Je n'avais pas les moyens de t'emmener dans ce genre de restaurant ni de t'offrir de jolies boucles d'oreille. J'aurais voulu, mais je n'avais jamais l'argent.

– Dev, toi et moi… nous n'avons jamais eu besoin d'apparat. C'était toujours strictement toi et moi, à passer du bon temps parce que nous étions ensemble.

Il tendit la main vers les siennes. Tout en les regardant, il joua avec ses doigts, puis tapota son alliance.

– Mais c'est lui que tu as épousé.

– Oui.

– Écoute, dit Devlin en la regardant en face. Donne-moi une nouvelle chance de sortir avec toi. Nous prendrons mon bateau, comme autrefois, et nous naviguerons dans les criques. Faisons les choses comme il faut.

Il l'attira vers lui.

– Qu'en dis-tu ?

Dora laissa son bras se glisser sous son veston, autour de sa taille, et se pencha contre lui. Elle sentit sa chaleur et ce qui subsistait de sa lotion après-rasage. La senteur était épicée et en souriant, elle pensa qu'elle ne serait pas surprise s'il portait toujours Old Spice. Elle tourna la tête vers lui.

– Avec plaisir.

Lentement, avec aisance, il sourit tout en la serrant dans ses bras et en approchant sa bouche de la sienne. Ses bras l'étreignirent davantage, son baiser devint plus intense, et tout souvenir de Cal s'évapora dans la nuit, tel un fantôme exorcisé.

~

Le lendemain matin, Dora était debout devant la table en bois de la cuisine qui débordait de fruits et de légumes livrés d'une ferme des environs. Elle emballait un en-cas pour sa promenade en bateau en compagnie de Devlin. Elle avait rincé et coupé des carottes et du céleri, ajouté un sac de cerises et d'amandes et les avaient mis dans un grand sac en toile avec des bouteilles d'eau. Un mois auparavant, elle aurait emporté des biscuits, une tablette de chocolat et des boissons gazeuses. Même si le sucre lui manquait toujours, avec chaque jour qui passait, l'envie desserrait son étreinte de ses papilles gustatives habituées aux aliments raffinés, et elles commençaient à apprécier la douceur naturelle des fruits. Après avoir discuté avec Carson de Nate et de son programme chargé, Dora avait collé le sien et le calendrier de son régime sur le réfrigérateur. Chaque croix marquée sur le calendrier lui donnait la force de poursuivre son régime un jour de plus.

De l'autre côté de la cuisine, Lucille, devant la cuisinière, remuait une casserole de soupe aux légumes. Lucille et Mamaw avaient tenu parole avec fermeté et avaient vidé tous les placards de toute nourriture industrielle et de toute sucrerie. Certains soirs, Dora avait rôdé dans la cuisine à la recherche de quelque chose de *bon* à manger (ce par quoi elle entendait des biscuits, des bonbons ou quoi que ce soit de sucré) en les maudissant de ne pas avoir laissé le moindre morceau de chocolat. Dora avait acquis une toute nouvelle compréhension pour la dépendance de Carson à l'alcool.

– Cette soupe sent merveilleusement bon ! s'exclama Dora.

Lucille grogna.

– Elle serait bien meilleure si je pouvais y mettre un os de jambon. Il n'y a rien de mieux pour une bonne soupe. C'est ce qui lui donne du goût.

– Alors, mets-en un.

Elle grogna de nouveau.

– Impossible. Mademoiselle Harper peut sentir le moindre morceau de porc comme un chien de chasse sent un opossum. Elle ne laisse rien passer. Enfin, elle sera tout de même bonne, dit-elle tout en la remuant. Juste pas *aussi* bonne, c'est tout ce que je dis.

– Cet été, nous te mettons vraiment au défi avec toutes nos exigences, n'est-ce pas ? Pas d'alcool, pas de gras, pas de sel, pas de beurre.

– Et aucun goût, grommela-t-elle.

– C'est bon pour la santé, contra Dora.

– Je fais ce que je dois faire, répondit Lucille en soupirant comme si elle avait longtemps souffert. Mais pas question que j'abandonne mon pain de maïs. Je me fiche de toutes les plaintes de mademoiselle Harper au sujet de la graisse de bacon, il n'est pas question que j'abandonne le pain de maïs de maman !

– Dieu nous en garde ! convint Dora. Elle est bien gentille, mais elle est de New York et elle ne sait pas apprécier les vertus du porc. Mais elle fait tout de même un effort. Et toi, tu es géniale dans la cuisine. Tout a tout de même merveilleusement bon goût. Quant à moi, je sais que je serais incapable de m'en tenir à mon régime sans ton soutien. Je te jure, Lucille, que ta cuisine est ce qui garde cette famille unie.

Lucille sembla apaisée et esquissa un sourire.

– Il n'y a rien que je ne ferais pour cette famille.

Dora s'arrêta et regarda la femme penchée au-dessus de la cuisinière. Lucille avait le cœur d'un lion, mais était généralement trop timide pour exprimer son affection par des mots. Elle montrait son amour par des actes : le petit déjeuner au lit lors des anniversaires, une robe repassée pour une occasion spéciale, des fleurs fraîchement coupées sur la commode. C'est pourquoi entendre ces mots surprit Dora. Elle se dirigea donc à côté de Lucille et l'embrassa sur la joue.

Étonnée, Lucille s'écarta, ses yeux sombres grands ouverts.

— C'était pourquoi, ça ?

— Il faut que ce soit pour quelque chose ? Tu *fais partie* de la famille, tu sais.

Lucille, que l'affection que venait de montrer Dora rendait clairement nerveuse, mal à l'aise, tenta de sourire en se retournant vers la cuisinière.

— Ça m'a surpris, c'est tout. Tu n'es pas du genre à faire la bise.

En retournant vers la table, Dora réfléchit à ce commentaire. Depuis si longtemps, elle réprimait toute démonstration d'affection excessive. Cal n'était pas affectueux. Jamais il ne lui donnait une petite claque sur les fesses ni ne passait son bras autour de son épaule pendant un film. Et avec Nate, elle se retenait encore plus, sachant qu'il serait contrarié si elle lui faisait spontanément un câlin ou si elle l'embrassait. Mais cette retenue était-elle naturelle, chez elle ? Était-elle donc, comme l'avait insinué Cal, frigide ?

Dora mit quelques serviettes en papier dans son sac en toile.

— Je suis convaincue que Cal serait d'accord avec toi. Peut-être que je devrais changer tout ça, hein ?

— C'est l'été des changements, sans aucun doute.

Dora éclata de rire, comprenant toute la vérité que comportait cette réponse.

— Tu t'en vas où, cette fois ?

— Nous allons faire un peu de bateau.

— Nous ?

— Devlin et moi.

Lucille s'arrêta de remuer, ses lèvres formant un rictus tandis qu'elle réfléchissait.

— J'ai déjà entendu ce nom. Où ai-je bien pu l'entendre ?

— Devlin Cassell, répondit Dora. Tu te souviens de lui. Je sortais avec lui quand j'étais à l'école. Cheveux blonds, yeux bleus, bronzé. Un surfeur. Il était tout le temps ici. Il vivait presque dans la cuisine. Il avait l'habitude de te chiper tes biscuits.

Lucille se retourna d'un bloc, les yeux grands ouverts.

– Ce Devlin-*là* ? Mon Dieu. C'est pour cet homme-là que tu t'es harnachée l'autre soir ?

Dora éclata de rire.

– En effet.

Lucille fit claquer sa langue.

– À l'époque, ta Mamaw passait la plupart de ses soirées à genoux à prier que ce garçon ne te mette pas le grappin dessus, elle s'inquiétait de ce qu'il volerait en plus des biscuits. Et voilà maintenant que ça recommence.

Elle se retourna vers la cuisinière et dit en geignant avec vigueur :

– Ouais, ouais, ouais…

– Aujourd'hui, Mamaw n'a plus besoin de s'inquiéter pour mes biscuits, répondit Dora, pince-sans-rire. Disons seulement que les choses ne sont plus aussi torrides entre nous qu'elles l'étaient quand nous étions adolescents.

– À t'entendre, on dirait que tu es une vieille femme.

– J'ai 36 ans, presque 37, et un enfant.

– Tu as toujours les mêmes organes, non ?

– Autant que je sache.

– Et ça fonctionne toujours ?

Dora esquissa un petit sourire bête.

– Aucune idée. Il y a trop longtemps.

– Alors il me semble qu'il est plus que temps que tu vérifies.

Ce fut alors au tour de Dora de devenir nerveuse.

– Enfin, ce ne serait pas convenable, dit-elle en bégayant. Je ne suis pas encore divorcée.

– Il y a déjà longtemps que vous ne vivez plus comme mari et femme.

— Ça serait mal de ma part, tu sais, d'aller avec un autre homme.

— Selon qui ?

— Mon avocat, probablement. Ma mère, sans aucun doute.

Lucille grogna d'une manière qui ne laissait aucun doute sur le fait qu'elle n'aimait guère Winnie.

— Et qui va leur dire ? Voilà une femme qui serait bien plus heureuse si on lui retirait le bâton qu'elle a entre les fesses.

— Lucille ! s'écria Dora en éclatant de rire.

— Tu sais bien que c'est vrai. Et ne viens surtout pas me dire que ce n'est pas ce que tu penses.

La manifestation de colère inattendue de Lucille fit pouffer Dora de rire. Jamais elle n'avait eu avec Winnie cette petite conversation que les mères sont censées avoir avec leurs filles, au moment de la puberté. Dora ne pensait pas que Winnie puisse se résoudre à prononcer de tels mots. Quand Dora avait eu 13 ans, elle avait trouvé sur son lit une brochure rédigée par quelque prêtre ou évêque. Il y était question du corps mystique du Christ, et elle n'avait pu comprendre de quoi il était question.

— Il est vrai que, quand il s'agissait des règles, elle était toujours plutôt rigide, ça je te l'accorde. De même pour le sexe. Je ne pense pas qu'elle trouve que le sexe soit digne d'une dame.

— Ma petite, c'est un miracle que tu sois née, répondit Lucille. Quand Winnie parle d'Adam et d'Ève, je te parie que tout ce à quoi elle pense, c'est qu'ils ont commis un péché. Quel est le terme spécial qu'on utilise ?

— Le péché originel.

— Voilà ! On n'a donc rien appris depuis ? Toujours parler du sexe comme d'un péché. Le sexe, c'est aussi naturel que les oiseaux et les abeilles.

Lucille commençait à devenir agitée, plaçant une main sur sa hanche en parlant.

– Au paradis, Dieu a mis un homme et une femme ensemble les fesses à l'air. Évidemment qu'Il savait que quelque chose se produirait. De la manière dont je vois les choses, c'était prévu depuis le début. Sinon, comment Caïn et Abel auraient-ils pu naître ? Ou chacun de nous, en fait ?

Elle couvrit la casserole et éteignit la cuisinière.

– N'écoute pas ta mère. Tu n'as plus 16 ans. Tu es une femme, une adulte. Prends toi-même tes décisions. Souviens-toi seulement de ceci : nous sommes toutes les filles d'Ève.

Son regard croisa celui de Dora et elle le maintint rivé sur elle.

– C'est ta seule et unique vie, petite. Ton moment au jardin.

Lucille pointa alors la cuillère de bois dans sa direction.

– Qu'est-ce tu attends ?

~

Dora était sur le quai, les yeux fixés sur le courant dans la crique. Même avec Nate en vacances, elle ressentait lourdement le poids de ses responsabilités. Elle était de plus en plus convaincue de vouloir divorcer. Mais ce choix ouvrait une boîte de Pandore du point de vue des décisions. Où irait-elle habiter ? Il lui faudrait trouver une école pour Nate, et pour elle, un emploi. C'était un tournant dans sa vie.

Juste à ce moment, un gros poisson sauta hors de l'eau et y replongea avec un éclaboussement bruyant dont les ondulations se répandirent en s'agrandissant au loin tandis que Dora les observait. Elle soupira ; les ondulations que ses décisions provoqueraient auraient aussi des conséquences durables.

Ce fut à ce moment que le vrombissement d'un moteur mit fin à ses sombres pensées. Levant la tête, elle vit l'extrémité d'un bateau bleu et blanc se diriger vers le quai. En plissant les yeux, elle aperçut Devlin, à la barre, en train de lui envoyer la main ; elle esquissa immédiatement un sourire et lui envoya la main à son tour.

Tandis que le gros bateau se rapprochait, Dora ne put s'empêcher de remarquer qu'il était très beau. En effet, il s'agissait d'un Boston Whaler d'au moins 20 pieds de long avec un joli auvent d'un bleu vif. Devlin a toujours aimé ses jouets, se dit-elle tout en se tenant au bord du quai les bras tendus, prête à attraper la corde.

Dora adorait faire du bateau ; et elle s'y connaissait. Quand les filles venaient à Sea Breeze pour l'été, c'était Dora qui manœuvrait le bateau pendant que Carson et Harper étaient sur une chambre à air ou faisaient du ski nautique. Dora n'aimait pas beaucoup se mouiller. Elle préférait sentir la barre entre ses mains et la manette des moteurs sous sa direction.

Le moteur du bateau faisait bouillonner l'eau tandis que Devlin accostait lentement contre le quai. Avec adresse, Dora attrapa le cordage et l'attacha solidement. Ses jambes étaient tendues dans un équilibre précaire entre le quai et le bateau tandis qu'elle l'attachait. Elle faillit même le perdre un instant, n'ayant plus la maîtrise qu'elle avait étant plus jeune. Elle rougit et leva la tête en direction de Devlin.

Il était occupé à nouer le cordage avec des mouvements rapides et pleins d'assurance. Il était râblé, mais se déplaçait sur le bateau comme un danseur. Comme elle s'y connaissait en la matière, elle apprécia sa rapidité et sa confiance, qui, elle le savait, ne venaient qu'avec des années d'expérience.

Devlin leva les yeux de l'embarcation, souriant derrière ses lunettes de soleil noires en la voyant. Une casquette usée de Canards Illimités comprimait ses cheveux blonds remués par le vent, et sa peau était bronzée. Devlin aimait la vie au grand air et était aussi à l'aise sur l'eau que sur la terre ferme, ce qui, pour Dora, était des plus séduisants. Elle lui sourit à son tour avant de lui envoyer le sac de toile, puis tendit la main pour accepter celle de Devlin. En le touchant, elle ressentit une décharge électrique qui lui remit en tête sa conversation avec Lucille au sujet de certains besoins naturels. Il avait dû sentir la même chose, car il lui pressa la main avant de la laisser aller.

Devlin se dirigea ensuite vers la glacière et y prit deux bières. Il les plaça dans des portes-canette isothermes avant d'en tendre une à Dora.

— Mets-toi à l'aise, jolie dame, l'intima-t-il tout en allant et venant sur le pont pour désamarrer les cordages.

Une fois qu'il eut terminé, il se dirigea vers la barre.

Dora ouvrit sa canette, puis se déplaça afin d'être plus près de lui sous l'auvent. Il tendit le bras pour le passer autour d'elle et l'attira vers lui.

— Je suis heureux que tu sois là, dit-il en lui donnant une petite tape sur le derrière.

Dora éclata de rire à la joie pure d'être en bateau, avec Devlin, par une journée si superbe.

— Moi aussi.

Il était encore tôt. Le soleil s'approchait de son zénith dans un ciel sans nuages. Devlin retira son bras pour s'adosser, mi-debout, mi-assis, contre le siège du capitaine. D'une main, il saisit la manette en gardant l'autre sur la barre et doucement, il fit monter le régime des moteurs. Ils vrombirent et gargouillèrent tandis qu'il dirigeait le Whaler à travers les étroites voies d'eau du marécage.

Dora se tenait au bateau qui basculait de droite à gauche tout en se déplaçant pour s'asseoir sur le deuxième siège aux côtés de Devlin. Elle tenait sa bière, mais les doigts lui démangeaient de manœuvrer le bateau. Elle savait bien qu'un capitaine n'aimait pas abandonner la barre et elle ne voulait pas le presser ; du moins, pas lors de leur première sortie.

Tandis que le bateau prenait de la vitesse, elle se rappela leur jeunesse, quand Devlin et elle prenaient son bateau. À l'époque, il avait l'habitude de la laisser manœuvrer. Quand ses mains étaient sur la barre, il se plaçait derrière elle et mettait les siennes sur sa taille. Il lui disait que c'était pour la stabiliser, mais tandis qu'ils rebondissaient sur la voie d'eau, il se penchait toujours davantage, serrant ses bras plus fort autour d'elle en plaquant ses lèvres contre son cou. Elle sentit ses orteils se retrousser au souvenir de toutes ces sensations.

Elle se souvint que Devlin embrassait vraiment bien. Jour après jour, ils prenaient le bateau pour explorer les criques sinueuses et les tertres boueux abandonnés, s'arrêtant à intervalles fréquents pour découvrir leurs corps respectifs avec tous les deux autant d'enthousiasme et d'esprit d'aventure.

Dora rouvrit les yeux et derrière ses lunettes de soleil, examina l'homme à la barre. Vingt années avaient-elles vraiment passé ? Où était passé tout ce temps ? Il avait vieilli un peu, tout comme elle. Elle pouvait voir la texture de sa peau battue par les éléments, ses premiers cheveux gris au niveau des tempes. Leurs corps étaient plus pleins, plus mous. Son regard se dirigea vers sa bouche et elle sourit à la dérobée. Il avait toujours les mêmes belles lèvres.

Ils avaient fait leur chemin séparément pendant des années, comprenait-elle aussi. Et pourtant, aujourd'hui, de retour sur le Boston Whaler dans ces étroites voies d'eau familières, avec Devlin, elle se dit : *Je me sens comme si j'avais de nouveau 16 ans.*

~

Devlin dirigea le Whaler hors des étroites voies d'eau jusque dans la large et exaltante Intracoastal Waterway. Une fois là, il fit ralentir le bateau jusqu'à ce qu'il s'arrête, s'éloigna de la barre et fit un geste de la main, indiquant à Dora de se rapprocher.

– Viens, chérie, voici l'occasion pour toi de prendre la barre. Il semble me souvenir que tu t'y entendais à manœuvrer une de ces machines.

Instantanément, Dora lui fit un grand sourire. Il se souvenait ! Il était manifeste qu'elle n'était pas la seule à revenir sur les lieux du passé. Elle posa sa bière sur l'un des porte-gobelet et commença à traverser le bateau juste au moment où une autre embarcation les croisa en vrombissant, créant un immense sillage et des turbulences dans leur direction. Dora perdit l'équilibre sur le bateau qui oscillait et tituba, les bras étirés.

Devlin l'attrapa par la taille.

— Tiens bon, ma jolie.

Dora s'accrocha à son bras un instant, comme s'il s'agissait de son ancre. Quand elle eut retrouvé son équilibre, il la laissa aller et elle franchit avec maladresse la courte distance qui la séparait de la barre pour s'en emparer.

Levant la tête, elle aperçut le bateau qui se faufilait à toute allure au-delà d'une autre embarcation au-devant de la queue, et dans lequel se trouvaient quatre adolescents, tous insolents, bronzés et beaux.

— Petits voyous. Quelqu'un devrait mettre ces garçons en état d'arrestation, à faire de la vitesse comme ça, fulmina-t-elle.

Devlin, à ses côtés, éclata de rire.

— Ah, bon sang, Dora. Nous étions exactement comme eux. Il n'y a rien de nouveau sous le soleil. Allez, chérie. Montrons-leur comment on s'y prend.

Elle le regarda. Derrière ses lunettes de soleil, elle ne pouvait voir ses yeux, mais elle savait qu'il s'y trouvait une étincelle d'espièglerie typiquement masculine.

— Tu as une mauvaise influence sur moi, dit-elle.

— Ç'a toujours été le cas, Madame Dora Tupper, termina-t-il alors que ses lèvres formèrent un sourire.

C'était la première fois qu'il prononçait son nom de mariage. Elle ignorait qu'il le connaissait.

— Alors, jeune fille, qu'est-ce que tu attends ? Fais bouger ce vieux rafiot !

Dora tendit la main vers la manette et la poussa vers l'avant. Les moteurs du Whaler vrombirent et ils s'élancèrent sur la voie navigable. Dora leva le menton, sentant les vibrations des puissants moteurs sous son emprise et la friction du vent contre ses joues.

– Mets-y un peu de muscle, Dora. Tu manœuvres comme une fille.

Dora éclata de rire et accepta le défi. Elle saisit la manette et la poussa vers l'avant avec fermeté. Les moteurs gémirent en fouettant les eaux et le bateau fonça le long de l'Intracoastal Waterway. Il rebondissait sur les petites vagues tel un cheval sauvage, des gouttes d'eau froides lui éclaboussant le visage, le vent lui traversant les cheveux et les soulevant comme un drapeau. Elle laissa échapper un cri d'exaltation en même temps que Devlin, à côté d'elle, poussait un hurlement de rébellion. Il y avait des années qu'elle s'était sentie aussi vivante.

À ce moment, Devlin se glissa derrière elle et plaça les mains sur sa taille.

– Comme dans le bon vieux temps, dit-il en baissant les lèvres jusqu'à son oreille.

Dora se pencha contre lui, appréciant la sensation de son corps ferme contre le sien. Elle fit ralentir le bateau, voulant profiter du moment tandis qu'ils traversaient la voie navigable. Elle frotta ses mains contre la barre, un œil sur les bas-fonds et un autre sur les balises, tout en dépassant les bateaux plus lents avec dextérité.

– Reste à gauche là où la voie se sépare, indiqua Devlin en lui montrant du doigt la direction.

– À vos ordres, capitaine.

Elle vira à gauche, manœuvrant le bateau vers une voie étroite bordée des deux côtés de spartinas qui poussaient si haut qu'elle pouvait à peine voir au-delà. Ils donnaient plutôt l'impression qu'ils s'engageaient dans un tunnel.

– Où allons-nous ? demanda-t-elle alors. Ça devient de plus en plus étroit, ici. Si la marée descend, nous risquons de rester coincés.

– Non, ça passe ici, répondit-il avec confiance. Ce sont des eaux profondes.

Il se pencha vers elle, les lèvres proches de sa joue.

– Tu ne te souviens pas d'où nous sommes ? l'interrogea-t-il alors, sa voix soudainement devenue rauque.

Elle sentit l'odeur de bière dans son haleine et savoura la sensation de son menton frottant contre sa peau. Elle examina la longue étendue de spartina, sans pouvoir, en toute bonne foi, se souvenir. Elle remua la tête.

– Non.

– Continue, l'encouragea-t-il.

Elle manœuvra le bateau plus lentement dans la voie étroite avant qu'elle débouche dans une plus grande surface d'eau parsemée de petits tertres boueux, où la brise s'éleva soudain et fit s'envoler les toiles d'araignée qui entravaient sa mémoire.

– Je sais où nous sommes ! s'exclama-t-elle en se tournant pour faire face à Devlin. C'est notre refuge.

Il serra son bras plus fermement autour de sa taille et lui dit, sur un ton taquin :

– Plus qu'un refuge, si je me souviens bien.

Elle rougit et regarda de nouveau devant elle, ses yeux demeurant fixés sur le tertre boueux arrondi au loin, véritable jungle de palmiers, de chênes, d'arbres à suif et d'arbustes. C'était là qu'ils aimaient passer du temps, ce lieu isolé où ils jetaient l'ancre, s'embrassaient et parlaient pendant des heures. Ce sanctuaire à l'écart du monde où elle avait perdu sa virginité. Elle sourit, s'apercevant que Devlin, lui aussi, se rappelait.

– Espèce de vieux cochon, dit-elle en le poussant, joueuse.

– On n'apprend pas à un vieux singe à faire des grimaces.

Il plaqua le nez contre son cou et elle sentit de nouveau qu'elle s'élançait le long de l'Intracoastal.

– Nous pouvons jeter l'ancre un peu plus loin là-bas, déclara-t-il en lui désignant une zone moins profonde qui avait été leur tertre boueux favori. Ça semble être un bon endroit pour déjeuner.

– Déjeuner ? Je n'ai rien apporté pour le déjeuner, seulement des petits trucs à grignoter.

– Tu n'étais pas censée apporter quoi que soit. Tu ne penses pas que j'ai invité une dame sans prendre soin de tous les détails, non ?

– Je ne me souviens pas qu'auparavant tu aies jamais apporté de nourriture à ce tertre boueux.

– Ouais, eh bien…

Devlin se frotta la mâchoire, embarrassé.

– J'ai mûri un peu depuis. J'ai appris les bonnes manières avec mon père.

– Ton père ? Je parie plutôt que tu as appris par tâtonnements avec toutes les jolies filles que tu as emmenées ici après moi.

– Aucune d'elles n'était aussi jolie que toi.

Ce compliment mit Dora mal à l'aise. Il était évident qu'elle n'était pas la plus jolie.

– Arrête, Devlin. Tu n'as pas besoin de dire ce genre de choses.

– Dire quoi ? C'est la vérité. Tu es belle.

– Je t'ai demandé d'arrêter, rétorqua Dora sèchement. Nous savons très bien tous les deux que ce n'est pas le cas.

Elle détourna le regard.

– Ou, tout au moins, que ce n'est plus le cas.

Devlin prit la barre tandis que l'ambiance se dégradait. Dora alla se mettre de l'autre côté du bateau. Il arrêta les puissants moteurs et jeta l'ancre. L'embarcation se balança légèrement dans le courant, soudainement enveloppée de silence.

Dora avait les yeux rivés sur une paire d'ibis blancs qui se trouvaient dans les eaux peu profondes près du rivage, leur élégant bec orange et recourbé vers le bas creusant dans la vase. Comme ils étaient beaux, comme ils paraissaient paisibles.

Devlin se dirigea alors de son côté et, la prenant par la taille, la fit tourner pour qu'elle soit face à lui. Il retira ses lunettes de soleil. Il en fit autant avec celles de Dora. De si près, elle pouvait voir le réseau de fines lignes tout autour de ses yeux merveilleusement clairs. Elle ne pouvait détourner le regard.

– Dora Muir Tupper, dit-il. Tu es toujours la plus jolie fille que j'ai jamais vue.

Quand Dora le regarda dans les yeux, elle vit une bonté et une sincérité si vibrantes qu'elles ne pouvaient être feintes. Elle sentit ses propres yeux se remplir de larmes avant de se dire : *Mon Dieu, je suis toujours folle de cet homme.*

Ils restèrent ainsi à se regarder dans les yeux. Dans ce long regard fut exprimé tout ce qui devait être dit, toutes ces paroles que toutes ces années qui avaient passé avaient rendues trop difficiles à traduire en mots. Dora passa les bras autour du cou de Devlin, sans plus s'inquiéter que son corps ne soit ni mince ni parfait, qu'il puisse sentir plus de chair qu'il y en avait eue auparavant. Il lui avait dit qu'elle était belle, et elle avait vu dans ses yeux que c'était vrai. Elle décida donc de le croire.

Quand Devlin baissa la tête, Dora sut que, cette fois, elle n'était plus une petite fille maladroite de 16 ans. Non, plus du tout. Elle se sentait complètement comme la femme plantureuse qu'elle était. Tout en pressant ses rondeurs contre lui, elle se dit : *Nous sommes toutes les filles d'*Ève.

~

Quand Devlin raccompagna Dora à Sea Breeze, il était déjà tard. Il l'embrassa une première fois avant qu'ils se séparent, puis une autre, puis une fois encore. Ils pouffèrent doucement de rire, reconnaissant tous deux qu'ils ne voulaient pas arrêter. Quand finalement elle se dégagea de ses bras, il rajusta son chemisier et lui lissa les cheveux, heureux qu'il fasse noir.

— Je te vois demain ? demanda-t-il.

— Appelle-moi.

— Dès que je me réveille.

Elle le regarda d'un air soupçonneux.

— Mon Dieu, c'est quelle heure, ça ?

— Dès que j'ouvre les yeux.

Dora pouffa de nouveau de rire. Voilà un chien qui ne se laisserait pas abandonner attaché à un poteau.

Elle ouvrit la portière de la voiture et la referma aussi doucement qu'elle le put, ne voulant pas réveiller la maisonnée. Mamaw avait laissé la lumière pour elle. Elle devait dormir alors que Harper était probablement en train de taper sur son clavier, perdue dans peu importe sur quoi elle était follement en train de travailler. Sentant qu'elle ne risquait pas d'être surprise, elle envoya la main à Devlin et regarda sa voiture s'éloigner dans la nuit.

À peine s'était-elle engagée vers la porte d'entrée que la lumière de la véranda de Lucille s'alluma.

— Merde, marmonna Dora.

La porte d'entrée du cottage s'ouvrit et Lucille en sortit dans sa longue chemise de nuit blanche avec son peignoir aux motifs floraux bleus. Dora ne savait pas si elle l'avait déjà vue habillée pour la nuit et elle eut une certaine difficulté à apprivoiser cet événement.

— Désolée si je t'ai réveillée, s'excusa Dora dans un chuchotement à haute voix en se dirigeant vers la véranda du cottage.

— Tu ne m'as pas réveillée. Je n'arrivais pas à dormir.

Dora arriva au pied de la véranda.

— Tu ne te sens pas mal ?

Lucille agita la main pour lui signifier que ce n'était pas le cas.

– Oh, seulement les maux et les douleurs d'une vieille femme. Je n'ai plus eu une bonne nuit de sommeil depuis mes 60 ans. Vieillir, ce n'est pas pour les poules mouillées. Je suppose que je vais m'asseoir un peu sur la véranda et laisser cette belle nuit m'ensorceler.

– Veux-tu un peu de compagnie ?

– Mais bien sûr. Avec plaisir. Tu veux boire quelque chose ?

– Rien du tout, répondit Dora en montant les marches menant à la véranda.

Elle prit place dans le fauteuil à bascule aux côtés de Lucille, laissant tomber son sac en toile par terre.

Les yeux noirs de Lucille l'étudièrent.

– Tu as l'air d'avoir pris un peu de soleil.

– Beaucoup, en fait. J'espère seulement que je ne vais pas peler.

– Enduis-toi d'aloès ce soir et bois beaucoup d'eau.

– D'accord.

Elles se bercèrent quelque temps avant que Lucille finisse par dire :

– En tout cas, ça a été une bien longue promenade en bateau.

Dora ferma les yeux, les images de Devlin traversant son esprit. Leur premier baiser sur le Boston Whaler avait allumé en elle un feu qu'elle n'avait pas ressenti depuis longtemps. Elle avait à la fois eu l'impression que Devlin et elle avaient repris juste là où ils s'étaient arrêtés à 16 ans, et qu'ils exploraient quelque chose de frais et de neuf. Ils étaient plus vieux, rompus aux usages du monde, et certainement plus expérimentés. Être avec Devlin était comme gratter une démangeaison qui durait depuis 18 ans. Elle ressentit de nouveau cette vague de plaisir qu'elle avait éprouvé quand il avait trouvé cette démangeaison et qu'il l'avait grattée, si bien. Encore et encore.

Dora arrêta de se bercer et regarda Lucille.

— J'ai découvert quelque chose aujourd'hui.

— Ah, oui ?

— Il ne fait aucun doute que je suis une fille d'Ève.

Lucille esquissa un sourire entendu.

— Bon, eh bien, bravo ! Je suis heureuse de l'apprendre.

Elle pouffa de rire et se remit à se bercer.

— Ce garçon a attendu assez longtemps. Je suppose que ça valait le coup ?

— Oh que oui, répondit Dora avec un petit rire. Tout à fait.

— Et tu vas le revoir ?

— Tout à fait, répéta-t-elle.

Après s'être bercée quelque temps, Dora reprit :

— Il veut me revoir demain. Et le jour suivant. Je pense que je devrais laisser les choses s'apaiser un peu, qu'en penses-tu ? C'est que, je ressens cette nervosité, comme si j'étais de nouveau adolescente. Ce n'est pas normal, non ? Est-ce toujours comme ça quand on est entichée de quelqu'un ? Même à mon âge ?

— Ne me pose pas cette question. J'ai jamais rien ressenti de ce genre.

Dora regarda Lucille et elle se rendit soudain compte du peu qu'elle savait de sa vie personnelle. Elle avait toujours été la femme tant aimée qui habitait à Sea Breeze et qui s'occupait d'elles toutes. Mais c'était une conception digne d'un enfant, s'aperçut-elle avec une honte intense.

— Lucille, pourquoi tu ne t'es jamais mariée ?

— Je ne voulais pas.

— Tu n'as jamais été amoureuse ?

— C'est pas ce que j'ai dit. J'ai dit que je ne voulais pas me marier.

— Pourquoi pas ?

— Pourquoi tu veux savoir ça ?

Dora se berça encore quelque temps.

— Aucune raison. Je viens juste de m'apercevoir que je ne sais pas grand-chose à ton sujet. Au sujet de ta famille. Alors que je te connais depuis toujours.

Lucille arrêta de se bercer.

— Qu'est-ce que tu aimerais savoir ?

— Te reste-t-il des membres de ta famille ?

— Non, plus maintenant. Autrefois, tu le sais, ma famille vivait à Sullivan's Island.

Dora hocha la tête.

— Beaucoup de familles noires vivaient dans cette île. Mais les temps se sont faits durs et nous sommes allés nous établir en ville. Je n'étais pas beaucoup plus vieille que Nate. Maman a trouvé du travail, mais papa… Un soir, il est sorti, et nous ne l'avons plus jamais revu. Je n'ai jamais su ce qui lui était arrivé. Quelques années plus tard, maman est morte. J'avais à peine 13 ans.

— Lucille, je suis tellement désolée. C'est tellement triste. Es-tu allée vivre avec des parents à toi ?

— Mes deux jeunes sœurs sont allées vivre avec ma tante, dans le nord de l'État. Pour eux, c'était difficile de nourrir deux bouches de plus. Ils avaient leurs propres enfants dont ils devaient s'occuper. J'étais l'aînée, et ils ne pouvaient prendre un fardeau additionnel, alors j'ai dû me débrouiller seule.

— À 13 ans ? demanda Dora, horrifiée. Et les orphelinats ?

— Il n'y avait pas d'orphelinat, à l'époque, pas pour les gens de couleur.

Elle remua la tête et se remit à se bercer.

Dora examina les lèvres serrées de la femme et ne la pressa plus de questions.

— Je me suis donc débrouillée, reprit Lucille au bout d'un moment. Maman s'était mise à faire du repassage et elle m'avait appris. Quand elle est morte, j'ai eu son fer, alors j'avais un peu de travail. Puis, des femmes généreuses se sont occupées de moi.

Elle se détourna en fronçant les sourcils.

– Et il y en a eu d'autres qui n'ont pas été si bonnes.

Dora ne pouvait pas même imaginer ce que la vie avait pu être pour une jeune orpheline noire obligée de gagner elle-même sa vie dans les années 1950. Ça devait être digne de Dickens.

– Mais le Seigneur gardait l'œil sur moi. À 18 ans, je suis entrée au service de ta Mamaw et depuis lors, j'ai toujours été avec cette famille.

Elle tourna la tête.

– Ma famille, c'est vous. Compris ?

Dora hocha la tête, comprenant toute la profondeur de cette dernière phrase.

– Alors, tu penses que tu es amoureuse de Devlin ? C'est bien ce que tu es en train de dire ? lui demanda Lucille avec une voix enjouée.

Dora comprit que Lucille voulait changer de sujet.

– Il est beaucoup trop tôt pour le dire. Il me plaît. Beaucoup. Mais avec tout ce qui est en train de se passer, je ne pense pas que je devrais l'encourager.

– C'est un peu tard pour y penser.

– Une aventure, c'est une chose. Une relation, c'est différent. C'est-à-dire, est-ce que je veux m'embarquer dans une nouvelle relation si rapidement ? Tout ce que je veux, c'est m'amuser un peu. Il y a bien assez de choses dont je dois m'occuper sans en plus provoquer les ragots.

– Chérie, personne n'y regarde de si près. Si ça fait jaser, c'est que les gens sont jaloux. Regarde ta sœur. Carson collectionne les hommes à une vitesse folle. Tu penses qu'elle s'occupe de ce que les gens pensent ?

– Je ne suis pas comme Carson.

– C'est vrai, tu n'es pas comme elle. Tu n'es pas comme Harper, non plus. Chacune d'entre vous a tellement changé depuis que vous étiez petites, et vous allez encore changer au cours des années à venir. Mais au fond, vous êtes toujours les mêmes. Carson, on pourrait dire qu'elle n'a peur de rien. Elle s'engage dans la vie de plein front. Mais elle se retrouve aussi souvent sur le derrière. Harper, elle aime observer. Elle peut sembler en retrait, mais elle assimile tout. Cette fille ne laisse rien passer. Il y a quelque chose qui est en train de fermenter dans son cerveau, mais je ne sais pas ce que c'est. Peut-être bien qu'elle non plus. Pour le moment.

Lucille se tourna de moitié pour regarder Dora et laissa son regard la parcourir lentement.

– Et moi ?

– Toi, Dora, tu es un roc. Tu as toujours les deux pieds rivés sur le sol. Tu es celle sur qui on peut compter.

– Je ne me sens pas comme un roc.

– Parce qu'en ce moment, tu traverses un tremblement de terre. Ton monde est en train de se transformer. Ça arrive à chacun de nous. Il y a des gens qui s'effondrent, mais pas toi. Tu vas te rétablir, et une fois que ce sera fait, tu te sentiras de nouveau plus forte et plus solide. Peut-être même encore plus qu'auparavant. Ça, je le sais.

Dora tendit la main pour prendre celle de Lucille.

– Oh, Lucille, merci. C'est exactement ce que j'avais besoin d'entendre, ce soir.

– Tout ira bien, reprit Lucille d'une voix réconfortante en lui tapotant la main qui était sur la sienne.

– Je peux revenir pour bavarder comme ce soir ? Juste toi et moi ?

Lucille sourit et ses yeux s'embuèrent.

– Mais oui, j'aimerais beaucoup. Pour de vrai.

CHAPITRE 13

La journée qui commençait s'annonçait torride à Sullivan's Island. Il n'y avait aucun nuage pour contrer la chaleur incessante du soleil, pas le moindre vent soufflant de l'océan. La sueur ruisselait sur les visages échauffés de Dora et de Harper tandis qu'elles livraient un combat éreintant avec de monstrueuses mauvaises herbes profondément enracinées dans le jardin. Il y avait plus d'une heure qu'elles étaient au travail et elles avaient réussi à en arracher la moitié. Leur plan initial avait été plein d'ambition, mais une fois qu'elles avaient compris le rude combat qui les attendait, elles avaient ramené le jardin à une superficie plus facile à gérer.

Aujourd'hui, même cela semblait trop.

– Pourquoi sommes-nous en train de faire ça, déjà ? se plaignit Dora tout en arrêtant de creuser un instant pour essuyer la sueur de son front. Mon dos me fait mal et j'ai la bouche comme si on l'avait remplie d'ouate.

– Parce que c'est amusant ? rétorqua Harper en plaisantant, tout en frappant la terre desséchée avec son sarcloir.

– Ouais, c'est tordant, répondit Dora, sarcastique.

Harper s'appuya alors sur son sarcloir pour reprendre son souffle.

– Mais c'est vrai, quoi, à quoi ça sert ? demanda Dora. Mamaw va vendre la maison. Nous ne verrons jamais le jardin dans toute sa gloire.

– Peut-être que non, concéda Harper.

Tout en essuyant son front, elle laissa une trace de boue dans sa sueur.

– Mais nous saurons qu'il existe, non ? Comme autrefois.

Cela ne convainquit pas Dora.

– Et alors…

– Justement, *et alors*, marmonna Harper en laissant son regard balayer Sea Breeze.

Vue depuis la crique, la maison était à son mieux, décida-t-elle. Ses ancêtres Muir savaient ce qu'ils faisaient quand ils avaient choisi cet endroit dans cette extrémité paisible de Sullivan's Island. La vieille maison, sise sur un terrain surélevé, était bien située, avec une large véranda arrière faisant face à la crique. La véranda offrait un point de vue magnifique depuis lequel on pouvait observer l'Intracoastal Waterway. Mamaw avait ajouté les auvents blanc et noir qui faisaient de l'ombre pour les chaises en osier géantes aux coussins moelleux, blancs et noirs eux aussi. Quelques marches plus bas se trouvait un autre niveau de terrasse s'étirant sur toute la longueur de la véranda et qui entourait la piscine. De ce niveau, d'autres marches menaient à une petite surface gazonnée dénivelée et qui s'étendait jusqu'aux herbes sauvages bordant le marais.

C'était là que le long quai en bois s'étirait au-dessus du marais jusqu'aux eaux sinueuses de la crique. La vieille et élégante maison du Sud, avec sa grande véranda et ses chaises, le quai où un bateau était amarré, tout cela, pour Harper, représentait la parfaite définition d'un décor typique de la côte. Elle était surprise par l'amour qu'elle ressentait pour ce lieu et à quel point l'idée qu'il ne soit plus entre les mains de sa famille lui brisait le cœur. *Et alors*, se demanda-t-elle, sentant en elle une résistance en ébullition à l'idée que jamais plus elle ne pourrait revenir ici, à Sea Breeze, au seul endroit où elle s'était véritablement sentie en sécurité. *Et alors...* Et alors, elle ne voulait pas que ça arrive.

Elle entendit Dora en train de rire et tourna la tête pour voir sa sœur qui la regardait, amusée.

— Qu'y a-t-il de si drôle?

— Toi. Même quand tu es en train de creuser dans le jardin, tu montres ton sens de la mode.

Harper baissa les yeux sur son chemisier en coton blanc à manches longues et sur son jean griffé.

— C'est tout ce que j'avais, répondit-elle, quelque peu sur la défensive.

— Je ne veux même pas imaginer combien ce jean a pu coûter, poursuivit Dora.

— De toute manière, après aujourd'hui, il est ruiné, et ce chemisier est désormais officiellement consacré au jardinage, parce qu'il ne sera plus portable en public. Un peu comme le tien, taquina-t-elle Dora en pointant du doigt le vieux t-shirt des Gamecocks de Cal, qui était maintenant relégué aux travaux de jardinage.

Le jean de Dora aurait pu tout aussi bien appartenir à Cal, lui aussi. Il était trop grand et sans ourlet. Et sous son grand chapeau de paille, le visage de Dora était rouge comme une cerise.

— Nous devrions peut-être faire une pause, dit Harper. Tu ne devrais pas y aller trop fort, avec ton cœur et tout. Il ne s'agit pas que tu creuses ta tombe.

— Ne t'en fais pas pour moi, répondit Dora, qui agita la main de manière à lui montrer qu'elle faisait peu de cas de cette question. Le médecin veut que je fasse un entraînement cardiovasculaire rigoureux chaque jour, et je crois bien que cela convient.

— Je dois reconnaître que c'est plus dur que je pensais.

Harper s'essuya de nouveau le front.

– Quelles étaient les dimensions de ton jardin à Summerville, déjà ?

– Environ 1000 mètres carrés.

Harper remua la tête avec incrédulité.

– Incroyable. Et ambitieux.

– Il était déjà délimité quand j'ai emménagé. Et puis, j'étais plus jeune.

Dora éclata de rire.

– Mais il était en aussi mauvais état que celui-ci quand j'ai commencé à m'en occuper. Mon Dieu, que j'ai travaillé dur sur ce lopin de terre… Mais ça en valait vraiment la peine. Je cultivais tous les légumes dont nous avions besoin pour Nate. Sans aucun pesticide, c'était complètement naturel. Sans compter les papillons !

Elle sourit avec nostalgie.

Harper brossa de petites mottes de terre de son chemisier.

– Mais après tout ce travail, pourquoi l'as-tu laissé se détériorer ?

Au fil des années, Dora s'était posé cette question plusieurs fois. Il n'y avait pas de réponse simple.

– Avec Nate, au bout d'un moment, il a fallu faire des choix. Je pouvais jardiner ou passer du temps avec lui. C'est Nate qui gagnait chaque fois. Ensuite, je me suis moi-même occupée de son instruction, ce qui exigeait beaucoup de temps. Puis, il y a eu ses séances de sociothérapie, d'orthophonie… et tellement d'autres thérapies au fil des ans. Je ne regrette vraiment pas comment j'ai utilisé mon temps, ajouta-t-elle avec emphase.

– Non, bien sûr, convint immédiatement Harper. Je ne sais pas si un jour j'aurai des enfants, mais si j'en ai, j'espère que j'aurai ne serait-ce que la moitié de ton dévouement.

Ce compliment surprit Dora. Harper ne pouvait imaginer ce qu'il signifiait pour elle.

– C'est si gentil. Merci.

Juste à ce moment, Mamaw les appela de la véranda.

– Allez, les filles, venez faire une pause. J'ai apporté du thé glacé !

– Tu m'en rapportes un ? demanda Harper. Il y a quelque chose qui est coincé, ici, et que j'ai presque réussi à dégager.

Elle serra les dents avec détermination.

– Passe-moi cette pelle.

Dora lui céda sa pelle, soulagée. Elle retira ses gants de jardinage en avançant sur la surface gazonnée toute broussailleuse, les frappant contre ses cuisses pour en détacher la terre. Regardant par-dessus son épaule, elle pouffa de rire en voyant Harper en train de creuser un trou comme un terrier pour son os. Cette ténacité était un côté de sa sœur qu'elle commençait à reconnaître et à apprécier.

– Mamaw, tu es un ange, remercia Dora en acceptant un verre.

Le thé était sucré et glacé et fut pour sa gorge, quand elle l'avala d'un trait, comme le jaillissement d'une rivière sur de la terre desséchée.

– Vous faites des progrès, remarqua Mamaw en soulevant ses lunettes de soleil pour regarder le jardin. Ça me fait chaud au cœur de voir le jardin retrouver sa beauté d'antan.

– Il ne sera pas aussi élaboré que l'ancien.

– Il sera magnifique parce que vous deux, les filles, vous l'aurez créé. Maintenant, bois ton thé. Tu sais ce que je répète toujours.

– « Il faut rester hydratée », répondit Dora avant de prendre consciencieusement une petite gorgée.

– Et mettre de l'écran solaire. Je t'ai donné de bons gènes, mais tu dois te forcer.

Elle baissa la voix et se rapprocha de Dora.

– Et obtenir la recette de crème pour le visage de Lucille. Je te jure, elle va l'emporter dans sa tombe.

La quête de toute une vie pour la recette de crème de Lucille qu'avait menée Mamaw fit pouffer Dora de rire.

— Où est Lucille ? questionna-t-elle. Je ne l'ai pas vue ce matin.

— Non, la pauvre, elle ne se sent pas bien.

— Ce n'est pas son genre. Je ne me souviens pas de la dernière fois qu'elle a été malade.

— Je sais. En général, elle se porte comme un charme, mais il faut bien accepter qu'elle soit en train de vieillir. Même si elle refuse de le reconnaître.

Juste à ce moment, la porte de la véranda s'ouvrit et Lucille sortit, la lumière la faisant cligner des yeux. Elle portait son uniforme estival ordinaire consistant en une robe chemisier de coton bleu clair. Plusieurs fois au fil des années, Mamaw lui avait dit qu'elle n'avait plus besoin de porter un uniforme, mais Lucille, têtue, préférait continuer. Quand Lucille avait pris une décision, elle ne pouvait plus être dissuadée.

— Qu'est-ce que je ne veux pas reconnaître ? demanda-t-elle alors en se dirigeant vers elles.

La raideur de sa démarche ne dit rien de bon à Dora, ni la teinte grisâtre de sa peau. En outre, elle semblait frêle, comme si elle avait soudainement vieilli.

— Es-tu sûre que tu ne devrais pas être au lit ? Tu n'as pas l'air très bien.

— C'est parce que je ne me sens pas très bien. Mais je deviens agitée si je reste au lit toute la journée. Je peux tout aussi bien rester assise ici sur la véranda.

Elle se tourna vers Mamaw :

— Alors, reconnaître quoi ?

— Que tu vieillis, répondit Mamaw malicieusement en se dirigeant vers les grandes chaises en osier qui se trouvaient à l'ombre.

— Je suis tout de même toujours plus jeune que vous ! rétorqua Lucille sèchement avant de marmonner quelque chose d'inintelligible.

Dora s'empressa auprès de Mamaw pour l'aider à mettre une chaise plus à l'ombre, avant d'y transporter aussi le pouf.

– Viens t'asseoir, Lucille, insista Mamaw. Tu devrais te reposer.

Lucille s'inclina, se laissant tomber avec un léger grognement sur l'un des épais coussins avant de placer ses pieds sur le pouf et d'appuyer sa tête contre le dossier, déjà épuisée par ce léger effort physique. Dora surprit alors le regard de Mamaw, et y vit reflétée sa propre inquiétude.

– Tu n'as pas de fièvre, n'est-ce pas ? l'interrogea Mamaw, qui tournait autour de Lucille. Ce n'est pas la grippe ?

– Non, j'ai pas la grippe. Je suis juste fatiguée. Comme vous avez dit : je suis vieille.

– Pas si vieille que ça, rétorqua Mamaw.

Lucille regarda alors Mamaw et elles partagèrent un rire.

– Un bon verre de thé glacé, ça te dirait ? demanda Dora.

– Ça serait vraiment gentil.

Lucille regarda en direction de Mamaw.

– Faisons-nous un petit gin-rami.

Le regard de Mamaw s'illumina.

– Je vais chercher les cartes.

La voix de Harper qui les appelait du jardin interrompit son départ.

– Hé ! J'ai trouvé quelque chose !

Mamaw porta la main à son cœur avec précipitation.

– Mon Dieu, elle a trouvé un trésor enterré, s'exclama-t-elle théâtralement. Il y a des générations que nous sommes à la recherche du trésor du pirate gentilhomme. Selon la légende, les flibustiers enterraient leurs trésors dans ces dunes désertées et dans les bois de ces îles pour les garder en lieux sûrs, expliqua-t-elle à Dora. Considérant nos antécédents, il devrait être quelque part par ici. Encore que, dit-elle en soupirant, personne n'a jamais rien trouvé jusqu'à maintenant.

— Il vaut mieux que j'aille voir avant qu'elle ne s'approprie ce qu'elle trouvera, s'exclama Dora. Voilà bien de quoi une James aurait besoin, un trésor, ajouta-t-elle, sarcastique. Ce serait vraiment ma veine.

Elle prit une dernière gorgée de thé glacé.

— J'arrive ! cria-t-elle avant de courir vers le jardin en apportant un verre givré pour Harper.

Celle-ci était à genoux devant un trou béant à l'extrémité du jardin, penchée sur un objet incrusté de boue qui reposait sur ses cuisses.

— On dirait une espèce de chaîne, souligna-t-elle, occupée à retirer des mottes de terre.

Elle s'arrêta pour accepter avec gratitude le verre que lui avait apporté Dora.

— C'est peut-être une chaîne en or, dit Dora, dont l'excitation croissait.

— Ou simplement une chaîne. Elle est en métal. Et lourde.

D'un trait, Harper avala la moitié de son thé et déposa son verre avant de se remettre à retirer de la terre de l'objet. Peu à peu, celui-ci prit une forme reconnaissable. Harper retira ses lunettes de soleil et le souleva. Elle inclina la tête tout en l'examinant.

— Je ne suis pas certaine, dit-elle à bout de souffle, mais on dirait des espèces de menottes.

Dora se pencha davantage avant de regarder Harper avec étonnement et stupéfaction.

— Des fers d'esclave ?

Même si elle aurait préféré avoir déterré une épaisse chaîne en or ayant appartenu à des pirates, il y avait dans ces fers une importance historique qui la laissait sans voix.

Harper se redressa, la chaîne dans les mains.

— Allons la rincer avec le tuyau d'arrosage. Nous pourrons ensuite la montrer à Mamaw et Lucille. Elles sauront ce que c'est.

Celles-ci étaient sur la véranda, assises sur leurs chaises, le cou dressé en suivant les déplacements de Dora et Harper du jardin au tuyau d'arrosage.

– Qu'avez-vous trouvé ? cria Mamaw.

– Nous ne sommes pas sûres, indiqua Dora. Nous arrivons.

Dora tint la chaîne tandis que Harper lavait au jet d'eau l'imposant objet de métal à l'usage incertain. L'eau rinça les dernières couches de boue, révélant ce qui semblait être de lourdes menottes de métal rouillé reliées par une chaîne. Aucune des deux femmes ne dit mot, restant dans un silence plein de révérence. Harper ferma l'eau, puis suivit Dora vers la véranda où les attendaient les deux vieilles femmes. Leurs yeux étaient grands ouverts de curiosité.

– Qu'est-ce que c'est ? demanda Mamaw.

Lucille se redressa et retira ses jambes du pouf.

Dora y déposa l'objet. Il résonna d'un bruit métallique.

Lucille retint sa respiration en voyant l'objet. Puis, avec une appréhension apparente, elle posa sa main noire et plissée sur l'une des menottes.

– Mon Dieu, ma fille, tu as trouvé des menottes d'esclave, dit-elle d'une voix douce tremblante d'émotion.

– C'est ce que je pensais, affirma Dora.

Mamaw s'approcha pour examiner les lourdes menottes de métal.

– On dit que si l'on creuse n'importe où dans cette île, on déterrera un moment d'histoire. Quand nous avons fait rénover la maison, nous avons découvert des balles datant de la guerre d'Indépendance, des pièces de monnaie de la guerre de Sécession, des boutons, de la poterie cassée, et toutes sortes d'objets de collection. Mais jamais de trésor de pirate. Ni rien d'aussi important que ces menottes, dit-elle en les pointant du doigt. Voilà un épisode de notre histoire dont je ne suis pas fière.

Les mains de Lucille tremblaient sous leur poids tandis qu'elle soulevait les menottes et les plaçait sur ses cuisses.

– Elles sont tellement lourdes, je peux à peine les soulever.

– Pouvez-vous imaginer comment ils pouvaient marcher avec ça ? lança Dora.

– Comment se fait-il qu'il y ait des menottes d'esclave à Sullivan's Island ? demanda Harper. Je pensais que tous les esclaves étaient vendus au marché de Charleston.

Le visage de Mamaw devint pensif.

– Les esclaves n'étaient pas vendus au marché. Règle générale, ils étaient vendus dans le port de Charleston, dès qu'ils avaient débarqué des navires. Mais après avoir été en quarantaine. Les habitants étaient terrifiés par les maladies contagieuses comme le choléra, la rougeole et la variole en provenance des navires. N'oublie pas qu'il s'agissait d'un des plus importants ports du pays. Alors on a bâti des lazarets pour les mettre en quarantaine, ici même à Sullivan's Island. C'était un endroit idéal, une île barrière le long de l'embouchure du port. Tout au long du XVIIIe siècle, les esclaves passaient en grand nombre par nos ports. Et chacun d'eux était envoyé en quarantaine avant d'être vendu.

– S'ils avaient survécu au voyage, ajouta sombrement Lucille.

Mamaw posa sa main sur celle de son amie.

– C'est malheureusement vrai.

– Sais-tu combien d'esclaves sont passés par le port de Charleston ? s'enquit Harper.

– Personne ne sait au juste, répondit Mamaw. Il y en a tellement qui sont morts ici, dans les lazarets ; hommes, femmes, enfants.

– J'ai entendu quelque part que ce serait entre 200 000 et 400 000 esclaves qui seraient passés par ici, indiqua Lucille avec tristesse.

Harper en eut le souffle coupé.

– Tant que ça ?

Lucille la regarda.

– Tu trouves que c'est beaucoup ? Ce n'est pas tant que ça quand on sait que 10 à 12 millions d'entre eux ont été expédiés d'Afrique.

Lucille soupira en regardant les menottes.

– L'Afrique a fini de saigner ses enfants.

– Aux États-Unis, Charleston était le principal port d'arrivée pour les esclaves, expliqua Mamaw. Près de la moitié des Américains d'origine africaine de notre pays peuvent retracer leurs racines jusqu'à Charleston. Et la plupart d'entre eux ont été en quarantaine dans cette île.

Elle regarda de nouveau les menottes et ajouta :

– J'ai toujours pensé que nous devions faire plus, ici, à Sullivan's Island, pour honorer tous ces esclaves qui y ont trouvé la mort, dresser une espèce de monument. Après tout, pour les centaines de milliers d'esclaves qui ont passé par ici, c'était l'équivalent d'Ellis Island.

– Pas vraiment Ellis Island, la corrigea Harper. Les immigrants qui ont passé par cette île venaient volontairement, à la recherche d'une vie meilleure, de liberté politique ou religieuse. C'est une différence un peu ironique, tu ne trouves pas ?

Dora ressentit un accès d'irritation. Il fallait toujours que Harper argumente sur un aspect. Et ça l'énervait parce que la plupart du temps, elle avait raison.

– Mes ancêtres sont arrivés ici sur un négrier, déclara Lucille, tout bas.

Elle était penchée sur les fers, la main posée sur leur métal, l'air protecteur. Dora eut alors l'impression que la vieille femme se repliait sur elle-même.

– Seuls ceux qui étaient forts survivaient au voyage, poursuivit Lucille. Des familles noires vivent à Sullivan's Island depuis très longtemps. Autrefois, il y avait de petites fermes, ici.

Elle tendit la main vers le jardin.

– De grands jardins. Il y avait aussi des poulets. Parfois un cochon. Mais ils sont tous partis, aujourd'hui. Les pauvres sont allés s'établir à Daniel Island quand on a commencé à bâtir ici. Maintenant, ils ont aussi quitté Daniel Island.

Elle fit une pause tandis que son esprit semblait dériver vers le passé.

– Ta famille te manque ? questionna doucement Harper.

Lucille cligna des yeux et sembla revenir au présent.

– Non, il ne reste plus que moi.

Elle regarda les autres femmes.

– Et vous toutes. C'est bien comme ça. Nous avons tous notre moment de vie, et il n'y a rien qu'on peut faire contre ça. J'aime seulement croire qu'un jour on se retrouvera tous de l'autre côté.

– Tu as la force de tes ancêtres, dit Dora avec emphase.

Ces paroles semblèrent la toucher.

– J'espère que oui. J'en aurai besoin quand les temps deviendront difficiles.

Elle regarda Harper.

– Qu'est-ce que tu as l'intention de faire de ces menottes ?

– Je n'ai aucune intention, répondit Harper. En faire don à un musée, peut-être ?

– Si ça ne te gêne pas, j'aimerais les garder, seulement quelque temps.

– Bien sûr, convint Harper. Prends-les. Elles sont à toi.

Lucille regarda les fers sur ses cuisses.

– Merci. Je voudrais seulement les étudier pendant quelque temps. Je vais peut-être retourner chez moi, maintenant, ajouta-t-elle. Je suis fatiguée.

Elle essaya de se lever, mais la lourde chaîne pesait sur elle et il lui aurait fallu plus de force qu'elle n'en avait pour se lever. Inquiètes, Dora et Harper se mirent chacune à ses côtés et Mamaw prit la chaîne. Elles l'aidèrent à se lever.

– Il vaut mieux que tu retournes au lit, affirma Mamaw.

– C'est peut-être bien ce que je vais faire, souffla Lucille. Je suis fatiguée.

Elle tendit la main vers les fers.

– Je vais les porter pour toi, indiqua Harper.

Lucille tourna l'épaule et ôta les fers des mains de Mamaw.

– Non, non, ma petite. Je m'en occupe. Je veux les porter moi-même. Je veux savoir ce que l'on ressent quand on est à bout et qu'il faut en plus se déplacer en portant ce fardeau.

CHAPITRE 14

Dora reçut un message texte de Devlin lui demandant de le rejoindre dans une maison sur laquelle il effectuait des travaux. Il voulait qu'elle la voie, puis qu'elle dîne avec lui.

Lui répondre par un oui plein d'enthousiasme fut facile. Dora adorait les maisons, particulièrement celles de Sullivan's Island, où un si grand nombre d'entre elles (grandes et petites, historiques et neuves) avaient un emplacement, ou une vue, ou encore une histoire uniques. Elle sauta dans la voiturette de golf avec une bouteille d'eau et s'engagea sur la route en direction de l'extrémité sud de l'île tout en vérifiant l'adresse. Elle tourna dans une petite rue qui menait vers le marais. Plusieurs vieux chênes créaient une profonde couverture ombragée qui était la bienvenue par un jour d'été torride. Elle vérifia de nouveau l'adresse et s'arrêta devant un petit cottage à peine visible derrière une jungle d'arbustes broussailleux et de palmiers. Il y avait longtemps que cette allée était redevenue de la terre. Faisant vrombir le moteur, elle alla ranger sa voiturette de golf derrière la grosse camionnette de Devlin. Quand elle tendit la main vers son sac à main, elle entendit son téléphone qui sonnait.

– Allô ? dit-elle en s'attendant à la voix de Devlin.

Ce fut un choc quand elle reconnut celle de Cal.

– Dora ? C'est moi.

– Ouais. Quoi de neuf ?

– Eh bien, tu ne m'as jamais rappelé.

Dora fit la grimace. Elle l'avait complètement oublié.

– Oh, je suis désolée, j'ai… euh… j'ai été vraiment occupée.

– Ah, ouais ? À faire quoi ?

– Oh, euh…

Elle avala sa salive en cherchant une excuse.

– Harper et moi, nous avons entrepris de faire un jardin. Ça demande beaucoup de travail.

– Un jardin ? En juillet ? Penses-tu vraiment que tu devrais te livrer à un travail aussi intense ? Avec ton cœur ?

– Mon cœur va bien, lança-t-elle, irritée qu'il pense toujours qu'elle était malade. De toute manière, nous sommes prudentes. Quoi qu'il en soit, je suis désolée de ne pas t'avoir rappelé. Il y a quelque chose en particulier dont tu voulais discuter ?

Il y eut un silence.

– Oui, répondit-il d'une voix qui laissait sous-entendre qu'elle aurait dû savoir de quoi il s'agissait. Nous devions discuter de la possibilité que tu viennes vivre avec moi. Dans mon appartement.

– Je pensais pourtant avoir été claire. Je vais passer l'été à Sea Breeze.

– Je pensais que tu aurais peut-être changé d'idée. Vois-tu, il y a des problèmes à la maison.

L'estomac de Dora se noua. Évidemment, voilà pourquoi il lui téléphonait.

– Quel genre de problèmes ?

– Selon les peintres, il y a eu des dégâts d'eau dans certaines des chambres à coucher à l'étage. Donc ils ne peuvent pas faire la peinture, alors ils sont bloqués. Ils pensent que ça vient du toit. Alors, maintenant, il faut faire venir quelqu'un pour déterminer l'état du grenier. C'est interminable, se plaignit-il, la voix sifflante de frustration.

— Que veux-tu donc que j'y fasse? Je suis à Sullivan's Island, alors que toi, tu es à Summerville.

— Dora, répondit-il en maîtrisant sa frustration, voilà pourquoi ça serait logique que tu sois ici. La maison est un projet plus important que nous avions anticipé, qui requiert que quelqu'un s'en occupe à temps plein, afin de garder une emprise sur les ouvriers.

— Ce n'est pas plus important que nous avions anticipé, riposta-t-elle. Nous avons toujours su que ce serait beaucoup de travail, et c'est même pour ça que nous n'avons jamais commencé, ou du moins c'est ce que tu m'as toujours dit. Je vais te répéter ce que je t'ai dit chez l'avocat : vends la maison telle quelle si tu ne veux pas t'occuper des rénovations.

— Nous ne pouvons pas faire ça. Nous y perdrions notre chemise.

— Nous avons déjà perdu notre chemise.

— Dora, s'il te plaît. Je suis débordé de travail en ce moment. Tu ne peux vraiment pas m'aider?

Dora grogna intérieurement.

— Bon, d'accord. J'irai à Summerville et je jetterai un coup d'œil sur la maison. Je ferai quelques appels. Mais c'est tout. Je ne viendrai pas vivre avec toi, Cal. Je ne suis pas prête à aller aussi loin.

— D'accord, c'est bien. Mais tu téléphoneras à quelqu'un pour la fuite, n'est-ce pas?

Elle leva les yeux au ciel. Sa transparence la fit même rire un peu.

— Oui, je téléphonerai. Au revoir.

Elle mit fin à l'appel et jeta son téléphone dans son sac à main.

Avant de rejoindre Devlin, Dora s'étira les bras au-dessus de la tête pour essayer de se libérer de la frustration qu'elle éprouvait à la suite de l'appel de Cal. Elle ne voulait pas de son mari entre eux une fois de plus. Entendant le vrombissement aigu des outils électriques venant de la maison, elle suivit avec curiosité ce bruit en direction de la porte d'entrée. Elle était restée entrouverte.

– Bonjour ? cria-t-elle en passant la tête à l'intérieur.

On pouvait difficilement l'entendre en raison du bruit des outils. Elle pénétra dans la maison et vit Devlin, des lunettes de sécurité devant les yeux, derrière une scie à bois en train de découper ce qui semblait être une pièce de lambris en bois. La vue de Devlin en train de faire des travaux de rénovation la força à marquer une pause. C'était un autre aspect de sa personnalité qu'elle ne connaissait pas.

– Salut ! cria-t-elle de nouveau une fois qu'il se fut arrêté.

Devlin leva brusquement la tête et lui fit spontanément un grand sourire. Il releva ses lunettes de sécurité tout en secouant la sciure qui le recouvrait et s'avança vers elle pour lui faire la bise.

– Te voilà !

– Je viens juste d'arriver, dit-elle en lui passant la main dans les cheveux pour en enlever un peu de sciure. Que se passe-t-il ici ? demanda-t-elle en regardant tout autour d'elle avec curiosité.

L'intérieur du cottage avait été complètement démoli et était maintenant en train d'être rénové de part en part. Beaucoup de travail avait déjà été effectué : nouveaux murs, placards, comptoirs, électroménagers. Dora rêvait depuis si longtemps de rénover sa maison de Summerville d'une telle manière qu'elle ressentait toujours un frisson d'excitation au spectacle de tels travaux.

– J'ai acheté cette maison quand le marché s'est écroulé. Elle avait été saisie par les créanciers. Maintenant, je la rénove dans mes temps libres. Quand j'aurai terminé, je la mettrai en vente.

– Tu la rénoves *toi-même*? Je ne savais pas que tu étais bricoleur.

– Je suis un charpentier, merci bien, dit-il à la manière d'une personne ayant une longue expérience en la matière. C'est même comme ça que j'en suis arrivé à l'immobilier. Au début, j'étais un ouvrier de construction; je pensais que tu étais au courant. À l'époque où j'avais les moyens d'acheter n'importe quoi à Sullivan's Island, j'ai acheté une maison à rénover, j'ai fait tous les travaux moi-même, puis je l'ai vendue avec un gros profit. J'ai continué, achetant et revendant les maisons, faisant des profits. C'est ainsi que j'ai découvert que j'avais l'œil pour l'immobilier.

Il haussa les épaules.

– J'ai eu de la chance et j'ai pu profiter de l'explosion du marché immobilier. On connaît la suite…

Dora le regarda, le voyant sous un nouveau jour.

– Pourquoi me regardes-tu comme ça?

– Comment?

– Comme si tu étais sur le point de me dévorer.

Elle éclata de rire en rougissant.

– Parce que je trouve le fait que tu puisses toi-même faire tes rénovations particulièrement séduisant, je suppose.

Il éclata de rire à son tour en sourcillant et posa le morceau de lambris.

– Eh bien, bon sang, Madame, dit-il en tendant la main pour la prendre par la taille et l'attirer plus près de lui, si j'avais su, je t'aurais montré mes outils dès le début.

Il l'embrassa, lentement, longuement, avec détermination, et elle sentit un bourdonnement dans ses veines. Quand le baiser se termina, elle s'abandonna entre ses bras, tout en lui souriant avec coquetterie.

– Si seulement j'avais su que tu possédais ce talent il y a quelques mois. J'aurais tellement eu besoin de ton aide.

– Ah oui? Pourquoi?

Elle se dégagea de son étreinte et se mit à parcourir la pièce, ne voulant pas mentionner Cal ni la maison de Summerville. Devlin était en train de lambrisser la pièce arrière en bois de cyprès, y créant une charmante atmosphère typique de la côte. Le mur arrière avait été remplacé par une longue cloison vitrée qui donnait sur le marécage. Dora croisa les bras et, immobile, regarda la longue étendue de gazon ondulé et l'Intracoastal scintillant au soleil.

— Cette vue ne perd jamais son charme.

Devlin la rejoignit à la fenêtre et se plaça à ses côtés.

— C'est qu'elle est constamment en train de changer. Les gens qui ne sont pas d'ici et qui veulent acheter une propriété veulent toujours une vue sur l'océan. Ça aussi, je peux leur trouver. Mais c'est le marécage qui offre un changement de paysage. Que ce soit les oiseaux migrateurs, ou l'herbe ; d'un vert brillant l'été, doré l'automne, et brunâtre en hiver, puis de nouveau ce vert pâle au printemps.

Il tourna alors la tête et la regarda, l'air sérieux.

— Pourquoi aurais-tu eu besoin de mon aide il y a quelques mois ?

Dora soupira, résignée, et le regarda.

— Je dois mettre ma maison de Summerville en vente. Nous l'avons achetée comme projet de rénovation, mais nous n'avons jamais fait les travaux. Nous n'avions jamais d'argent. Maintenant que nous divorçons, il faut la vendre. Soudainement, tout ce qui attendait depuis des années doit être fait au plus vite.

— Alors vous voulez la rénover ?

— Non, même pas. Nous voulons seulement qu'elle soit en assez bon état pour la vendre. Cal veut dépenser de l'argent que nous n'avons pas, alors que je veux la vendre telle quelle. Évidemment, c'est lui qui a gagné.

— Pourquoi, évidemment ?

— Parce que chaque fois qu'il est question d'argent, c'est Cal qui prend les décisions.

– Même quand les résultats ont une incidence sur ta situation financière ?

Dora se dirigea de l'autre côté de la pièce où un nouveau manteau de cheminée avait été installé.

– Cal se fiche de ma situation financière.

Devlin rit sèchement.

– C'est un con.

– Ouais, eh bien…

Dora regarda la boiserie du manteau. Elle entendit Devlin se rapprocher.

– Comment puis-je t'aider ?

Dora se retourna et s'aperçut qu'il était tout près d'elle.

– Cal vient tout juste de me téléphoner. Il y a un problème, une fuite. Le toit, probablement. Il veut que je trouve quelqu'un pour y jeter un coup d'œil et nous dire ce qui a besoin d'être fait.

– Il veut que tu trouves cette personne ?

Elle hocha la tête.

Devlin serra les lèvres, réprimant ce qui devait être, elle en était convaincue, une liste de propos douteux.

– Je vais y jeter un coup d'œil. Je devrais lui envoyer une facture salée, juste pour lui donner une leçon. Sauf que ce serait toi qui te retrouverais à devoir la payer. Nous pouvons y aller ensemble, j'examinerai la situation, et je te dirai ce que j'en pense, pour ce que ça vaut.

– Ça serait tellement bien. En plus, apparemment, les ouvriers se la coulent douce.

– J'ai de bonnes équipes d'ouvriers qui pourront faire le travail à un bon prix. Si les tiens sont des cons, nous les virerons.

– Comment puis-je te remercier ?

Devlin la regarda d'un air vicieux qui promettait quelque badinerie avant d'indiquer du doigt la boîte de lambris.

– Allez, femme. Enfile des gants, et donne-moi un coup de main. J'ai du travail à terminer avant de te faire la cuisine !

Ils passèrent le reste de l'après-midi à lambrisser la pièce du fond tous les deux pendant que le vieux lecteur CD de Devlin diffusait du rock and roll. Avec le vrombissement des outils électriques et les coups de marteau, ils ne pouvaient pas vraiment parler. Ils chantaient plutôt les paroles des chansons dont ils se souvenaient du temps de leur jeunesse et occasionnellement, quand il y avait un slow, Devlin se rendait à ses côtés en balançant les hanches pour la serrer dans ses bras et danser avec elle. Il la tenait tout contre lui, chantonnant dans son oreille, sentant la sueur et le bois, et c'était paradisiaque.

Une fois que la pièce fut finalement lambrissée, Dora et Devlin prirent un peu de recul pour admirer leur travail. Elle lui avait vraiment donné un coup de main, se dit-elle, stupéfaite. Et elle s'était amusée ! Voilà comment elle avait toujours imaginé que ce serait pour Cal et elle dans la maison qu'ils avaient achetée. Travailler ainsi, main dans la main, en éprouvant de la fierté pour le travail qu'ils accomplissaient, en partageant toute la gloire. Jamais cela ne se serait produit, même s'ils avaient vécu dans cette maison 10 années de plus. Elle était maintenant certaine. Ce n'était pas une question de temps ni d'argent. Cal n'avait pas les talents de Devlin ni le désir de faire ces travaux lui-même. La seule chose qui l'intéressait, c'était de constater que le travail avait été fait. Tout simplement, Cal n'était pas Devlin.

— Bon travail, dit Devlin, qui, de manière évidente, était satisfait du résultat.

— Je commence à comprendre comment tu es devenu accroc, admit-elle.

— Tu t'es amusée, hein ? demanda-t-il avec curiosité.

— Oui, tout à fait, répondit-elle avec franchise. Je n'avais jamais imaginé à quel point c'était fatigant physiquement, mais je me suis amusée. Je peux t'aider à faire autre chose ?

Devlin éclata de rire et la serra dans ses bras.

— Je savais que tu étais bonne.

Il l'embrassa sur le nez avant de lui donner une petite claque sur les fesses, lui signifiant qu'ils avaient terminé.

— Allons nager un peu avant le dîner.

— Je n'ai pas apporté de maillot de bain.

— Non ? Et alors ?

Dora fit la grimace.

— Pas question que je me baigne nue.

Devlin remua les sourcils, puis lui prit la main.

— Allez, viens. Je ne regarderai pas… beaucoup.

Dora éclata de rire, mais s'écarta.

— Pas question.

— Poule mouillée. Bon, d'accord. Alors, viens et aide-moi à sortir le dîner.

— Où allons-nous ?

— Au bout du quai, quelle question.

Il lui prit de nouveau la main et elle le suivit à l'extérieur. Ils marchèrent l'un derrière l'autre sur le sentier qu'il avait dégagé à travers les herbes hautes qui menaient au quai en bois. Il était très long, très étroit, près du double de la longueur du quai de Mamaw à Sea Breeze, car il devait s'étirer beaucoup plus loin au-dessus des herbes pour atteindre les eaux.

— C'est un peu précaire à certains endroits, alors sois prudente, la prévint Devlin.

Dora le suivit donc le long de la jetée branlante qui surplombait de la vase et des herbes. Quelques planches étaient complètement pourries et Devlin prit soin de les lui indiquer au fur et à mesure de leur avancée. Enfin, ils atteignirent l'extrémité, où le quai branlant rejoignait la voie navigable.

— Il faudra aussi que je remplace ce quai, souligna Devlin. Ouf ! Il fait vraiment chaud aujourd'hui.

Il retira son t-shirt et s'en servit pour s'essuyer le front.

— Comme l'eau semble fraîche.

Il jeta un coup d'œil en direction de Dora.

Elle brandit les mains.

– Arrête. Je te dis d'arrêter !

– Retire tes sandales, chérie.

– Devlin !

Elle retira tout de même ses tongs.

En un instant, il l'attrapa par la main, l'attira au bord du quai et tous deux sautèrent dans l'eau en poussant un cri.

Elle se retrouva dans l'eau, qui était fraîche, rafraîchissante. Elle éclata de rire en remontant pour prendre sa respiration, les cheveux renvoyés vers l'arrière, le soleil brillant sur son visage. Devlin nagea jusqu'à elle et l'embrassa de nouveau, la serrant contre lui, et se mit de nouveau à danser un slow avec elle, dans l'eau, cette fois.

Plus tard, ils remontèrent sur le quai, rafraîchis. Devlin alla au bord et tira une lourde corde qui était attachée au pilotis. Son t-shirt humide lui collait au torse, révélant ses muscles tendus pour tirer la corde, une main sur l'autre, jusqu'au moment où une grande cage en acier noir émergea, dégouttant d'eau. Dora s'approcha avec curiosité avant de reculer quand elle vit au moins une douzaine de crabes se déplacer bruyamment dans leur piège.

Devlin leva la cage bien haut et éclata de rire.

– Tu es aussi nerveuse qu'eux. Tu n'es donc jamais allée à la pêche au crabe ?

– Jamais ! s'exclama-t-elle en observant avec prudence leurs pinces se refermer dans le vide.

– Recule un peu, l'intima-t-il en déposant la cage sur le quai. Voici notre dîner !

De nouveau, Dora aida Devlin, cette fois à faire cuire les crabes dans une grande marmite en acier inoxydable placée sur un réchaud à gaz sur la véranda arrière. Dora était revêtue d'une serviette qu'elle avait passée à la manière d'un sarong, les cheveux renvoyés vers l'arrière. Sur le patio se trouvait aussi une vieille table de pique-nique qui tenait encore debout... ou presque. Devlin la recouvrit de papier journal, plaça des bougies dans des bouteilles de bière vides et y mit deux maillets en bois et un rouleau de serviettes en papier, pendant qu'elle épluchait les épis de maïs et faisait fondre du beurre. Le lecteur CD diffusait des vieux tubes d'Otis Redding.

Le soleil se couchait et Dora en était déjà à sa troisième bière au moment où leur festin fut prêt. Au loin, sur l'eau vitreuse scintillaient des nuances de lavande et de rose, créant une atmosphère romantique. Devlin alluma les bougies et la mena jusqu'à sa place sur le banc.

– Je sais bien que ce n'est pas tout à fait le même décor qu'au restaurant, l'autre soir, dit-il pour s'excuser.

– En effet, vraiment pas, répondit Dora en passant la jambe par-dessus la tige avant de s'asseoir. C'est mieux.

Devlin baissa la tête au niveau de son cou et l'embrassa, et elle frissonna en imaginant ce qui s'ensuivrait. Une fois de plus, Devlin l'aida à se servir d'un marteau, cette fois sur les crabes pour fendre leurs carapaces et en extraire la chair délicate. Portant le crabe à ses lèvres, elle goûta la saveur forte de l'assaisonnement Old Bay et le sel de mer sur ses doigts, en se disant que jamais de sa vie elle n'avait rien goûté d'aussi délicieux.

Ce soir, le spectre de Cal ne vint pas s'entreposer entre eux. Ils parlèrent sans arrêt de tout ce qui leur venait à l'esprit : des progrès de Nate, des projets de Devlin pour sa maison. Plus tard, ils retournèrent à leurs souvenirs communs de l'époque où ils sortaient ensemble, riant à certaines de leurs plus folles pitreries, se souvenant du nom de vieux amis, de leurs chansons favorites, de rumeurs dont ils avaient entendu parler, de vérités qui leur avaient été révélées.

Quand ils eurent terminé leur festin, Devlin la serra de nouveau dans ses bras et ils se mirent à danser. Il la tenait serrée contre lui en suivant le rythme de la musique de droite à gauche, sans plus repenser au bon vieux temps qu'ils avaient partagé, mais en rêvant de celui qui viendrait.

CHAPITRE 15

FLORIDE

C'était une journée spéciale. Nate devenait de plus en plus détendu dans son interaction avec les dauphins se déroulant depuis le ponton. Il avait appris les signaux manuels et joué avec eux à l'aide de ballons et de cerceaux. Un dauphin avait même fait de la peinture sur son t-shirt. Aujourd'hui, cependant, Nate allait nager avec les dauphins.

— Comment te sens-tu à l'idée d'aller dans l'eau avec les dauphins, aujourd'hui? demanda Carson pendant le petit déjeuner.

Elle porta une cuillérée de céréales à sa bouche et se mit à mâcher, lui donnant du temps pour répondre. Plus tôt cet été, Nate nageait tous les jours avec Delphine, dans la crique, à l'arrière de Sea Breeze. Carson craignait qu'il soit nerveux à l'idée de retourner dans l'eau avec un dauphin après l'accident de Delphine.

Nate prit une cuillérée de céréales tout en continuant de lire l'arrière de la boîte. Quand il eut terminé, il posa sa cuillère et hocha la tête, l'air sérieux.

— Bien, répondit-il.

– Quoi, bien ? C'est bien de manger des céréales ou de nager avec les dauphins ?

Nate lui jeta un regard mauvais, frustré par l'idiotie de sa tante.

– Bien de nager avec les dauphins.

C'était tout ce que Carson désirait savoir. Ça en disait long, tout comme le contraste de ses yeux brillant d'excitation sur sa peau bronzée.

Une fois au centre, Nate se dirigea vers le lagon en courant, comme à son habitude. Carson se déplaçait lentement, se sentant assommée par l'incessante chaleur de la Floride. Tout en regardant le petit garçon courir le long du sentier, elle pensa à sa transformation, de garçon timide et craintif à cette version plus joyeuse, plus détendue. Il n'était toujours pas extraverti, ce n'était pas dans sa nature. Mais tout de même, elle pouvait constater qu'il se sentait à l'aise au centre après quelques jours de son nouveau programme, et même le bienvenu. Le personnel le saluait par son nom alors qu'il parcourait le sentier en courant, et s'il ne leur répondait pas de vive voix, il leur envoyait la main en signe de reconnaissance. Le plus révélateur, sans doute, était cependant cette joie qu'elle avait capturée sur photo lorsqu'il était en train de nager avec les dauphins.

Joan et Rebecca les attendaient et les menèrent vers une section différente du parc. Dans l'extrémité opposée de celle où vivaient les dauphins femelles. Ce changement représentait une diversion au programme du lagon situé à l'avant, et Carson retenait sa respiration en regardant Nate se tapoter la bouche de ses doigts, ce qu'elle reconnaissait maintenant comme un signe de nervosité. Mais Joan les entraînait, pleine de confiance, faisant parader l'Équipe Nate par-delà la balustrade en bois qui bordait le lagon et les maisons où vivaient les lions de mer. Deux femelles lisses se prélassaient sur des rochers comme des sirènes. Après un tournant, Carson s'arrêta pour admirer la vue immense et splendide de la baie de Floride.

— Voilà donc les bancs de célibataires, dit-elle.

Une longue chaussée corail était recouverte du même toit de chaume de style insulaire qu'on retrouvait au lagon situé à l'avant. Il créait un espace ombragé pour les invités qui regardaient les dauphins. Chaque côté était bordé de grands enclos et cloisonné pour abriter différentes paires ou petits groupes de dauphins.

Une fois qu'ils eurent atteint le quai cloisonné que Nate utiliserait aujourd'hui, Carson alla s'installer à l'ombre sur un banc.

— Vous êtes sûre de ne pas vouloir venir nager avec nous, aujourd'hui ? cria Joan. Vous êtes la bienvenue, et ce sera amusant.

— Non, merci. Je veux prendre des photos, répondit-elle.

Elle souleva son appareil-photo suspendu à son cou comme preuve de ce qu'elle disait.

— Nous avons un photographe, offrit Joan. Il fera en sorte de prendre plein de superbes clichés de Nate.

Carson ne répondit pas immédiatement.

D'un côté, elle avait envie d'aller dans l'eau avec Nate, de sentir la peau caoutchouteuse de la nageoire dorsale des dauphins sous sa main et de glisser dans le lagon. C'était une sensation unique. Mais elle ne pouvait pas envisager de nager avec un autre dauphin. Pas encore. Voir le regard intelligent et curieux de Delphine, entendre son sifflement aigu ou ses rires nasaux saccadés lui manquait. Nager avec un autre dauphin lui ferait trop de mal.

Elle fit non de la tête.

— J'ai un peu mal au cœur, répondit-elle. Il vaut mieux que je m'abstienne. Mais merci !

Carson se pencha vers son énorme sac en toile dans lequel elle transportait tout leur attirail et en sortit les lentilles qu'elle avait l'intention d'utiliser aujourd'hui. Des aboiements venant de l'extrémité du lagon attirèrent alors son attention et tournant la tête, elle eut la surprise de voir un grand chien noir sur le quai inférieur à l'extrémité du pavillon. La présence d'un chien si près des dauphins n'était pas normale. Curieuse, elle se leva et se joignit au groupe de touristes qui étiraient le cou pour observer l'interaction du grand chien noir avec l'un des dauphins. Ils riaient et pointaient du doigt.

Carson souleva son appareil-photo. À travers la lentille, elle vit le grand chien baisser son museau effilé tandis qu'il se rapprochait avec une lenteur insupportable du bord du quai. Le chien semblait rendre le dauphin tout aussi curieux, et celui-ci se dressait dans l'eau tout en s'inclinant davantage vers lui.

Carson retint sa respiration, le doigt sur le bouton.

Une fois le bord atteint, le grand chien s'arrêta. Le dauphin s'avança et toucha la truffe du chien de son rostre.

Carson cliqua.

– Je l'ai ! s'exclama-t-elle, tout sourire.

Elle se sentit comme si elle avait été le grand chien noir dont la queue se mit à remuer à cent à l'heure. Carson continua de prendre des photos tandis que le dauphin retournait vers le chien pour lui faire de nouvelles bises. Il était évident que les deux animaux s'amusaient.

Quand un homme arriva, saisit le chien par le collier et après lui avoir donné une petite tape, l'éloigna du bord du quai, elle baissa son appareil et se joignit au chœur de grognements venant de l'audience qui avait tant aimé ce moment de tendresse. L'homme attacha le chien à l'un des poteaux du quai et lui tapota encore plusieurs fois sa grosse tête. Il retourna ensuite sur le quai inférieur et regarda au loin. Carson s'aperçut alors que cet homme était Taylor.

Elle savait bien qu'elle aurait dû immédiatement retourner au quai de Nate, mais elle ne put résister à l'envie de regarder Taylor, sur son propre quai, donner des ordres à deux dauphins avec la même aisance et l'autorité que tout autre dresseur. Il travaillait avec deux mâles, l'un, énorme, l'autre, plus petit. Elle ajusta son appareil-photo et photographia Taylor en train de donner un ordre à la suite duquel les deux dauphins nagèrent sous l'eau. Multipliant les déclics, elle prit des clichés des dauphins en train de bondir vers le ciel en un saut synchronisé de toute beauté. Le grand dauphin atteignit une hauteur impressionnante, tandis qu'à ses côtés, le petit ne put s'élever si haut.

Carson eut un coup au cœur quand elle vit qu'une partie de la nageoire caudale du petit dauphin manquait, comme chez Delphine. Avec son appareil-photo, elle le suivit, en focalisant sur les détails. Quand il émergea de nouveau de l'eau près du quai pour recevoir un poisson, elle vit qu'une partie de sa nageoire dorsale était aussi manquante. La foule applaudit et Carson put prendre un superbe cliché du visage de Taylor souriant avec réticence.

— Je pourrais passer la journée à le regarder, confia à son amie une jeune femme à la gauche de Carson. Et je ne parle pas du dauphin.

— Humm-mm, convint son amie, avant qu'elles se donnent l'une l'autre un petit coup de tête amical en pouffant de rire.

Passant le groupe en revue, Carson ne put s'empêcher de remarquer que plusieurs des femmes avaient le regard fixé non sur les dauphins, mais sur leur beau dresseur. À l'aide de son appareil-photo, elle put saisir ses muscles exposés sous son t-shirt sans manche, le long maillot de bain qui lui tombait sous les hanches. En plus de sa belle allure, ses mouvements avaient toute la grâce de ceux d'un danseur. Ce qui le rendait encore plus attirant était son inconscience totale de toute l'attention dont il était l'objet. Il était strictement concentré sur les dauphins.

Carson baissa de nouveau son appareil, ressentant une indéniable accélération de son rythme cardiaque, et une attirance qui lui picotait la colonne vertébrale pour l'ancien Marine. Après tout, elle n'était qu'humaine. Mais au même moment, le visage souriant de Blake lui revint en tête, et elle se sentit coupable que son regard vague alors que c'était la première fois qu'elle était loin de lui.

Carson remit le capuchon sur sa lentille et se dépêcha de retourner de l'autre côté du pavillon où se trouvait le quai de Nate. Elle prit rapidement quelques photos du garçon qui était dans l'eau jusqu'à la poitrine et qui souriait jusqu'aux oreilles tout en donnant avec confiance des ordres au grand dauphin. Puis, elle retourna au banc et prenant son téléphone, elle appela Blake. Elle voulait entendre sa voix. Au cours des derniers jours, il avait était occupé par du travail de terrain, et il avait été impossible de le contacter par téléphone. Une fois de plus, l'appel de Carson fut dirigé vers sa boîte vocale.

En soupirant, elle remit son téléphone dans son sac, et levant la tête, elle vit Nate et le dauphin engagés dans une bataille d'éclaboussements que le dauphin était manifestement en train de gagner, pour le plus grand plaisir de Nate. Tout en observant ce spectacle, son esprit retourna à Blake. Jamais auparavant elle n'avait été amoureuse. Toutefois, pensait-elle, ce qu'elle éprouvait pour lui était peut-être de l'amour. Son attirance pour Taylor était un avertissement.

– Je vois, toujours en train de me harceler.

Carson redressa brusquement la tête et vit Taylor à côté du banc, un sourire malicieux sur la bouche. Il tenait un grand et épais harnais noir pour « chien d'assistance » attaché au grand chien noir qu'elle avait vu sur le quai. Celui-ci était tellement grand qu'assise sur le banc, elle était face à face avec lui.

– Taylor ! s'exclama-t-elle un peu trop fort, déconcertée qu'il l'ait surprise ainsi juste au moment où elle pensait à lui. Je ne savais pas si je vous reverrais. Et certainement pas en train de dresser des dauphins.

Le sourire de Taylor s'élargit et il prit place sur le banc à ses côtés. Il semblait plus détendu aujourd'hui, et elle se demanda si c'était grâce à sa séance avec les dauphins ou parce qu'il était avec son chien.

– Je ne vous avais pas dit que j'avais des séances ici ?

– Oui, mais je pensais que c'était comme celles de Nate, et non pas que vous les dressiez. Vous étiez superbe, en passant, ajouta-t-elle avant de rougir du double sens de son compliment. J'ai pris quelques photos. Regardez.

Il se pencha vers elle pour regarder l'écran ACL de son appareil, leurs épaules se touchant. Une fois de plus, elle ressentit son attirance pour lui comme un choc. Elle fit défiler les clichés, appréciant le son de son rire grave et à l'occasion, ses « celle-là est bonne ».

– Je voudrais des copies de celles de Thor avec le dauphin, dit-il.

– Bien sûr. Je vous les enverrai. Quelle est votre adresse courriel ?

– Je n'ai ni papier ni crayon, répondit-il.

– Aucun problème.

Elle se tourna pour fouiller de nouveau dans son sac et en sortit sa carte professionnelle.

– Voici ma carte. Vous n'avez qu'à m'écrire et je vous les enverrai.

– Super. Merci.

Il rangea la carte dans la poche de son short.

– Vous étiez fantastique avec les dauphins, répéta Carson.

– Il y a presque un an maintenant que je suis en formation ici.

Il sourit d'un air penaud.

– Ils m'ont offert un emploi.

Et comment ! se dit-elle. Les femmes feraient la queue à l'entrée pour acheter un billet.

– Toutes mes félicitations.

Elle sourit et en tournant la tête, son regard croisa deux yeux d'un brun sombre.

— Votre chien aussi ?

Il éclata de rire et tendit la main pour tapoter la tête du chien.

— Comme je suis mal élevé. Carson, voici Thor. Thor, dit-il ensuite au chien, dis bonjour à la jolie dame.

Thor déplaça son regard plein d'adoration de son maître vers Carson et lui donna son énorme patte.

— Ouah, dit-elle tandis que la patte lui frappait les genoux. C'est toute une patte que tu as là, mon beau.

Carson adorait les chiens, et tout particulièrement ceux qui étaient grands et doux. Thor lui rappelait Hobbs, le chien de Blake, avec sa grosse tête carrée, son large poitrail et ses oreilles tombantes. Il avait aussi de grands yeux mélancoliques dans lesquels elle pouvait se perdre. Ils lui rappelaient ceux de Blake.

— Quel chien magnifique, dit-elle à Taylor, qui regardait Thor avec affection.

— Ouais, c'est vrai, convint Taylor en lui tapotant de nouveau la tête. Il a pu échapper à la fourrière, pour ensuite être dressé comme chien d'assistance. C'est un bâtard, mais je pense qu'il a du danois, du labrador, et quelque chose d'autre qui lui a donné cette tache blanche sur le poitrail et qui fait penser à un éclair. Je suppose que c'est comme ça qu'il a hérité de son nom.

Carson se mit distraitement à gratter Thor derrière les oreilles, en réponse à quoi celui-ci se mit à remuer la queue. Taylor était un Marine avec un chien d'assistance, se dit-elle. Voilà qui était intéressant.

— Vous disiez que vous suiviez un programme avec Joan ?

Taylor regarda du côté de la chaussée où Joan, assise sur le quai, regardait Nate.

— J'étais avec le Wounded Warrior Project.

Elle n'en fut pas surprise. Elle avait pu lire que le Dolphin Research Center avait un programme pour les militaires blessés. Pourtant, quand elle pensait à un militaire blessé, elle imaginait une personne physiquement blessée.

Après un silence embarrassant, Taylor reprit d'une voix douce :

— Je sais ce que vous êtes en train de penser. Où sont ses blessures, hein ? Vous ne voyez aucune lésion.

Carson ne put répondre. Aussi direct qu'il ait été, il avait raison.

— On ne peut pas voir toutes les blessures, poursuivit Taylor, surtout pas celles causées par cette guerre. Évidemment, certains d'entre nous qui participons au Wounded Warrior Project ont des membres manquants ou sont en fauteuil roulant. D'autres ont des brûlures graves. Mais nous souffrons *tous* du syndrome de stress post-traumatique.

Carson savait beaucoup de choses sur ce syndrome. En effet, elle en avait étudié les symptômes après l'accident de Delphine, près du quai. C'était un état débilitant faisant suite à un événement terrifiant. Elle-même avait fait des cauchemars après l'incendie qui avait tué sa mère, et pendant des années, elle avait gardé enfoui au fond de son esprit ce souvenir traumatisant, pour seulement commencer à lui faire face aujourd'hui. Après l'accident de Delphine, elle avait été pleine de culpabilité et de regret, mais elle avait tout de même été capable de passer à autre chose. Ses lectures lui avaient aussi appris que l'état de stress post-traumatique laissait les gens engourdis émotionnellement, en particulier avec leurs proches. Apprendre une telle chose lui avait permis de comprendre le comportement agressif de Nate à son endroit.

— Je pense que Nate, mon neveu, souffre de ce syndrome depuis l'accident.

— Quel genre d'accident ?

– En fait, il y avait un dauphin. Delphine. Elle avait l'habitude de venir jusqu'à notre quai, à Sullivan's Island. Un matin, elle s'est prise dans les lignes de pêche et elle a été gravement blessée. Heureusement, on a pu l'envoyer dans un centre de réadaptation en Floride, mais ça a vraiment traumatisé Nate. Voyez-vous, c'était lui qui avait disposé les lignes de pêche.

Taylor jeta un regard plein de sympathie vers Nate.

– Pauvre gosse. Il a dû mal le prendre.

– Moi aussi, ajouta Carson, sa voix se brisant soudainement.

Elle se racla la gorge.

– Mais Joan a accompli un travail fabuleux pour lui faire dépasser cette étape.

– Pour ce genre de chose, elle est très forte.

– Pour quelles raisons vouliez-vous dresser des dauphins ? demanda-t-elle.

– En grande partie à cause de ce petit dauphin, là-bas.

Il fit un signe du menton pour indiquer le lagon.

– Lequel ?

Taylor examina les eaux, puis tendit le bras pour indiquer le petit dauphin.

– Le dauphin qui nage près du quai, celui qui est le plus près de nous. C'est Jax.

– Ah, oui, le tout petit. J'ai remarqué qu'il lui manquait une partie de sa nageoire caudale.

– Ouais, Jax est un véritable survivant. Il n'était qu'un delphineau quand on l'a trouvé, presque mort, dans les eaux proches de Jacksonville. C'est de là qu'il tient son nom. On l'a capturé et on l'a amené à Gulf World dans la ville de Panama. L'extrémité de sa nageoire dorsale, la moitié de sa nageoire gauche, de même qu'une partie de sa nageoire pectorale avaient été arrachées avant qu'il réussisse à s'enfuir. On peut toujours voir les cicatrices qu'ont laissées les dents du requin sur son flanc. D'après leurs dimensions, on pense qu'il a été attaqué par un requin-bouledogue.

Carson frissonna, se souvenant de ce qui avait failli lui arriver avec un requin-bouledogue plus tôt cet été.

– Il est probable que la mère de Jax a été tuée en tentant de défendre son delphineau. Quoi qu'il en soit, à Gulf World, on lui a sauvé la vie. Ensuite, il a été envoyé ici. C'est maintenant sa demeure permanente.

– Il n'a pas été remis en liberté ?

– En liberté, jamais il n'aurait survécu. Non seulement à cause de ses blessures, mais aussi parce que, sans sa mère pour lui apprendre à se débrouiller, il serait mort de faim ou aurait été la proie des requins. Il n'avait qu'un an environ quand il est arrivé ici. Maintenant, Jax fait partie de la bande. Bien sûr, il a ses blessures. Et il est plus jeune que les autres, il n'a pas fini de grandir, alors il ne saute pas aussi haut que les autres mâles.

Il sourit.

– Mais Jax s'en fiche. Il n'y a rien qu'il ne soit pas capable de faire. Il saute, il bondit, il fait chaque partie du programme avec tous les autres. Voilà pourquoi : pour les autres dauphins, Jax n'est pas blessé. Et Jax, lui non plus, ne considère pas qu'il l'est.

Il avala sa salive avec difficulté.

– Ça dit tout.

Carson entendit toute l'émotion qu'il y avait dans la voix de Taylor et comprit pourquoi il ressentait un lien si fort avec le brave jeune dauphin.

– Le directeur du programme nous a donné ceci, reprit Taylor en glissant la main dans son t-shirt pour en sortir une chaîne en argent.

Il se tourna pour qu'elle puisse voir une petite nageoire caudale de dauphin en argent attachée à une chaîne : la gauche était manquante.

– C'est la nageoire caudale de Jax.

Carson tendit la main et prit entre deux doigts la petite nageoire d'argent, caressant le contour finement ouvragé, avant de lever la tête et de regarder Taylor.

– Tante Carson !

Carson avait été tellement captivée par l'histoire de Taylor qu'elle n'avait pas remarqué que la séance de Nate avait pris fin. Elle fut surprise de constater à quelle vitesse le temps avait passé, et embarrassée de ne pas avoir prêté à Nate toute son attention. Celui-ci avançait vers elle au pas de course, les yeux brillants de sa séance, mais s'arrêta en voyant Taylor et Thor à ses côtés. Immédiatement, il devint méfiant.

– Nate, beau travail ! Je suis tellement fière de toi, s'exclama Carson. Viens ici. Je veux te présenter Taylor, un nouvel ami. C'était un Marine. Et tu ne devineras jamais : il dresse les dauphins !

Nate, sans mot dire, garda le regard fixé sur ses pieds.

Le silence de Nate ne sembla pas déranger Taylor le moins du monde.

– Salut, Nate. Voudrais-tu faire la connaissance de Thor ?

Celui-ci regarda le chien.

– Thor, c'est le nom du chien ? demanda-t-il.

– Oui.

Nate examina le chien avant de demander :

– Je peux le caresser ?

– Bien sûr.

Nate s'approcha lentement du chien, qui le regarda avec patience et garda son calme tout en supportant ses caresses.

– Il pèse combien ?

– Cinquante et un kilos de muscles, répondit Taylor avec une certaine fierté. Il adore nager dans l'océan.

– Avec les dauphins ?

– Non, les dauphins sauvages ne s'approchent pas assez de lui. Mais s'il pouvait, il adorerait.

Nate caressa encore un peu le chien, puis sa curiosité étant satisfaite, il se tourna vers Carson.

– J'ai faim.

– Ça ne me surprend pas, après toute cette nage. Rentrons au motel pour chercher un endroit spécial où dîner. C'est notre dernière soirée.

– Pourquoi ne me laisseriez-vous pas vous emmener dîner ? proposa Taylor. Puisque c'est votre dernière soirée…

Carson fut vraiment surprise par cette invitation. Elle ne s'y attendait pas le moins du monde. Taylor attendait sa réponse.

– Qu'en penses-tu, Nate ?

Celui-ci détourna le regard et haussa les épaules.

Au plus profond d'elle-même, une sonnette d'alarme s'était mise à retentir, lui disant de décliner cette offre par quelque prétexte. N'en tenant aucun compte, elle répondit :

– D'accord, c'est vraiment gentil. Mais je dois vous prévenir, il faudra aller dans un restaurant qui sert des mets que Nate accepte de manger. Il est un peu difficile.

– J'ai faim *maintenant*, intervint Nate.

– Moi aussi, petit, dit Taylor. Allons prendre une douche, puis je passerai à votre motel et nous irons directement manger. Le restaurant Le Naufrage est à deux minutes et ils ont un menu standard. Ce sera un déjeuner tardif ou un dîner prématuré. Comme vous préférez.

Tu peux lui donner le nom que tu veux, pourvu que ce ne soit pas un rendez-vous romantique, se dit Carson tout en lui souriant.

~

– Allez, Nate, éteins ton jeu, ordonna Carson. Il est temps d'aller au lit.

– Non, pas tout de suite. Juste encore un peu, gémit Nate.

– Nous avons presque terminé ce niveau, ajouta Taylor sans détourner le regard de l'écran.

– Vous n'aidez pas, le sermonna Carson en fronçant un sourcil dans l'espoir de lui transmettre une espèce de signal adulte silencieux.

Taylor détourna brièvement la tête de l'écran et la regarda d'un air taquin avant de retourner au jeu vidéo.

Carson était dans la cuisinette en train de déguster un café et de regarder l'homme imposant et le menu garçon assis ensemble sur le futon en face de l'écran du jeu. Vraiment, la vie était pleine de surprises, se dit Carson, mais Taylor était le champion. C'était déjà surprenant de découvrir qu'il dressait des dauphins. Puis, il leur avait proposé de dîner avec lui, dîner qui, par ailleurs, avait été charmant. Mais la dernière chose à laquelle elle se serait attendue était de voir Taylor et Nate devenir de si grands camarades. Qui aurait pu deviner qu'il se formerait un lien entre eux par l'entremise des jeux vidéo ? Nate était fasciné par son nouveau héros : Taylor connaissait tous les codes permettant de tricher.

L'attirance qu'elle ressentait pour lui était un autre sujet de surprise. Taylor s'était présenté au motel vêtu d'une chemise à manches longues et d'un pantalon bien repassé. Elle avait toujours eu un faible pour un homme bien habillé. Le col de sa chemise était déboutonné, et le blanc éclatant créait un contraste avec sa peau bronzée. Le dîner lui-même avait été agréable, encore qu'un peu embarrassant avec Nate. Ce n'était pas une sortie romantique (ne cessait de se rappeler Carson), mais cela donnait l'impression que s'ils avaient été seuls, ça aurait pu l'être. Cette possibilité la rendait nerveuse. Ils étaient simplement amis, se répéta-t-elle. Il n'y avait pas de raison pour se sentir coupable. Mais alors, pourquoi était-ce précisément ce qu'elle ressentait ?

Elle prit son téléphone pour vérifier ses messages. Toujours aucune nouvelle de Blake. Bon sang, combien de temps serait-il donc sur le terrain ? Elle avait besoin de lui parler, d'entendre sa voix. De se sentir liée à lui. Il fallait aussi qu'elle envoie promener Taylor.

— Désolée les garçons, il est temps d'arrêter. Nous devons partir tôt, demain matin. Je ne veux pas entendre de plainte, répondit-elle automatiquement à Nate qui s'était immédiatement mis à protester. Nous allons voir Delphine, tu te souviens ?

Le fait de mentionner Delphine suffit à calmer Nate qui s'était d'abord emporté. Il soupira, surtout pour la forme, puis sauvegarda rapidement la partie et abandonna sa manette.

– Je pense que tu peux maintenant jouer les yeux fermés, mon pote, lui assura Taylor.

– Mets ton pyjama et brosse-toi les dents pendant que je prépare ton futon, d'accord ? dit Carson.

Nate se leva, les épaules affaissées et commença à s'éloigner.

– Qu'est-ce qu'on dit à Taylor ? demanda Carson en l'arrêtant.

– Merci, répondit-il consciencieusement.

Taylor lui sourit.

– Heureux d'avoir fait ta connaissance.

Nate ne répondit pas. Il se rendit à toute vitesse dans la chambre à coucher, fermant la porte derrière lui.

Carson regarda avec affection le petit corps de Nate en train de se retirer.

– Il a vraiment aimé, Taylor. Il lui arrive rarement de s'entendre si bien avec un inconnu. Il pense que vous pouvez marcher sur l'eau. Comment avez-vous appris à si bien jouer ?

– Je ne suis pas si bon que ça, répondit Taylor modestement. J'ai joué à beaucoup de jeux de réalité virtuelle pour ma thérapie de syndrome de stress post-traumatique.

– Vous avez joué à des jeux vidéo comme thérapie ?

Cette idée semblait des plus fantasques.

– En fait, la théorie est qu'en reconstituant l'expérience traumatique ou en faisant face à une peur irrationnelle dans un endroit sûr, on prendra l'habitude de cette expérience. Ou de cette peur. Le traumatisme reste, mais il devient gérable. Pour moi, ç'a marché.

– Et les codes pour tricher ?

– Ah, ça…

Il se frotta la mâchoire.

– Je les ai trouvés moi-même.

Elle lui adressa un sourire.

– Je dois mettre Nate au lit. Devez-vous partir ?

– Je peux rester encore un peu.

– Ah, dit-elle avec surprise. Je n'en ai que pour quelques minutes. Ça ne vous gêne pas d'aller m'attendre sur le patio ? Il y a des chaises.

Du doigt, elle désigna alors le futon et ajouta pour lui expliquer :

– C'est le lit de Nate.

– Bien sûr, répondit aimablement Taylor. J'en profiterai pour en griller une.

Mon Dieu, se dit-elle en suivant Nate dans la chambre à coucher. Qu'était-il donc en train de se passer ? Nate n'avait pas besoin de beaucoup d'aide. Il avait neuf ans et il connaissait son programme. En plus, elle avait cru son allusion évidente et qu'il était temps pour Taylor de partir. Aller au restaurant en sa compagnie s'était assez bien passé ; et avait été innocent. Il n'y avait rien de mal non plus dans le fait d'être assise en public et de bavarder avec lui. Mais être seule avec lui ce soir dans le cottage, c'était une tout autre histoire. Surtout avec l'électricité sous-jacente qu'il y avait entre eux.

Une fois que Nate fut prêt à se mettre au lit, Carson et lui retournèrent dans la chambre principale. Il sauta sur le futon et elle le borda. En l'observant bâiller, en regardant sa peau bronzée, Carson se dit qu'à bien des égards, il était redevenu le petit garçon qui avait l'habitude de sauter dans la crique et de nager comme un poisson, plus tôt cet été. Le garçon qui gardait ses sourires pour elle. Venir ici avait été la bonne décision. *Merci, Harper,* se dit-elle, *d'avoir eu l'idée d'emmener Nate ici. Et merci, Dora, de me l'avoir permis*. Peut-être même pourraient-ils maintenir cette bonne atmosphère une fois de retour à Sea Breeze. Mais, elle le savait au fond d'elle-même, les choses dépendaient de ce qui adviendrait le lendemain avec Delphine.

– Bonne nuit, Nate. Je serai juste dehors.

– Tante Carson ?

– Oui ?

– Penses-tu que Delphine se souviendra de moi ?

D'abord, elle ne répondit pas. Elle s'était demandé ce qu'il pouvait se dire au sujet du dauphin. Maintenant, elle savait qu'il était inquiet. Peut-être même rongé par la culpabilité. Elle s'assit à ses côtés, sur le futon.

– Je ne peux pas te le dire avec certitude, mais je pense que oui. Elle est très intelligente. Elle s'est souvenue de moi.

– Mais toi, elle t'aime.

Carson reçut un coup au cœur.

– Oui, Delphine m'aime. Mais toi aussi, elle t'aime.

Nate lui répondit tout en bâillant :

– Moi aussi, je l'aime. Je l'aimerai toujours. Même si je ne la revois plus jamais, après demain.

La vérité sort de la bouche des enfants. Carson sentit son amour pour le petit garçon s'épanouir dans son cœur. Il avait dû en discuter avec Joan. Ce petit comprenait mieux la différence entre un dauphin sauvage et un dauphin vivant dans un établissement que la plupart des adultes.

– Je n'aurais pas pu le dire mieux moi-même, dit-elle. Bonne nuit, beaux rêves, pas de puces, pas de punaises.

– Il n'y a pas de punaises, répondit-il machinalement. J'ai vérifié.

La manière littérale qu'avait son brillant esprit de fonctionner fit rire Carson.

– Bonne nuit, répéta-t-elle avant de se rendre jusqu'à la porte et d'éteindre en sortant.

Dehors, elle put entendre le doux clapotis des vagues sur le rivage. Elle vit sa silhouette aux larges épaules sur leur patio, en train d'observer le golfe. Une traînée de fumée s'élevait de sa cigarette.

– Ah, vous voilà, dit-elle pour s'annoncer.

Taylor jeta sa cigarette par terre et l'écrasa.

– Il faudrait que j'y aille.

– D'accord, répondit-elle, sans être sûre si elle était soulagée ou déçue.

Il se rapprocha d'elle, et dans la noirceur elle put voir les contours de son visage ; de son nez aquilin robuste, de ses lèvres pleines. *Seigneur que son visage est beau,* pensa-t-elle.

– J'ai passé une belle soirée, déclara-t-il.

– Moi aussi. Et Nate, se dépêcha-t-elle d'ajouter. C'était gentil de votre part de nous emmener dîner pour notre dernière soirée.

Un silence embarrassant suivit. Elle sentait comme une caresse sur sa peau la brise étouffante de cette nuit d'été, chargée de la senteur de la mer et d'une douceur aux notes musquées. Elle sentait à quel point il était proche d'elle, ce faible écart qui les séparait diminuant imperceptiblement tandis qu'ils se rapprochaient l'un de l'autre et que leur désir augmentait, spontanément.

Comme le dauphin et le chien, un peu plus tôt sur le quai, ils s'approchaient l'un de l'autre, tous deux hésitants, presque timides. Elle ferma les yeux, s'abandonnant à cet élan. En un mouvement, leurs lèvres se touchèrent. Ses lèvres pulpeuses se pressèrent contre les siennes. Ses bras si puissants l'entourèrent, tandis qu'ils se serraient de plus en plus fort l'un contre l'autre.

Ce baiser était si bon.

Et pourtant, c'était mal.

Carson ouvrit les yeux, son dos se raidissant. Elle plaqua ses mains contre Taylor et s'écarta, la lumière diminuant dans ses yeux. Elle regarda le clair de lune pour permettre à son souffle de se ralentir et de retrouver ses esprits. Que se passait-il donc dans sa tête ? se demanda-t-elle. Son corps avait apprécié ce baiser, et ce n'était pas son genre de ne pas simplement suivre ses sensations. L'ancienne Carson aurait embrassé cet homme avec plaisir et intensité. Elle le désirait. Pourtant, ce soir, même le moindre baiser semblait être une trahison.

— Carson ?

La voix de Taylor était hésitante, mais il continuait tout de même de lui tenir les avant-bras.

— Je suis désolée, dit-elle, sans savoir exactement comment expliquer ce qu'elle ressentait. Je ne peux… Je fréquente quelqu'un.

— Oh, répondit-il en laissant aller ses avant-bras et en reculant d'un pas.

Carson laissa échapper un souffle et releva sa longue chevelure de son dos.

— C'est tellement bizarre. Je ne sais pas quoi dire.

— Êtes-vous fiancée ?

— Non, répondit-elle en remuant la tête. Non, répéta-t-elle.

— Voilà qui me rend heureux.

Cependant, Carson ne voulait pas l'encourager.

— Mais nous avons un accord. Nous sommes plutôt exclusifs.

— C'est une chose que je respecte, déclara Taylor.

Un oiseau chanta dans la nuit, produisant un son mélancolique.

— Il vaut mieux que j'y aille.

— Écoutez, Taylor, l'arrêta-t-elle. Je suis vraiment contente d'avoir fait votre connaissance. Vous êtes vraiment quelqu'un de bien.

Elle se pencha vers lui et l'embrassa sur la joue.

— J'étais sérieuse quand je vous ai dit de passer me voir si vous étiez dans les environs de Sullivan's Island. Nous pourrions être amis, non ?

Il la regarda avec un sourire en coin.

— Bonne chance avec Delphine, demain.

Carson le regarda s'éloigner avec une pointe de regret. Taylor n'avait pas répondu à sa question.

CHAPITRE 16

SULLIVAN'S ISLAND

La lune n'était qu'un fin croissant dans le ciel. Au nord, Vénus brillait de tous ses feux. Harper était assise au bord du quai, les pieds ballants dans l'eau fraîche, et elle regardait le ciel nocturne en pensant à quel point elle aimait être ici, assise sous ce ciel qui ressemblait au drapeau de la Caroline du Sud. Quand donc avait commencé cette histoire d'amour avec la côte ? se demanda-t-elle.

Elle remua les jambes d'avant en arrière en sentant la puissance du courant. Elle avait toujours aimé venir ici, mais pendant son enfance, pour elle, Sea Breeze était une espèce de camp d'été. Un endroit où elle pouvait agir en liberté et s'amuser avec d'autres filles. Un endroit duquel on rentrait à la maison. Comme l'avait dit Dora, être à Sea Breeze, ce n'était pas la vraie vie.

Vraiment ? Cet été, Harper était revenue en tant que femme (en dépit de l'insistance avec laquelle Mamaw persistait à les appeler ses « filles de l'été »). Au cours des derniers mois, elle s'était mise à penser que la vie au rythme plus lent qui régnait ici, sur la côte, était en fait réelle. C'était tout simplement fort différent de ce qu'elle connaissait à New York, dans les

Hamptons ou en Angleterre. Ou bien alors, pensa-t-elle, cet été était-il seulement un répit à toutes les exigences pressantes et aux attentes auxquelles elle devrait faire face une fois qu'il serait terminé ?

Elle entendit des pas sur le quai, sentit leur vibration et tournant la tête, aperçut une silhouette sombre en train de s'approcher d'elle.

— Dora ? demanda-t-elle.

— Je t'ai trouvée ! s'exclama Dora en descendant sur le ponton inférieur. Qu'est-ce que tu fais ici, toute seule ?

— Rien.

— Je peux te tenir compagnie ?

— Avec plaisir.

Harper tapota le ponton à côté d'elle.

Elle sentit l'odeur du parfum floral de Dora tandis qu'elle s'installait à ses côtés et glissait ses pieds dans l'eau noire.

— Ça fait bizarre d'être ici sans Carson, dit Dora.

— Ouais. Je m'attends presque à voir Delphine sortir la tête de l'eau. Pauvre Delphine…

En pensée, elle se représenta le gentil sourire du dauphin et prit soudainement conscience des conséquences de leurs actions.

— Quand Carson rentre-t-elle ?

— Je ne suis pas sûre. Demain ou après-demain.

— J'ai vu au bulletin météo qu'une tempête tropicale se prépare au large de l'Afrique. Selon les simulations informatiques, elle se dirige vers nous.

— Je t'en prie…, contra Dora en agitant la main. Chaque fois qu'il y a du mauvais temps dans cette région, les météorologues perdent la tête et nous mettent en état de panique. Je te jure qu'ils sont déçus si la tempête se dirige ailleurs. Je ne m'occupe donc pas des avertissements à moins que la tempête ne s'approche de la côte.

Harper était du genre à étudier les simulations informatiques et en ce moment, la majorité indiquait qu'une tempête s'abattrait sur Charleston.

– Tu vis ici depuis plus longtemps que moi, concéda Harper. Si Carson revient demain, elle devancera la tempête de justesse. J'espère qu'elle et Nate ne se retrouveront pas sous le déluge en voiture.

Le visage de Dora s'assombrit à la seule possibilité que Nate se retrouve dans une tempête.

– Je vais peut-être jeter un coup d'œil à ces avertissements de tempête.

Harper vit l'inquiétude sur le visage de Dora et regretta d'avoir abordé ce sujet.

– Tout ira bien pour eux, dit-elle pour la consoler.

– Oui, bien sûr…

La voix de Dora était troublée.

– Nate doit beaucoup te manquer.

– Terriblement. Avoir un peu de temps pour moi-même a été merveilleux, mais ça a assez duré. Je veux que mon bébé rentre à la maison.

– Moi aussi, il me manque.

Dora tourna le visage en direction de Harper.

– Passer tout ce temps avec toi cette semaine a aussi été vraiment bien.

Harper sourit, le regard fixé sur l'eau.

– J'ai appris à mieux te connaître, poursuivit Dora. Je me sens plus proche de toi. J'essaie de me libérer de mes vieux modes de comportement, et tu m'as vraiment aidée.

Elle fit une pause.

– Merci.

Harper leva la tête et, au clair de lune, vit dans les yeux de Dora qu'elle était sincère.

– Nous sommes sœurs, répondit-elle. Tu n'as pas besoin de me remercier.

Un grand sourire apparut sur son visage.

Dora afficha à son tour un grand sourire et hocha la tête, tout en regardant le clair de lune danser sur les eaux.

— Voilà qui me plaît.

— Tu sais, je ne sais qui, de Nate et toi, a été le plus difficile à convaincre de le laisser partir.

Dora éclata de rire.

— Je pense que le simple fait qu'il ait accepté de monter en voiture avec Carson était un miracle ! Mais je dois lui concéder qu'elle a fait du bon travail. Tous les jours, elle m'envoie des photos des progrès de Nate. Il est si beau, si bronzé. Et lui qui est un enfant qui ne sourit jamais, il est toujours tout sourire ! C'est un côté de mon petit garçon que je vois rarement. J'ai envoyé les photos à Cal. Il faut qu'il constate cet aspect de son fils.

Elle marqua un temps d'arrêt.

— Carson ne semble pas avoir de problème à s'amuser avec Nate, n'est-ce pas ?

— Carson ? Elle n'a aucune difficulté à s'amuser avec qui que ce soit. Elle est douée pour ça.

— Tout comme toi. Toi aussi, tu joues avec Nate. Aux jeux vidéo.

— Oui, eh bien…, répondit-elle avec hésitation, se souvenant des mots secs de Dora quand elle l'avait surprise en train de jouer avec Nate.

— Je n'aurais pas dû te parler sur ce ton. Je suis tellement désolée. Ce… Ce ne sont pas les jeux vidéo qui m'ont mise en colère. J'étais jalouse, reconnut-elle.

— Jalouse ? demanda Harper, choquée par cette confession. Mais de quoi ?

— Jalouse que tu aies trouvé une manière de t'amuser avec lui. Tout comme Carson. Ce n'est pas facile à admettre, mais moi, je ne sais pas comment m'y prendre.

Elle donna un coup de pied vigoureux dans l'eau.

– C'est ton fils, répondit alors Harper, incapable de comprendre comment une mère pouvait ignorer comment jouer avec son propre enfant.

– Ce sont les mères qui déterminent les règles. Ce n'est pas toujours un travail amusant. Il doit y avoir un équilibre, et maintenant, je vois bien que j'ai été tellement obsédée à aider Nate avec son syndrome d'Asperger que j'ai oublié de m'amuser avec lui. Je ne veux pas seulement assurer sa garde, être celle qui lui dit quoi faire, qui range ses affaires, qui le nourrit.

Dora regarda sa sœur.

– Dans la cabine d'essayage, tu m'as dit quelque chose qui m'a fait réfléchir.

– Oh-oh…

Harper se rappelait avoir dit des choses bien dures dans ce petit endroit.

– Non, vraiment, c'était bien. Je sais que Nate m'aime.

Dora prit une grande respiration.

– Mais je ne suis pas convaincue qu'il me trouve vraiment sympathique.

– Oh, Dora, bien sûr qu'il te trouve sympathique.

Dora haussa les épaules et ajouta d'une voix triste :

– Il n'aime pas jouer avec moi.

– Ce n'est pas difficile. Tu n'as qu'à trouver quelque chose que *lui* aime.

– J'essaie… mais ce n'est pas facile avec Nate. Il n'aime pas les jeux d'imagination et la plupart du temps, il préfère jouer seul. Avec lui, j'ai tenté de jouer à un nombre incalculable de jeux éducatifs et j'ai organisé de multiples sorties instructives ou visant à l'aider à acquérir certaines compétences. Mais il m'ignore.

– C'est justement le problème. Arrête de te comporter en éducatrice et contente-toi de t'amuser avec lui.

– Mais je *suis* son éducatrice. J'aime Nate plus que la vie même. J'essaie de lui rendre l'existence plus facile, de faire de lui, d'une manière ou d'une autre, quelqu'un de meilleur. Il a besoin d'aide pour apprendre à faire face au monde ordinaire.

– Mais pas constamment. Juste comme il est, Nate est déjà un garçon tout à fait remarquable. Au lieu d'essayer de le changer, une fois de temps en temps, essaie de passer un peu de temps avec lui, sans programme. Vois ce qui l'intéresse. Il te le fera savoir.

Dora se cacha le visage dans ses mains.

– Mon Dieu, je sais bien que tu as raison.

– En fait, c'est ma propre expérience qui te parle, poursuivit Harper. Il y a une différence entre le fait d'obliger tes enfants à faire ce que *tu* veux qu'ils fassent et simplement les laisser découvrir eux-mêmes ce qu'*ils* veulent faire.

– C'est ce que ta mère a fait ?

– Et comment, répondit Harper. C'est d'ailleurs pour cette raison que j'ai toujours aimé venir ici, à Sea Breeze. Mamaw nous laissait faire ce que nous voulions et jouer à nos propres jeux.

Elle laissa échappa un petit rire de plaisir.

– Tu sais, chaque fois que je repense aux plus beaux moments de mon enfance, ils ont toujours eu lieu ici, à Sea Breeze.

– Moi aussi.

– Nous avons vraiment passé des étés formidables, non ?

Comme Dora ne répondait pas immédiatement, Harper tourna la tête et la vit regarder dans la direction de la crique, comme si elle se repassait ses propres souvenirs en pensée. Au clair de lune, sa chevelure paraissait d'un ton doré presque surnaturel.

– Oui, tout à fait, répondit-elle finalement d'une voix absente.

– Alors, voilà ta réponse. Sois comme Mamaw et fais la même chose avec Nate. Laisse-le agir à sa guise. Allez explorer ensemble. Amusez-vous tous les deux simplement pour le plaisir de le faire ensemble.

Elle remua le doigt.

– Sans planifier de leçon. D'accord ?

Dora éclata de rire.

– D'accord.

Harper prit une grande respiration, puis posa à Dora la question qui la taraudait ces derniers jours.

– Dora, vas-tu présenter Nate à Devlin ?

Dora s'appuya sur ses bras.

– Je ne sais pas. Je pense que non. Pas tout de suite.

– Pourquoi pas ?

– Il n'y a rien qui presse. Nate a du mal avec les changements. Il est déjà affecté que son père ne soit pas là. Il pourrait se sentir menacé si Devlin entrait en scène dès maintenant. En plus, sur un plan purement égoïste, je veux passer un peu de temps seule avec lui.

– Es-tu certaine de ne pas être en train de repousser Devlin ?

Dora remua la tête.

– J'y ai pensé, mais non. Pas du tout.

– Je pense qu'il est bon pour toi.

– C'est vrai ? demanda Dora, enchantée d'entendre que c'était ce que Harper pensait, elle qu'elle était en train d'apprendre à respecter. Pourquoi ?

– Il est le yin de ton yang. Il est plus détendu que toi, un peu plus fou, terre à terre. Il n'a pas peur de mettre le bazar. Je pense que ce type pourrait t'apporter l'équilibre que tu recherches.

Dora eut l'impression que les commentaires de Harper allumaient une lumière en elle. Elle se sentit rayonner de plaisir.

– Nous sommes sortis ensemble quand nous étions adolescents, et ensuite à l'université.

Elle jeta un coup d'œil à sa sœur avant d'ajouter :

– Tu sais, il a été mon premier.

Harper, surprise, leva la tête. Elle ne l'avait pas soupçonné. Elle sourit pour encourager Dora à poursuivre, se délectant de ce rare moment de véritable rapprochement entre sœurs.

– Ce n'est pas qu'il y en ait eu beaucoup d'autres, reprit Dora après un éclat de rire embarrassé. À part Cal, Dev est le seul autre homme avec qui j'ai couché.

– Vraiment ? demanda Harper d'une voix incrédule.

– Pourquoi ? Avec combien d'hommes as-tu couché, toi ? questionna-t-elle, un peu sur la défensive.

Harper éclata de rire.

– Je ne sais pas au juste, répondit-elle en éludant la vérité.

Elle ne voulait pas choquer sa sœur avec ce qu'elle considérerait comme un scandale juste au moment où elles commençaient à s'entendre.

– Un peu plus que deux, je suppose. Disons seulement qu'aucun d'eux n'était mémorable.

Dora esquissa un petit sourire suffisant, indiquant qu'elle savait bien que Harper était en train de se montrer évasive.

– Mmh-mmh, bien sûr…

– Sérieusement.

– Un homme t'a-t-il déjà dit qu'il t'aimait ?

– Bien sûr. Très souvent, affirma Harper avec désinvolture. Le problème est que je ne les crois jamais.

Dora la regarda avec incertitude.

– Je suis ce qu'on pourrait appeler un bon parti, indiqua Harper en levant les doigts pour former des guillemets. Je suis assez jolie, bien élevée, j'ai (ou plutôt, j'avais) un bon emploi. Mais ce n'est pas mon principal attrait. Non, Madame, dit-elle d'une manière pleine d'autodérision. Je suis une héritière. Riche. Avec une ascendance. J'ai tout ce qu'il faut. Les mères me jettent leurs fils en pleine figure.

Elle rit avec amertume.

— Chaque fois qu'un homme me dit qu'il m'aime, je ne sais jamais au juste si c'est moi qu'il désire, ou bien ma fortune.

— Mais malgré tout, tu n'es jamais tombée amoureuse? D'aucun d'eux?

Harper considéra sérieusement cette question, laissant son visage passer en revue les divers visages des hommes qu'elle avait connus pendant son adolescence et dans la vingtaine.

— Il y en avait certains qui me plaisaient beaucoup, un ou deux que j'ai fréquentés pendant plusieurs mois. En Angleterre, il y avait un type pour lequel ma grand-mère a presque fait publier les bans.

Harper haussa une épaule avec insolence.

— Malheureusement, il lui plaisait plus qu'à moi. Franchement? Je suis incapable de dire que j'ai déjà été amoureuse. C'est plutôt triste, non?

— Tu n'as que 28 ans! répondit Dora avec un rire frivole. Il te reste beaucoup de temps. Mon Dieu, à t'entendre, on penserait que tu es décrépite.

Harper ne rit pas. Elle ne voulait pas prendre cette question à la légère.

— Pense à notre père et à son parcours. Il n'est jamais tombé amoureux de qui que ce soit. Il était incapable de s'engager. En plus, on m'a toujours dit que les James ne se marient pas par amour.

Elle changea de voix, affectant un accent typique de la haute bourgeoise britannique :

— Les James se marient pour contracter des alliances.

Elle esquissa un sourire suffisant.

— Il y a des générations que mes ancêtres se marient pour l'argent.

— Comme c'est royal de votre part, la taquina Dora.

La vérité de ce commentaire fit rire Harper.

— Dieu sait que ma mère n'a jamais aimé qui que ce soit sinon elle-même. Honnêtement, je ne crois même pas qu'elle soit capable d'éprouver ce sentiment, pas même pour sa propre fille. Elle abhorrait notre père.

Dora éclata de rire.

– Tu veux dire que, finalement, Mamaw avait raison ? Ta mère le voulait strictement pour son sperme ?

– J'en ai bien peur, répliqua Harper en rougissant un peu. Mais ne lui dis jamais que j'ai dit une chose pareille. Je ne pourrai jamais surmonter le fait que je suis le fruit d'une union aussi malavisée.

– Motus et bouche cousue. Mais je suis tout de même contente qu'elle l'ait fait. Je t'ai comme sœur.

Peut-être était-ce le côté singulier de l'enchantement intime que la nuit semblait jeter sur elles tandis qu'elles avaient les pieds ballants dans l'eau fraîche, mais Harper ressentit finalement qu'elle pouvait partager ses sentiments les plus secrets.

– Penses-tu qu'il puisse y avoir quelque chose qui, fondamentalement, ne marche pas avec moi ?

– Quoi ? laissa échapper Dora. Mon Dieu, mais non !

– J'y ai pensé ces derniers temps, persista Harper. Peut-être qu'il appartient à ma lignée génétique d'être incapable d'aimer. Ça m'inquiète. Peut-être manque-t-il quelque chose dans mon ADN.

Dora s'étira pour poser sa main sur celle de Harper.

– Tu es folle si tu penses une chose pareille. L'amour est là, quelque part. Il te suffit de le trouver.

Harper sourit faiblement.

– Je veux croire à l'amour, se confessa-t-elle. Mais je ne suis pas prête à me caser. Je refuse d'être enchaînée par ma fortune. Je ne serai *pas* comme ma mère, dit-elle avec feu. Je vais attendre le véritable amour.

Dora examina sa sœur.

– Harper, quelle sagesse chez une si jeune femme, déclara-t-elle lentement.

Quelque peu embarrassée par ce compliment, Harper donna un coup de coude dans les côtes de Dora.

– Ce côté romantique doit me venir des Muir, non ? Considérant la grande histoire d'amour entre le pirate gentilhomme et Claire, n'est-ce pas ?

Dora rit, puis regarda l'eau à l'horizon, perdue dans ses pensées.

– Et toi ? demanda Harper. Tu disais que, peut-être, qui sait, tu étais amoureuse de Devlin. Donc, tu as vraiment décidé de quitter Cal ?

Le visage de Dora prit un air déconcerté.

– C'est justement ce que je me demande, répondit-elle.

Elle remua la tête et poursuivit à voix basse :

– C'est tellement difficile de savoir quoi faire au juste. Je ne sais vraiment pas.

– Qu'est-ce que tu ne sais pas ? Tu sais que Devlin t'aime. Et Cal, lui ?

Dora eut l'air piégée.

– En tout cas, je sais qu'il a besoin de moi.

– Oh, fantastique, s'exclama Harper en levant les bras. C'est tellement romantique.

Elle tourna la tête vers Dora.

– Tu viens tout juste de me raconter comme tu t'amuses avec Devlin. Pourquoi ça ne pourrait pas être comme ça avec ton *mari* ? Dora, tu es une personne qui prend soin des autres. C'est comme ça que tu es. Bon, il va de soi que prendre soin de Cal est un aspect du mariage, et même un aspect important. Mais t'amuses-tu avec lui ?

Dora frissonna faiblement.

– Non.

– C'est bien ce que je pensais. Je t'ai observée ces dernières semaines, et il est évident que tu t'amuses avec Devlin.

– Mais est-ce que ça suffit pour une relation ?

— C'est déjà un début. Avec tout le respect que je te dois, tu es tellement pointilleuse pour ce que tu penses qu'un mariage *devrait* avoir l'air. Eh bien, qu'est-ce que ça t'a apporté, jusqu'à maintenant ?

Dora garda le regard rivé sur l'eau.

— Laisse-moi te poser une autre question. Tu veux rester avec Cal ou rester mariée ?

Dora ne répondit pas. Elle demeura assise à tourner son alliance sur son doigt.

Harper demanda doucement :

— Es-tu *amoureuse* de lui ?

Dora leva la main gauche. L'éclat de l'or reluisit au clair de lune.

— Tout à l'heure, quand tu me disais à quel point tu te sentais enchaînée par ta fortune, tout ce à quoi je pouvais penser était à quel point je me sens enchaînée par mon mariage. En ce moment précis, poursuivit Dora en soulevant de nouveau sa main gauche, cette alliance me pèse comme des menottes, aussi lourde et contraignante que l'institution avec laquelle je ne veux plus rien avoir à voir.

Dora déposa sa main sur ses cuisses.

— Lorsque je l'ai épousé, j'aimais Cal.

Son regard croisa celui de Harper.

— Mais non. Je ne suis plus amoureuse de lui. C'est terminé.

En regardant son alliance, elle s'écria :

— Je veux être libre !

Elle se mit à tirer l'alliance sur son doigt, mais l'anneau était si ajusté qu'il ne pouvait glisser.

— Qu'est-ce que tu fais ? s'enquit Harper.

— J'ai cette alliance au doigt depuis 14 ans, affirma Dora avec un accent de panique dans la voix. Elle ne veut pas s'en aller.

— D'accord, mais arrête de tirer dessus, l'intima Harper. Tu es en train de faire enfler ton doigt davantage. Mets plutôt ta main dans l'eau fraîche.

Dora se pencha aussi loin qu'elle put au-delà du quai et mit la main dans l'eau.

– Pourquoi veux-tu l'ôter maintenant ? l'interrogea Harper, surprise par l'impétuosité de sa sœur, habituellement si prudente.

– C'est à cause de toi, admit Dora en remuant la main dans l'eau. Après que tu as parlé de chaînes, j'ai été incapable de m'ôter cette image de la tête. Il faut que je l'enlève.

Dora retira alors sa main de l'eau et se déplaça pour s'asseoir sur le quai. Elle saisit de nouveau son alliance.

– Attends, attends, dit Harper en plaçant sa main sur celle de Dora pour l'arrêter. Ma grand-mère James a déjà eu une bague prise à l'un de ses doigts. Un bijoutier est venu et l'a coupée.

Elle éclata de rire.

– La bague, pas son doigt. Mais dans un premier temps, il lui a fait tremper la main dans de l'eau froide, puis il l'a fait glisser le long de son doigt tout doucement pour que la peau ne bloque pas à la jointure. Il avait utilisé de la crème à main. Ou alors, on pourrait utiliser du savon. Je vais rentrer…

– Laisse-moi d'abord essayer.

Dora laissa échapper un souffle, puis très lentement fit glisser et tourner l'alliance.

– Je pense qu'elle vient.

Elle continua, faisant tourner l'alliance sur sa jointure tout en grimaçant de douleur. Lentement, l'alliance glissa le long de son doigt.

– Je l'ai retirée ! s'exclama-t-elle finalement en tenant l'alliance en or haut dans les airs entre ses deux doigts.

Harper poussa un cri de victoire en attirant la main de Dora, qui était rose et macérée par l'eau, pour la regarder. Sous la jointure, son annulaire était blessé.

– Je suis libre ! hurla Dora en levant le poing dans les airs en signe de triomphe.

– Pas légalement, contra Harper en laissant aller sa main. Pas encore, du moins, rectifia-t-elle.

– Peut-être. Mais à partir de maintenant, Cal peut se débrouiller tout seul !

– Dora, dit Harper. Je pense que nous étions destinées à découvrir ces menottes, cet été.

Elle se pencha vers sa sœur, les yeux brillants.

– Faisons un pacte. Toi et moi, nous ne serons jamais plus enchaînées par les attentes des autres. Jamais plus de chaînes !

Dora saisit alors la main de Harper. Elle avait toujours été un peu jalouse que Harper et Carson aient un cri de ralliement : Mort aux dames ! Maintenant, Harper et elle en avaient un, elles aussi. Pleine de joie, Dora prit un élan et lança l'alliance dans la crique. Ensemble, elles crièrent :

– Plus de chaînes !

Et leurs cris de joie résonnèrent par-delà les eaux étales.

CHAPITRE 17

FLORIDE

Nate se tapotait la bouche de ses doigts tandis que Carson et lui suivaient Lynne Byrd à travers les longs couloirs de l'hôpital pour cétacés Mote Marine. Lynne avait eu la gentillesse de lui faire visiter le laboratoire et de lui montrer les tortues de mer, tout en lui donnant une description de tous les patients. Sa tête tournait de droite à gauche, observant en apparence les muraux pleins de couleurs qui décoraient les murs et représentaient la faune aquatique. Toutefois, Carson savait que le petit garçon, tout anxieux, était en fait à la recherche de Delphine.

Enfin, Lynne ouvrit les portes menant vers l'arène extérieure. Le soleil était si brillant que Carson dut plisser les yeux jusqu'à ce que sa vision se soit ajustée. Arqué au-dessus de l'immense bassin situé au centre de l'arène, il y avait maintenant un filet.

– Bonne nouvelle, annonça Lynne à Carson. L'état de Delphine s'est tellement amélioré que nous avons pu la mettre dans le grand bassin où elle a assez de place pour retrouver la forme. Elle prend tout de même toujours des antibiotiques, mais elle guérit prodigieusement bien et a vraiment un puissant instinct de survie.

Lynne les conduisit alors vers le bassin.

– Nous l'avons pesée ce matin et son poids continue d'augmenter, ce qui est un très bon signe. L'état de sa bouche rendait la situation délicate. Au début, nous la nourrissions de suceur ballot et de vivaneau, mais maintenant, elle accepte aussi le poisson mort ; un mélange de hareng et de capelan. En plus, elle interagit davantage avec ses appareils d'enrichissement du milieu.

Elle se tourna vers Nate en lui souriant.

– Ses jouets, quoi.

– Où est-elle ? demanda-t-il sèchement.

– Tu la verras, ne t'inquiète pas, lui assura Carson.

Tout comme Nate, elle aurait voulu s'échapper et courir jusqu'au bassin pour voir Delphine.

Enfin, ils en atteignirent le bord. Nate voulut s'approcher davantage, mais fut interrompu par Lynne qui avait allongé le bras.

– Voici comment nous allons procéder, commença-t-elle sur un ton qui ne permettait aucun argument. Carson, tu connais le programme. Tu peux m'aider à lui donner ses antibiotiques. Pendant que je vais chercher ses médicaments, tu peux aller dans l'eau et faire savoir à Delphine que tu es là.

Elle se tourna ensuite vers Nate.

– Je suis désolée, Nate, mais tu ne peux pas aller dans l'eau.

Celui-ci eut l'air mortifié.

– Mais j'allais dans l'eau avec les autres dauphins.

– Je sais. Mais c'est un hôpital, ici. C'est interdit. Toutefois…

Lynne sourit à Nate qui, avec réticence, la regarda dans les yeux.

– Que dirais-tu si je te laissais jouer avec Delphine en utilisant certains de ses jouets favoris ? Celui qu'elle préfère le plus est ce ballon rose dans le bac, là-bas, indiqua-t-elle en faisant un geste vers un panier au pied du mur. Le vois-tu ?

Nate parcourut l'arène du regard et, l'ayant aperçue, hocha la tête.

— D'accord, alors va te mettre contre le mur et attends que je te dise que tu peux lui lancer son ballon, compris ? Carson et moi devons d'abord lui donner ses médicaments. Reste près du mur, répéta-t-elle.

— C'est la règle, ajouta Carson pour que tout soit clair en sachant que, présenté de cette manière, il prendrait cette exigence avec beaucoup de sérieux.

— Carson, si Delphine se laisse faire, tu pourras lui faire un massage. Elle adore ça.

Carson fut surprise qu'on lui permette toujours de toucher au dauphin alors que son état s'était tellement amélioré. Elle savait que Lynne voulait éviter les interactions entre le dauphin et les humains dans la mesure du possible, et en particulier qu'on la touche. Elle se demanda si une décision avait été prise sur l'endroit où Delphine serait envoyée, une fois qu'on considérerait qu'elle était en bonne santé.

— Est-il déjà prévu que Delphine ira au Dolphin Research Center ?

Lynne fit non de la tête.

— Non. Nous espérons toujours la remettre en liberté.

— Mais le massage…

— Ça l'aide à guérir, ce qui est notre principal objectif. C'est un dauphin qui devient dépressif quand il est isolé des autres. Nous avons donc dû prendre une décision en fonction de ses besoins. Pour ce qui est du moment et de l'endroit de sa remise en liberté, il n'y a toujours aucun verdict.

Le bassin était immense et profond, et l'écran qui le surmontait laissait percer une charmante lumière mouchetée qui dessinait des motifs sur l'eau. Carson se tenait au bord, les yeux plissés à cause de l'ombre qui se déplaçait, et cherchait le dauphin. Ne le voyant pas, elle se baissa pour s'asseoir au bord du bassin et glissa les jambes dans l'eau. Elle était fraîche, mais non froide, rafraîchissante en contraste avec la température torride. Elle observa l'eau à la recherche d'un signe de Delphine. Elle se mit à remuer ses jambes immergées en espérant que les vibrations préviendraient le dauphin et le ferait s'approcher, ne serait-ce que par curiosité.

Rien ne se produisit.

Carson se mit alors à siffler aussi. Son sifflement, clair et aigu, transperça le silence. C'était le même sifflement qu'elle poussait dans la crique pour appeler Delphine. Elle tourna la tête par-dessus son épaule pour voir Nate. Il restait là, à observer avec vigilance et assiduité.

Soudain, elle vit une ombre grise se profiler sous l'eau et se diriger vers elle. Elle eut un coup au cœur quand cette ombre se rapprocha d'elle, tourna, avant de glisser près d'elle. Elle savait que Delphine vérifiait qui était cette inconnue dans le bassin et un rire lui coupa le souffle quand une tête luisante sortit de l'eau, juste devant elle. Deux yeux brillants l'examinèrent un instant. Alors Delphine s'élança et sauta haut dans les airs en poussant un sifflement qui, aux oreilles de Carson, sonna comme un cri de joie.

— Delphine ! s'écria-t-elle, le cœur battant à tout rompre.

Derrière elle, elle entendit Nate crier le nom du dauphin et courir vers le bassin.

— C'est elle ! C'est elle ! s'écria-t-il en se haussant sur la pointe des pieds, tout excité en la pointant du doigt.

Nageant devant eux de nouveau, Delphine s'inclina et regarda dans leur direction. En arrivant devant Nate, elle s'arrêta, se dressa et se mit à siffler.

— Elle me voit ! s'exclama Nate en se précipitant au bord du bassin.

Carson observa Nate regarder le dauphin dans les yeux, submergée de gratitude que Delphine ait reconnu le petit garçon. Entre eux, il y avait une sollicitude, un lien inexprimable.

Deux bénévoles s'éloignèrent des autres bassins et s'approchèrent, intriguées par ce qui se passait dans le plus grand.

Nate s'accroupit alors sur le bord et Carson dut tendre la main dans sa direction pour l'empêcher de trop s'approcher.

– Mon chou, je suis désolée, mais tu dois retourner contre le mur et attendre que Lynne te donne la permission d'approcher.

– Non !

– Rappelle-toi ce que Lynne a dit.

Nate sautait sur place et devenait surexcité. Ce qui fit craindre à Carson une crise ; aussi s'adressa-t-elle à lui d'un ton calme, mais ferme.

– Retourne au mur, Nate. C'est la règle. Si tu fais comme Lynne t'a demandé, tu pourras jouer avec Delphine. Tu auras ton tour, toi aussi.

Avec réticence, Nate retourna contre le mur, mais il se dressa sur la pointe des pieds et garda son regard fixé sur le dauphin.

Delphine ne cessait de se dresser hors de l'eau pour voir par-dessus le bord du bassin, cherchant Nate de manière évidente.

– Elle sait que tu es là, dit Lynne. Elle est contente de te voir. Je te l'avais bien dit !

– C'est quoi toutes ces marques sur son corps ? s'enquit Nate, l'air dévasté.

Carson regarda alors Lynne, qui lui fit un signe de tête, lui donnant silencieusement la permission de lui expliquer.

– Ce sont ses cicatrices. Mais ne t'inquiète pas, elles vont s'améliorer. Regarde comme elle est en bonne santé. C'est ce qui importe le plus.

Delphine se mit à siffler et à cliqueter avec enthousiasme avant de faire avec rapidité le tour du bassin et de revenir où était Carson. Elle inclina la tête pour l'examiner de ses yeux d'un noir brillant.

Carson baissa la tête vers le dauphin.

– Oui, c'est moi, je suis de retour.

Elle referma ses bras sur elle-même et se laissa glisser dans le bassin. Delphine nageait tout près d'elle, les yeux grands ouverts, pleins d'impatience. Elle s'arrêta ensuite devant elle et attendit, comme si elle invitait Carson à la toucher. Celle-ci, avec une certaine hésitation, tendit la main dans l'eau et la maintint à quelques centimètres du dauphin, pour lui laisser un peu de temps. Delphine se déplaça alors de manière à pousser doucement l'extrémité de son rostre contre la main de Carson, avant de pousser sa tête contre la pointe de ses doigts. Carson ressentit le lien d'antan et se détendit, laissant sa main glisser avec douceur sur la peau caoutchouteuse du dauphin.

– Hé, Delphine, murmura-t-elle.

Inlassablement, Delphine repassait devant Carson, laissant chaque fois les mains de cette dernière lui frictionner les flancs dans un geste circulaire. Après plusieurs minutes, Delphine se mit de nouveau face à Carson, mais en restant sous l'eau, cette fois. Carson entendit alors un son rapide, saccadé, et sentit un picotement sur son abdomen, comme un chatouillement. En riant, elle tenta d'éloigner Delphine, mais celle-ci refusait, et avec persistance, revenait sans cesse envoyer son sonar contre le ventre de Carson.

Lynne arriva en transportant de l'équipement médical.

– Qu'est-ce qu'elle fait ?

– Son écholocalisation. Elle ne veut pas arrêter. Elle revient constamment et elle recommence. Regardez-la.

Avec douceur, Delphine donnait de petits coups de rostre contre l'abdomen de Carson.

Toujours en riant, Carson tourna le dos à Delphine.

– C'est un de ses nouveaux jeux ?

– Non, pas que je sache, répondit Lynne en se glissant dans le bassin à ses côtés.

Elle lui remit une longue sonde d'alimentation en plastique.

– Il lui arrive de faire son écholocalisation contre le poteau en métal quand elle traverse le bassin. Je peux sentir le picotement contre les paumes de mes mains. C'est une sensation un peu bizarre.

– Tout à fait.

Lynne regarda curieusement Carson.

– Vous ne seriez pas enceinte, par hasard ?

Carson explosa de rire.

– Mon Dieu, non. Pourquoi ?

– Il y a quelques années, j'étais ici avec un dauphin et la même chose m'est arrivée. Le dauphin revenait toujours vers moi pour faire son écholocalisation contre mon ventre. Sans arrêt.

Elle rit.

– Une semaine plus tard, je me suis aperçue que j'étais enceinte.

Carson sentit son corps se glacer dans l'eau.

– Vous voulez dire que le dauphin…

Elle était incapable de prononcer ces mots.

– … avait senti mon fœtus avant moi-même, dit Lynne en terminant sa phrase pour elle. C'est étonnant, hein ? Il pouvait voir qu'il y avait quelque chose de différent en moi et ça le rendait curieux. Et maintenant, ce petit fœtus a trois ans. Bonne anecdote, non ?

Carson fut incapable de répondre. Évidemment qu'elle n'était pas enceinte, hurlait son esprit. Blake utilisait toujours des préservatifs. Néanmoins, cette simple possibilité la fit paniquer. Elle tourna la tête pour regarder Delphine qui se laissait flotter près d'elle, la bouche ouverte, détendue, en train de la regarder avec son sourire angélique.

Tu n'y connais rien ! pensa alors Carson avec irritation.

Il fallut ensuite que Carson se concentre pour aider Lynne à donner ses médicaments à une Delphine des plus docile. Puis, enfin, Nate put jouer. Carson sortit de l'eau pour s'asseoir au bord du bassin, les pieds ballants dans l'eau et regarda Nate lancer le ballon sans répit à Delphine. Le dauphin était comme un chien et n'en avait jamais assez de poursuivre le ballon et de le lui renvoyer. Ils étaient tous les deux au paradis. Nate n'eut pas besoin d'aller dans l'eau. Il voyait bien que Delphine allait bien, qu'elle ne lui en voulait pas.

Delphine n'est pas la seule qui est en convalescence, pensa-t-elle avec un sourire doux-amer. Elle se rappela les paroles de Taylor : *Ce ne sont pas toutes les blessures qui sont visibles.*

~

Une heure après que, pleins d'émotions, Carson et Nate aient dit au revoir à Delphine, avec la promesse de Lynne de garder Carson au courant des progrès du dauphin, celle-ci attendait, les mains sur les hanches, en regardant d'un air dur le bâtonnet blanc posé sur le comptoir de la salle de bain. C'était une entreprise des plus frustrante, comme attendre qu'une casserole pleine d'eau se mette à bouillir. Elle baissa la tête, ferma les yeux. Jamais elle ne s'était aperçue combien trois minutes pouvaient être longues. Ni qu'un cœur pouvait battre si vite ou ses mains être si froides. Relevant la tête, elle regarda l'horloge accrochée au mur. Trois minutes…

Elle se passa la langue sur les lèvres et prit une respiration. Ses mains tremblaient en tenant le bâtonnet à côté du tableau explicatif sur la boîte.

Carson regarda de nouveau le bâtonnet et sentit tout le sang se retirer de son visage. Elle se laissa lentement glisser par terre, sur le point de s'évanouir. Son esprit abasourdi ne cessait de hurler : *Il y a sûrement une erreur.* Vacillante, elle tendit la main vers la boîte et relut le mode d'emploi avant de regarder de nouveau le bâtonnet. Les deux petites lignes étaient d'un rose vif, moqueur, irréfutable.

Carson s'appuya contre le mur et fixa des yeux une étroite fente dans l'émail de la baignoire. Vers le centre, elle se séparait pour former deux fentes. Elle ne cessait de suivre cette fente de haut en bas, son cerveau incapable de penser à autre chose qu'à la vérité évidente de ces deux lignes.

Elle était enceinte.

CHAPITRE 18

CHARLESTON, CAROLINE DU SUD

Mamaw arrêta la Camry dans un espace de stationnement devant la Medical University et étira le cou à la recherche de Lucille. D'habitude, c'était cette dernière qui conduisait, Mamaw préférant être la passagère. La voiture appartenait à Lucille, et Mamaw n'était pas à l'aise avec ce véhicule qui n'était pas le sien. Cependant, comme elle avait donné le Bombardier bleu à Carson, elle n'avait plus de « roues », comme disait cette dernière. Néanmoins, aujourd'hui, elle avait conduit Lucille à un autre des nombreux rendez-vous chez le médecin qu'elle avait, depuis quelque temps. Elle n'aimait guère comme Lucille semblait faible et avait insisté pour la conduire en ville. Quant à elle, Lucille avait insisté pour que Mamaw ne l'attende pas à l'hôpital. Mamaw pourrait plutôt aller faire le tour des boutiques de la ville, ce qui lui arrivait si rarement aujourd'hui. Elle avait donc tenté de retrouver ses habitudes d'autrefois, King Street, seulement pour s'apercevoir que la plupart de ses boutiques préférées avaient fermé, remplacées par des petits cafés branchés et des magasins à la mode.

À une certaine époque, elle pouvait pénétrer dans une boutique en s'attendant à ce que le personnel ait une fiche avec ses mensurations. Aujourd'hui, plus personne ne connaissait son nom. Elle avait pourtant passé toute sa vie dans cette ville, Charlestonnienne de sixième génération. De nombreux membres de sa famille étaient enterrés ici : son mari, son fils ; comme elle-même le serait un jour.

Et pourtant, assise dans la voiture entre les imposants immeubles de l'hôpital, à regarder la circulation et la foule affluer sur les trottoirs, elle ne se sentait plus chez elle.

Qu'est-ce qui pouvait bien la retarder ainsi ? se demanda-t-elle. À peine une minute plus tard, elle remarqua une femme légèrement courbée vêtue d'une robe chemisier bleu marine et blanche en train de passer à travers les portes tournantes de l'hôpital. Elle s'arrêta sur le trottoir, cramponnée à son sac, regardant de droite à gauche, le vent soulevant l'ourlet de sa robe.

– Lucille ! cria Mamaw par la fenêtre de la voiture.

Lucille leva la main pour montrer qu'elle l'avait vue.

Quand donc Lucille est-elle devenue si vieille ? se demanda Mamaw tandis qu'elle faisait passer la voiture en mode conduite. *Et si fragile ?* Cela semblait s'être produit soudainement. L'inquiétude lui fit plisser le front. La grippe ne rendait pas un corps si fragile si rapidement. Un frisson de peur la traversa tandis qu'elle arrêtait la voiture le long du trottoir.

Lucille prit place sur le siège passager avec un léger grognement. Elle se débattit avec la boucle de la ceinture de sécurité. Une fois que Mamaw eut entendu le déclic, elle mit en marche les clignotants et dirigea la voiture avec prudence dans la circulation.

– Je suis désolée de vous avoir fait attendre, s'excusa Lucille.

Sa voix semblait fatiguée et elle s'appuya la tête contre le siège avant de fermer les yeux.

Mamaw regarda la femme à côté d'elle. Lucille avait l'air crispée, ses joues, d'habitude si pleines, étaient creuses. Dans sa main, elle tenait un grand sac en papier provenant de l'hôpital. Des médicaments, supposa Mamaw. Elle conduisit prudemment dans la circulation intense, puis tourna sur East Bay avant de se diriger vers le pont.

Une fois sur le long pont Ravenel qui s'élançait au-dessus de Cooper River, elle put mieux respirer. Elle regarda de nouveau en direction de Lucille, assise calmement, la tête tournée en direction du vaste panorama de Cooper River.

– En effet, tu m'as fait attendre, dit Mamaw.

Lucille tourna la tête pour la regarder.

– Comment ?

– Et je me demande, poursuivit Mamaw, le regard rivé sur la route, encore combien de temps tu vas me faire attendre.

– Que voulez-vous dire ?

– Quand me diras-tu la vérité ?

Elle regarda rapidement Lucille.

– Que se passe-t-il donc ?

Lucille détourna la tête et regarda droit devant elle à travers le pare-brise.

– Et moi qui pensais que nous étions amies, ajouta Mamaw.

Lucille ne répondit rien.

Mamaw détourna de nouveau le regard de la route. Lucille se cramponnait encore davantage à son sac, sans que son visage ne révèle cependant quoi que ce soit.

– Et que nous n'avions pas de secrets l'une pour l'autre, continua Mamaw.

– Vous m'avez dit que vous ne vouliez plus de mauvaises nouvelles.

– Quoi ? Quand donc ai-je dit une chose pareille ?

– Il y a quelque temps. Ici même, dans cette voiture.

Cela énerva Mamaw.

– Je ne me souviens pas d'avoir dit cela, mais même si c'est le cas, je n'avais certainement pas l'intention que ce soit compris de manière littérale. Lucille, pour l'amour de Dieu, je sais bien que tu n'as pas la grippe. Je t'en prie, dis-moi ce qui se passe.

Lucille se tourna pour la regarder, puis dit, d'une voix morne :

– J'ai un cancer.

Mamaw eut un coup au cœur en même temps que son estomac se nouait.

– Oh, non.

Elle avala sa salive avec difficulté, avant de demander :

– Quel type de cancer ? Que disent les médecins ?

– Roulez plus lentement, l'intima Lucille en tapotant le tableau de bord. Vous allez nous tuer toutes les deux.

Mamaw ne s'était pas aperçue qu'elle avait accéléré. Elle freina donc pour réintégrer la limite de vitesse. Elle s'engagea dans la sortie menant du pont à Sullivan's Island et conduisit le long de Coleman Boulevard jusqu'au premier espace de stationnement qu'elle aperçut. Elle y entra et arrêta la voiture. Elle se tourna pour faire face à Lucille.

– Raconte-moi tout.

Lucille la regarda avec compassion.

– Je sais ce que vous êtes en train de penser. Vous êtes déjà en train de faire la liste des médecins avec qui communiquer, des traitements à essayer. Bon, Mam'selle Marietta, vous allez devoir écouter ce que j'ai à vous dire sans m'interrompre. D'accord ?

Mamaw hocha la tête et dit sans assurance :

– Bon, d'accord.

Lucille changea de position sur son siège.

– Il y a quelque temps, je me suis mise à éprouver certaines douleurs. J'ai essayé de m'en occuper moi-même, mais comme elles ne s'en allaient pas, je suis allée voir mon médecin. Il m'a recommandée à un médecin de l'hôpital et on m'a fait passer toute une série de tests.

Mamaw craignait le pire.

– De quel type...

Lucille leva la main pour interrompre la question de Mamaw, qui ferma immédiatement la bouche.

– On m'a donc dit que j'avais le cancer. Le cancer du pancréas.

Mamaw prit une grande respiration avant d'exhaler.

– Oh, mon Dieu.

– Aujourd'hui, on m'a dit qu'il avait gagné mes autres organes. C'est pour ça que mes douleurs à l'estomac sont si pénibles.

Mamaw ne put s'empêcher de lui poser cette question :

– À quelle phase en est le cancer ?

– Ce qu'ils appellent la phase quatre.

Mamaw se tordit les mains. Le cancer du pancréas était toujours difficile, mais la phase quatre, c'était la peine de mort. Toutes deux le savaient parfaitement.

Lucille baissa le regard vers ses genoux.

– Il ne reste rien d'autre à faire que d'attendre, reprit Lucille.

Elle sourit tristement.

– Aujourd'hui, le médecin m'a dit que je n'aurais pas à attendre bien longtemps.

– Non ! laissa échapper Mamaw.

Elle avait convenu de garder le silence, mais maintenant tout était dit et elle ne pouvait se retenir plus longtemps. Lucille semblait si résignée, tellement prête à accepter ce diagnostic. Mamaw, elle, était incapable (elle refusait) de perdre Lucille sans se battre.

– C'est inacceptable. Il y a plusieurs traitements que tu peux essayer. Mon amie avait un cancer du pancréas. Elle a subi un certain type d'intervention chirurgicale, Whipple quelque chose. Je vais chercher le nom de son médecin. Il faut tenter quelque chose. Je suis sûre qu'il doit y avoir un traitement.

Lucille leva la main de manière à faire taire Mamaw.

– Pour commencer, je n'ai pas d'assurance.

– Je m'en fiche. Je paierai.

– Écoutez, Mam'selle Marietta, nous savons aussi bien l'une que l'autre qu'à ce stade-ci, vous n'avez plus les moyens. Et je ne vous laisserais pas faire. De toute manière, il est trop tard. Pour ce que j'ai, il n'y a pas de remède.

– Il n'y a peut-être pas de remède, mais nous pouvons gagner du temps. Il y a la chimiothérapie, la radiothérapie.

– Non.

Lucille remua la tête et répondit d'une voix résolue.

– Pas question de chimio ou de radiothérapie. Je ne mettrai pas ces poisons dans mon corps.

– Tu ne t'attends tout de même pas à ce que je reste à ne rien faire et que je te laisse mourir ?

Lucille sourit tristement.

– C'est justement ce à quoi je m'attends.

Mamaw, portant sa main à sa bouche, réprima un sanglot.

– Mais c'est absurde ! Je ne peux pas.

Le visage de Lucille s'adoucit.

– Vous le devez. Mam'selle Marietta, la stricte vérité, c'est qu'il est trop tard pour tout ça. Le cancer est trop avancé. J'en ai discuté avec les médecins, et j'ai pris ma décision.

Mamaw porta de nouveau la main à sa bouche et détourna la tête en pleurant, et en remuant la tête, refusant d'y croire.

Lucille fouilla dans son sac à main et en sortit un mouchoir en papier qu'elle lui tendit.

– Allons, tenez. Vous avez toujours les yeux qui deviennent bouffis comme un oursin quand vous pleurez.

Mamaw laissa échapper un rire et prit le mouchoir. Il n'y avait que Lucille pour se permettre de dire de telles choses dans un moment pareil.

– C'est un tel choc. Je ne m'y attendais tellement pas. Je suis plus vieille que toi. C'est moi qui suis censée partir la première.

– Il semble bien que Dieu ait des plans différents.

Mamaw se moucha et retrouva son aplomb.

– C'est inacceptable.

– Encore une fois, Mam'selle Marietta, écoutez-moi.

Lucille attendit que Mamaw la regarde de nouveau en face, puis s'adressa à elle lentement, d'une voix sévère.

– J'ai vu comme vous avez été forte quand Parker est mort, et ensuite monsieur Edward. Je vous demande maintenant de montrer la même force pour moi.

Un flot de souvenirs submergea l'esprit de Mamaw : tous ces soins, le fait d'être ensemble, les encouragements constants, les heures épuisantes et finalement, la douleur indicible. Elle savait ce qui se préparait, et elle comprenait parfaitement ce que Lucille exigeait d'elle.

Mamaw hocha la tête de manière presque imperceptible.

– Je serai forte. Tu sais bien que oui.

– Et forte aussi pour les filles.

– Les filles, dit Mamaw, se souvenant soudain d'elles. Quand leur diras-tu ? Elles seront dévastées. Elles t'aiment tellement.

– J'espérais ne pas avoir à leur dire. Je ne voulais pas ruiner leur été avec cette pénible histoire. Je me disais qu'elles partiraient à la fin de la saison, qu'elles s'envoleraient comme les oiseaux du littoral, là où leur vie les emmènerait. J'espérais faire comme l'une d'elles. M'envoler. Sans faire de bruit.

– T'envoler, et me laisser seule !

– Je sais bien. Mais ça ne change rien, n'est-ce pas ? Vous avez vos plans, j'ai les miens.

Mamaw porta sa main tremblante à ses yeux.

– Lucille…

– Je n'ai pas peur de partir, la réconforta Lucille d'une voix paisible. Le fait de voir ces menottes m'a éclairci les idées. Nous sommes tous enchaînés à cette existence le temps qu'elle dure. Nous portons notre faix. En repensant au passé, j'ai mené une bonne vie. Je n'ai aucun regret. Voici comment je vois les choses : il est temps pour moi de franchir ces grandes eaux. J'aime penser que j'affronterai cette traversée avec le même courage que mes ancêtres.

Elle leva la tête et sourit.

– Je serai libérée.

Mamaw serra les lèvres.

– Il n'y a qu'une chose qui me fasse peur, poursuivit Lucille d'une voix douce en regardant le sac plein de médicaments sur ses genoux.

– Quoi ?

Lucille souleva le sac.

– La douleur. On m'a donné toutes ces pilules. Mais elles ne marchent plus très bien. Le cancer a pris un mauvais tournant. Et le moment pour le cirque de l'hôpital est passé.

Elle remua la tête avec détermination.

– Je ne veux aucun traitement. Ça, j'en suis sûre. Mais… Je ne veux pas affronter seule ce qui m'attend.

Mamaw regarda Lucille dans ses yeux noirs et pleins de larmes. Ils étaient légèrement bombés et ne cillaient pas au fond de ce visage blanc comme un linge. Mamaw vit alors le spectre de ce qui adviendrait. Elle saisit donc la main de Lucille et la serra dans la sienne.

– Je serai là, à tes côtés, jusqu'à la fin. Tu ne seras pas seule.

Les lèvres de Lucille tremblèrent et elle s'accrocha à la main de Mamaw.

– C'est tout ce que j'avais besoin de savoir.

CHAPITRE 19

Carson traversa le pont Ben Sawyer qui s'élançait au-dessus de l'Intracoastal Waterway tandis que le crépuscule finissait de gagner la côte. Dans la pénombre rose du coucher de soleil, l'eau scintillait et le long des deux côtés du rivage, d'épaisses rangées de palmiers créaient des ombres noires.

Elle éteignit la climatisation et baissa la fenêtre pour laisser l'air torride pénétrer dans la voiture qui sentait le renfermé. Elle aspira la profonde odeur de boue et de sel, se passa la main dans les cheveux et laissa le vent les soulever. Elle approchait de la maison.

À son arrivée à Sea Breeze en mai dernier, sans emploi, sans endroit où habiter, elle pensait avoir atteint le fond du baril. Elle était sans le sou, à la dérive. Avec le recul, comparé à ce qu'elle ressentait en ce moment, c'était du gâteau.

Pendant le long trajet pour revenir des Keys, Nate avait dormi la plupart du temps, épuisé par cette intense semaine, et elle avait eu tout le loisir pour penser à cette nouvelle vie qui se développait en son sein. Elle balançait entre une curiosité anodine, se tapotant négligemment le ventre comme un chat en train de jouer avec un insecte, et une peur abjecte envers cette vie étrangère qui grandissait en elle. Elle devait d'abord décider si elle en parlerait à Blake. D'un côté, elle voulait prendre une décision sans l'impliquer. Après tout, ce n'était pas de son corps qu'il était question.

Pourtant, en dépit de son indépendance, ne pas le lui dire lui semblait égoïste, mal même. Blake n'était pas une aventure d'un soir. Elle était impliquée dans une relation avec lui, elle éprouvait des sentiments profonds pour lui. C'était un homme qu'elle pourrait même aimer. Le père de son enfant à naître. N'avait-il pas le droit de savoir ?

Elle avait toujours été autosuffisante. La plus grande partie de sa jeunesse avait été passée à prendre soin de son père, pour lequel elle avait été une domestique plus qu'une fille. À 18 ans, elle était allée vivre seule, survivant au jour le jour, la plupart du temps. Elle n'avait pas l'habitude d'accepter qu'on l'aide, et encore moins de le demander.

Carson se passa de nouveau la main dans les cheveux, épuisée, les yeux troubles. Elle avait passé 12 heures à considérer inlassablement ce sujet dans sa tête sans s'approcher davantage d'une décision. Tout ce dont elle était sûre était d'être exténuée et d'avoir besoin d'aller aux toilettes. Et que ce fœtus en elle était un invité indésirable.

Dans le rétroviseur, elle jeta un coup d'œil sur le jeune garçon en train de dormir sur la banquette arrière, attaché par sa ceinture de sécurité. Sa tête penchait sur le côté, il avait la bouche ouverte et il ronflait légèrement. Son cœur déborda d'affection et ses yeux se remplirent de larmes. Elle aimait ce petit garçon, et elle savait qu'il l'aimait, à sa manière. Avec le recul, elle avait vraiment aimé être avec Nate et prendre soin de lui, le regarder devenir plus mûr. Aurait-elle de tels sentiments pour son propre enfant ? Pourrait-elle être une bonne mère ?

Regardant de nouveau la route, Carson constata qu'elle s'approchait de la sortie pour Sea Breeze. Ses mains se cramponnèrent au volant et son cœur se mit à battre à tout rompre tandis que ses instincts primesautiers se manifestaient. Tout ce qu'elle voulait, c'était déposer Nate puis écraser l'accélérateur et foncer hors de l'allée. Continuer de rouler. S'enfuir très, très loin.

~

Le lendemain soir, Carson était assise à la table en bois de l'appartement de Blake, le regard fixé sur une assiette de crevettes au gruau de maïs. C'était une soirée chaude et humide annonciatrice de la tempête qui se préparait, et pourtant, Blake avait peiné aux fourneaux pour lui préparer ce repas de bienvenue. Le tonnerre grondait et à cause du ventilateur du plafond, les bougies effilées répandaient leur cire sur la nappe.

De l'autre côté de la table, Blake regarda son visage avec anxiété. Les crevettes au gruau de maïs étaient son plat préféré, et pourtant, elle était incapable de manger. Elle avait réussi à avaler quelques bouchées de gruau, mais la sauce riche et pleine de beurre était trop pour elle. La simple odeur des fruits de mer lui donnait la nausée. Pire que cette odeur, toutefois, la nouvelle qu'elle avait à lui apprendre lui nouait l'estomac.

Hobbs, patient, était couché sous la table, surveillant le morceau de crevette qu'elle y glissa et mit dans sa gueule pleine d'attentes.

– Un peu plus d'eau ? demanda Blake en soulevant déjà le pichet.

– Oui, merci.

Elle avait l'impression que sa bouche était pleine de paroles inexprimées.

Carson le regarda calmement verser l'eau, entendit le choc des glaçons en train de glisser dans son verre. Elle savait bien qu'elle était renfrognée et renfermée. Lui, pour compenser, se montrait exagérément attentionné et se déplaçait autour d'elle sur la pointe des pieds.

Il reposa le pichet et regarda son assiette pleine.

– Tu n'as pas faim ? Tu n'as presque rien mangé.

– Non, répondit-elle en remuant lentement la tête.

Elle se sentait mal pour tous ces efforts qu'il avait faits pour rien.

– Je ne me sens pas bien.

– Oh, chérie, je suis désolé. Tu aurais dû me le dire. C'est vrai que tu n'as pas l'air dans ton assiette.

Elle poussa un petit rire nasal.

– Vraiment ?

– Tu es superbe, se dépêcha-t-il de répondre. Belle. Comme toujours.

Le visage de Carson était luisant de sueur, et elle savait qu'elle était grincheuse. Ce n'était pas la faute de Blake si elle était enceinte… enfin, pas complètement. Elle déposa sa serviette sur la table et recula un peu sa chaise. Hobbs dut se pousser avec un grognement insatisfait.

– Blake, il y a quelque chose que je dois te dire.

Il la regarda avec méfiance.

– D'accord.

– Je suis enceinte.

Blake resta immobile, les yeux écarquillés. Au bout d'un moment, il cligna des yeux, et elle put voir qu'il était en train de rassembler ses esprits.

– Tu en es sûre ?

Elle aurait voulu hurler *Non, je plaisante !*

– Oui, évidemment que je suis sûre. Je n'ai pas eu mes règles et j'ai fait un test de grossesse en Floride. C'est certain. J'ai même refait le test trois fois pour être sûre.

Il s'appuya contre le dossier de sa chaise et détourna le regard. Puis, la regardant dans les yeux, il lui sourit avec une espèce d'émerveillement.

– Tu es enceinte, dit-il. C'est, eh bien, ouah ! C'est fantastique.

Carson cligna des yeux, n'étant pas sûre de bien avoir entendu.

– Fantastique ? Qu'est-ce que tu veux dire, fantastique ? Ce n'est *pas* fantastique.

– En tout cas, c'est mieux que ce à quoi je m'attendais. Écoute, dit-il en posant les mains sur la table. Je sais bien que ce n'était pas planifié, mais c'est arrivé.

Il se balança sur les pieds arrière de sa chaise et se gratta la tête.

– Au fait, comment *est-ce* arrivé ?

Carson laissa échapper un nouveau rire nasal et le regarda de travers.

Il laissa sa chaise retomber sur ses quatre pieds et lui sourit malicieusement.

– Je sais bien *comment*...

Son sourire s'évanouit et il redevint sérieux.

– Mais comment es-tu tombée enceinte ? Nous avons été prudents.

– Voilà justement ce que j'aimerais savoir, lui répondit-elle, ses yeux se durcissant et devenant accusateurs.

Le regard de Blake s'emplit de colère.

– Quoi ? Ça ne va pas ? Pour qui tu me prends ? Si j'avais voulu t'engrosser, je te l'aurais dit franchement.

– Eh bien, en tout cas, tu *m'as* engrossée ! cria-t-elle.

– Eh bien, je suis désolé ! cria-t-il à son tour.

Là-dessus, Hobbs se dressa et courut vers la porte en aboyant.

– Hobbs, chut ! hurla Blake.

Immédiatement, le chien cessa d'aboyer et retourna s'asseoir aux pieds de Blake en grognant.

Blake et Carson se regardèrent un instant. Le silence entre eux était chargé de tension.

Enfin, il se passa la main sur le front, le visage crispé par la concentration.

– Écoute, exposa-t-il d'une voix plus calme, il est clair que quelque chose n'a pas marché. C'est rarement le cas, mais ça arrive. Et tu ne prenais pas la pilule…

– Tu étais au courant, se défendit-elle avant de détourner le regard, embarrassée par son manque de jugement.

Elle avait arrêté de la prendre avant de quitter Los Angeles. Pour donner à son corps un peu de répit de toutes ces hormones, puisque, de toute manière, elle n'avait pas l'intention de s'engager dans une relation. Elle avait eu l'intention de recommencer à la prendre en revenant de Floride. Elle avait cru qu'ils étaient prudents. Comme elle avait été bête.

– Tout ce que je dis…, reprit Blake d'un ton conciliant, c'est que, là-dedans, nous sommes ensemble, d'accord ?

Il tendit la main pour tapoter celle de Carson qui était à plat sur la table. Quand elle releva la tête, il la regarda dans les yeux.

– *D'accord ?*

Carson hocha la tête avec réticence.

– Quand t'en es-tu aperçue ?

– Avant-hier. C'était si étrange. J'étais dans l'eau avec Delphine et elle s'est mise à faire son écholocalisation contre mon abdomen. En fait, elle savait que j'étais enceinte avant moi.

– Sans blague ? s'étonna-t-il.

– Ça m'a fait paniquer, permets-moi de te le dire. Dès que nous avons quitté le Mote, je suis allée dans une pharmacie acheter un de ces tests de grossesse maison. J'ai fait les trois qu'il y avait dans la boîte et les trois ont indiqué que j'étais enceinte.

Elle repoussa une mèche de cheveux de son visage.

– Dès que je l'ai su, ça a comme été un déclencheur pour mon corps. Soudainement, je me suis sentie malade comme un chien. Je voudrais bien croire que c'est psychosomatique, sauf que je ne pourrais pas faire semblant d'être aussi malade.

– D'accord, dit-il en repoussant son assiette qu'il n'avait pas terminée. Tout ira bien. J'ai des économies et de bonnes assurances.

– Qu... un instant! laissa échapper Carson en se redressant avec inquiétude. Je ne suis même pas sûre de seulement vouloir le garder.

Le visage de Blake se durcit.

– Tu n'es pas sûre de vouloir le garder?

– C'est une décision importante. J'ai besoin de prendre un peu de recul et d'y penser.

– Je t'aime. Tu m'aimes. À quoi d'autre as-tu besoin de penser?

Carson lança sa serviette sur la table et se leva. Elle avait l'impression que les murs de la pièce se refermaient sur elle.

– Il faut que j'y aille.

Blake repoussa sa chaise et la rejoignit pour lui attraper le bras.

– Je sais que tu es en état de panique. Que tu as peur. Mais tu n'as rien à craindre. Je suis là.

Il disait exactement ce qu'il fallait dire et elle aurait souhaité que cela la fasse se sentir mieux, mais ce n'était pas le cas.

– Carson, tu sais que je t'aime, n'est-ce pas?

Elle renifla, incapable de le regarder dans les yeux.

– Oui.

– Il y a une solution simple : nous pouvons nous marier.

– Non..., refusa-t-elle en remuant la tête. Pas comme ça.

– Chérie, je veux t'épouser. J'ai voulu t'épouser dès la première fois que je t'ai vue chez Dunleavy.

– Tu ne me le proposerais pas si je n'étais pas enceinte.

– Ce soir, peut-être pas, mais que ce soit aujourd'hui ou l'an prochain, peu importe, pourvu que nous soyons ensemble.

Il baissa sa bouche pour lui embrasser le dessus de la tête, puis passa ses bras autour d'elle, la serrant fort contre sa poitrine.

— Nous pouvons nous marier tout de suite, ça n'a pas besoin d'être élaboré. Ensuite, tu peux venir vivre ici. Nous transformerons mon bureau en chambre d'enfant. Tout au moins en attendant que nous trouvions un plus grand appartement.

Il semblait que Blake avait tout prévu, sauf le fait que Carson n'était pas venue chez lui ce soir pour qu'il lui présente toutes ces solutions ou pour qu'il organise sa vie entière. Elle voulait seulement qu'il l'écoute, qu'il soit là pour elle, qu'il la laisse se décharger de toutes ses craintes, de toutes ses inquiétudes, qu'il la laisse lui parler de ses idées afin qu'elle puisse obtenir un peu de perspective par rapport à la décision à prendre. Au lieu de cela, il la poussait à faire ce que lui voulait qu'elle fasse. Planifiant sa vie de manière à ce qu'elle dise oui. Se marier, avoir un enfant… Cela faisait partie de son programme à lui, pas du sien.

Carson sentit son souffle s'accélérer sous l'effet de la panique. Les bras de Blake autour d'elle lui faisaient l'effet d'un piège. Elle se raidit et se libéra de son étreinte.

— Blake, dit-elle d'une voix tremblante en portant ses doigts à ses tempes. En ce moment, j'ai la tête sur le point d'exploser. Je ne peux pas discuter de mariage ou de venir vivre avec toi. Je ne suis même pas sûre de vouloir un enfant, encore moins me marier ! Tout ça va beaucoup trop vite. Nous nous connaissons depuis quelques mois à peine !

Il la regarda, les bras ballants.

— Je ne t'ai pas demandé de m'épouser, et je ne veux pas que tu me dises quoi faire. Ce n'est pas pour ça que je suis venue, ce soir.

Elle se mit à faire les cent pas en regardant la porte.

— J'essaie simplement d'agir correctement en te disant que je suis enceinte. C'est tout. Même ça, pour moi, c'est beaucoup. Je ne suis pas encore prête à être mère. Je n'ai même pas d'emploi ! Comment pourrais-je faire vivre cet enfant ?

– Je vous ferai vivre, moi, l'enfant et toi.

– Je ne veux pas ! Je ne veux pas dépendre de toi. Tu n'as pas encore compris ?

Il se raidit, l'air blessé.

– En tout cas, je commence.

Elle n'avait pas voulu lui faire mal. Elle n'était pas venue pour ça. Maintenant, tout était pire.

– Je suis désolée, ajouta-t-elle. C'est seulement que ça me fait peur…

Elle s'arrêta en indiquant son ventre d'un geste de la main.

– Cette chose.

– Pourquoi ?

– Tout va changer.

– Rien ne va changer. Pas entre nous

– Bien sûr que si. Parce que moi, je vais changer.

– Comment vas-tu changer ?

– Je n'en sais rien ! s'écria-t-elle, consciente qu'elle avait l'air irrationnelle, mais en sachant qu'elle avait raison. Je vais changer, c'est tout.

– Carson…

– Non ! Je ne suis pas prête à discuter de cet enfant ni de nous. Je pensais être assez forte pour faire avec, mais j'en suis incapable.

Le regard de Blake s'éteignit et il baissa la tête.

– Je dois m'en aller.

Blake tendit la main pour saisir la sienne, l'arrêtant par le fait même.

– Carson. Ne te fais pas avorter.

– Blake…

– Je suis sérieux…

Ses yeux noirs devinrent plus profonds.

Carson sentit un accès de rage instinctif s'élancer et se libérer de son emprise.

– C'est mon corps. C'est à moi de décider ce que je ferai.

– Carson, je t'aime. Mais si tu te fais avorter, pour moi, c'est une cause de rupture.

Son souffle s'étrangla dans sa gorge. Ce qu'il venait de dire, c'était précisément la raison pour laquelle elle ne voulait rien lui dire. Elle était allée chez lui en espérant qu'il se montrerait sensible et compréhensif, qu'il serait cet homme qui l'écouterait, qui l'aiderait à prendre une décision, sans la juger. Mais comment avait-elle pu penser une chose pareille ? Blake était l'un des hommes aux idées les plus arrêtées qu'elle ait rencontrés.

Carson saisit son sac à main suspendu à sa chaise et se dirigea vers la porte. Elle l'ouvrit, mais avant de sortir, elle se retourna :

– S'il te plaît, ne me téléphone pas pendant quelque temps.

– Tu romps avec moi ?

– Non. Oui…

Elle soupira violemment.

– Je ne sais pas, conclut-elle avant de s'enfuir en refermant la porte derrière elle.

~

Ce soir-là, Dora était allongée sur l'immense lit bateau de Devlin, la tête contre son épaule, somnolente dans la stupeur suivant l'amour. C'était la première fois qu'ils s'aimaient dans son grand lit ; sur la terre ferme, même. Tant d'espace semblait du luxe en comparaison de la promiscuité du bateau.

Mais dans toute autre circonstance aussi tout cela aurait aussi semblé luxueux, pensa Dora tandis que son regard parcourait la chambre. La maison de Devlin était un imposant bâtiment du côté de Breach Inlet à Sullivan's Island, une construction neuve dans le style du Sud, avec plusieurs vérandas aux fauteuils à bascule faisant face à l'océan. Les portes de la véranda sur laquelle la chambre donnait étaient grandes ouvertes, permettant aux vents de l'océan de pénétrer à l'intérieur. Les gens qui avaient grandi dans l'île préféraient cet air torride à la climatisation. La maison était des plus impressionnantes, pensa-t-elle de nouveau, mais en réalité, elle n'était pas certaine de ne pas préférer le pittoresque cottage donnant sur le marécage.

Ils avaient repoussé les draps et étaient allongés, exposés à la brise rafraîchissante. Sa main caressait la poitrine nue de Devlin, ses doigts se mêlant à ses douces boucles de poils. Celle de Devlin lui caressait lentement l'épaule dans un geste circulaire, tout en fredonnant un air que son lecteur CD était en train de diffuser.

— J'aime cette chanson, dit Devlin, la voix basse. Elle me fait penser à toi et moi.

Il se joignit au chanteur et se mit lui aussi à chantonner le refrain, d'une voix de baryton qui chantait faux.

— *I saw you last night and got that old feeling*[6].

— Tu connais les paroles, le taquina Dora. Comme c'est impressionnant.

— Mon but dans la vie est de t'impressionner.

Dora appuya confortablement sa tête contre son épaule. Cal n'était pas du genre à aimer les câlins et, bien sûr, son fils non plus. Avec Devlin, elle s'était aperçue comme elle désirait ardemment cette douce intimité, presque encore plus que le sexe. Le sexe était merveilleux, mais ces caresses… Dora soupira. Elle avait besoin qu'on la serre contre soi, de se sentir chérie.

Devlin se remit à chanter de sa voix tremblotante.

— *The spark of love is still burning*[7].

---

6. N.d.T.: Je t'ai vue hier soir et j'ai éprouvé la même chose qu'autrefois.

7. N.d.T.: L'étincelle de l'amour brille toujours.

– Charmant…, murmura-t-elle machinalement.

– Tu n'écoutes donc pas les paroles ? J'essaie de te faire comprendre quelque chose, en ce moment.

Dora se raidit tout à fait, se rendant soudain compte que Devlin n'était pas en train de plaisanter.

– Dora, c'est ce que je ressens pour toi. Pour nous deux. Ce que je ressentais autrefois, c'est revenu. C'est comme si on nous donnait une deuxième chance.

– Chéri, nous venons tout juste de commencer à nous voir. N'allons pas trop vite en besogne.

– Le temps est sans importance. C'est comme dans la chanson : je t'ai vue et j'ai éprouvé la même chose qu'autrefois.

– Dev, un instant, bégaya Dora en se redressant et en tirant le drap pour s'en couvrir.

– Quel est le problème, chérie ? demanda-t-il en perdant son sourire.

Il se déplaça pour se redresser, révélant toute sa nudité. Dora dut détourner le regard, toujours embarrassée à cette vue. Elle n'avait jamais été à l'aise nue, même quand elle était une jeune femme, même devant Cal, qui était, comme elle le comprenait avec le recul, prude.

Devlin prit sa main qui se cramponnait au drap et la retira. Comme le drap glissait, elle voulut se pencher pour le rattraper, mais il s'étira pour prendre ses deux mains dans les siennes. Elle rougit, nerveuse.

– Tu ne portes plus ton alliance, remarqua-t-il alors en regardant la peau pâle sur son annulaire gauche.

– Non.

Il n'ajouta rien d'autre, se contentant de hocher la tête et de laisser ses doigts caresser un moment l'espace vide sur le doigt de Dora.

– Je pensais que tu serais heureuse de savoir ce que je ressens pour toi. Ce que j'ai toujours ressenti pour toi.

Elle dirigea lentement son regard vers le sien et fut saisie par toute la sincérité qu'il y avait dans le bleu éclatant de ses yeux.

– Quand nous étions adolescents, tu étais la femme de ma vie, et c'est toujours le cas aujourd'hui. Toutes ces années que nous avons vécues séparément, je pense que j'étais perdu. Aujourd'hui, je sais que je n'ai jamais pu t'oublier. Je n'aurais jamais dû te laisser partir.

Dora sentit l'effet de ces paroles au plus profond de son cœur. Elle était incapable de répondre. Incapable de bouger.

– Tu as entendu ce que je viens de dire ? demanda-t-il.

– Oui.

– Je sais que tu ressens la même chose, poursuivit-il. Je le sais.

– C'est vrai, répondit-elle. Quand je t'ai vu, après toutes ces années, tu m'as fait me sentir comme si j'avais de nouveau 16 ans.

– C'est comme ça que tu seras toujours pour moi.

– Mais je n'ai plus 16 ans. J'ai 36 ans. Et un enfant.

– Bon sang, je sais tout ça. Mais ce qui compte, c'est que nous ressentions l'un pour l'autre la même chose qu'avant. Ici, en ce moment.

– En ce moment, dit-elle, je ne me sens pas comme si j'avais 16 ans. Et pour moi, tu n'es plus un adolescent.

Elle rit en voyant son air perplexe.

– Dieu merci ! J'ai beaucoup vécu pendant toutes ces années, traversé tellement d'expériences, tellement appris... Je ne voudrais plus être cette jeune fille idiote. Malléable, obéissante, crédule même. J'aime la femme que je suis aujourd'hui. Devlin, tu m'as fait me sentir belle à nouveau. Féminine. Séduisante. En ce moment précis.

Elle le regarda et il se pencha vers elle pour lui caresser le visage.

– Et j'aime celui que *tu* es aujourd'hui. L'homme que tu es devenu. Je ne voudrais pas redevenir ceux que nous étions.

Devlin tendit les mains pour lui prendre les épaules.

— C'est aussi ce que je ressens. C'est ce que j'essaie de te dire de ma manière maladroite. Dora…, dit-il la voix pleine d'émotion. Je… Je t'aime. Je t'ai toujours aimée, et je t'aimerai toujours.

Dora recula et son cœur se mit à palpiter.

— Dev… tout ça va trop vite.

Le sourire quitta le visage de Devlin et il lui laissa aller les épaules.

— Parce que tu ne ressens rien pour moi ? Tu ne m'aimes pas.

Dora laissa échapper un grognement guttural.

— Bien sûr que j'ai des sentiments pour toi. Des sentiments profonds, tout à fait réels. Mais t'aimer ? Je ne vais pas me dépêcher d'utiliser ce mot de nouveau. Je ne suis pas prête. Je n'ai même pas encore divorcé !

— Eh bien moi, oui, rétorqua-t-il. Et voici ce que je vais te dire. Un vulgaire document ne fait aucune satanée différence. C'est ce qu'il y a ici qui compte.

Il serra le poing et le frappa contre sa poitrine. Il se raidit. Sa voix devint pleine d'indignation.

— Eudora Tupper, aimes-tu toujours ton mari ?

— Devlin, comment peux-tu me poser une telle question ?

— Je peux parce qu'à cause de cet homme, tu m'as déjà brisé le cœur. Je n'ai pas l'intention qu'on me le brise une seconde fois.

— Quand donc t'ai-je brisé le cœur ?

Il eut l'air stupéfait qu'elle puisse lui poser une question pareille.

— Quand tu as rompu avec moi !

— Oh, mon… Dev, j'avais 18 ans !

— Dix-neuf. Nous nous sommes fréquentés pendant toute ta première année à Converse alors que j'étais à USC. Tout cet été et une partie de l'année suivante.

Dora le regarda de nouveau, profondément surprise qu'il se souvienne, et aussi par la blessure et la souffrance cuisante si évidentes dans sa voix.

– C'est alors que tu as rencontré le grand et puissant Calhoun Tupper et que tu m'as échangé pour un modèle haut de gamme.

– Ce n'est pas vrai ! s'écria-t-elle, irritée qu'il puisse dire une telle chose. Ce n'est pas pour ça que j'ai rompu.

– Alors pourquoi ? l'interrogea-t-il, le regard en feu. Tu ne me l'as jamais dit. Pas vraiment, en tout cas.

Dora changea de position.

– Je… Je ne sais pas. Nous avons grandi. Changé. Je suis tombée amoureuse de Cal, balbutia-t-elle.

– Ou plutôt ta mère est tombée amoureuse de lui.

Sa voix était pleine d'amertume.

– Ne sois pas ridicule.

– Ridicule, moi ? Je sais très bien que ta mère ne m'a jamais aimé. Elle n'a jamais cru que je réussirais à devenir quelqu'un.

Dora croisa les bras.

– Qu'est-ce qu'elle a à voir dans tout ça ?

– Tout ! Tu étais une fille à sa maman. Si elle t'avait demandé de sauter d'un pont, tu l'aurais fait. C'était toujours comme ça avec elle. Elle ne m'a jamais aimé, et je peux très bien l'imaginer mettant la photo de Cal en face de toi chaque fois que je te téléphonais. Bon sang, je suis même sûr qu'elle ne t'a jamais donné la moitié de mes messages à partir du moment où tu t'es mise avec Cal.

Dora détourna le regard.

– Tu l'as épousé parce que c'est ce que ta mère t'a dit de faire.

– Arrête, Dev, l'implora Dora en le regardant dans les yeux. Tu es injuste. J'ai épousé Cal parce que je l'aimais.

– Merde, dit-il d'une voix traînante en remuant la tête.

En la pointant du doigt, il déclara :

– Je ne te crois pas.

Dora se redressa, bouche bée.

Devlin repoussa avec colère les couvertures et se leva. Il traversa la chambre à grandes enjambées et fit claquer la porte de la salle de bain derrière lui.

Dora serra ses bras autour d'elle-même et resta assise, seule, dans le lit immense. La lune s'était élevée plus haut dans le ciel, telle une reine resplendissante. À peine quelques minutes auparavant, elle s'était sentie aussi dorée et pleine de lumière que cet astre. Elle se sentait à présent éclipsée et froide. Elle tira l'épais couvre-lit qui était au pied du matelas et s'en couvrit les épaules. Le regard rivé sur la nuit, elle suivit du bout des doigts le motif en torsades qui se répétait sur la laine.

Un motif qui se répétait, comme ses modes de comportement ; voilà qu'encore une fois on lui faisait le même reproche. Dora commençait à comprendre la puissance que ces modes de comportement avaient sur elle. Car ce que Devlin avait dit était vrai. Winnie ne lui avait jamais caché qu'elle n'aimait guère Devlin. Avait-elle donc été une bonne fille et s'était-elle conformée aux modes de comportement imposés par mère et sa grand-mère avant elle en épousant Cal ? Elle se rappela que Winnie lui avait fait remarquer que Cal n'était pas un gros buveur, au contraire de son père, et de Devlin. Winnie avait toujours pesté contre les méfaits de l'alcool, se servant du père de Dora comme du parfait exemple de la corruption qu'il pouvait créer dans une vie. Elle avait aussi rappelé à Dora que Cal provenait d'une famille de vieille souche à Charleston, avec de puissantes relations. Cal lui donnerait le style de vie aisé auquel elle était habituée.

Dora avait aimé Cal à sa manière de petite fille. Dès le départ, elle avait senti qu'avec lui, elle se dirigeait vers le mariage. Quand il avait mis un genou par terre et lui avait demandé de l'épouser, elle n'avait pu répondre autre chose que oui.

Ils s'étaient mariés à l'église épiscopale St. Philip, avec une cérémonie traditionnelle, par une journée ensoleillée de juin. Elle était vêtue d'une robe de dentelle blanche, et les demoiselles d'honneur, de robes de taffetas rose clair. Dora avait choisi un motif de porcelaine Aynsley, similaire au motif argenté de sa mère et de sa grand-mère.

Était-il juste de dire qu'elle avait jugé Devlin en fonction des critères sévères de sa mère ? Dora avala sa salive avec difficulté. Elle devait bien admettre que oui. *Mon Dieu !* se dit-elle en se sentant pleine de honte.

Elle repoussa le couvre-lit de ses épaules. La laine épaisse et rugueuse irritait sa peau fragile. Tandis qu'elle se grattait le cou et les bras, elle se demanda combien de temps encore elle continuerait de se laisser étouffer par ces modes de comportement qui n'avaient fait que la rendre malheureuse.

Juste à ce moment, la porte de la salle de bain s'ouvrit et Devlin en sortit en nouant la ceinture d'un peignoir en tissu gaufré à l'air coûteux. Ses cheveux blonds étaient hirsutes et il avait les pieds nus. Il se déplaçait d'un pas pesant à la fois plein de confiance et de colère.

Comme les temps avaient changé, se dit-elle. Elle ne pouvait s'empêcher de se demander ce que sa mère penserait de Devlin, aujourd'hui. Il n'avait plus rien à voir avec l'insulaire pauvre avec lequel elle avait grandi. Dev était devenu millionnaire par ses propres moyens. En partant de presque rien, il avait ainsi réussi à s'élever. Il était devenu un homme à la tête d'une entreprise florissante, marié, puis divorcé, et il était père. En dépit de tous ces changements et du passage du temps, il l'aimait toujours.

Il s'arrêta devant une table-plateau sur laquelle étaient disposés des flacons d'alcool et se versa un verre avant de se tourner vers elle.

— Veux-tu un cognac ?

Sa voix lui signifiait qu'il était toujours contrarié, mais tout de même résigné à se comporter en gentleman.

— Non, merci. Je voudrais bien de l'eau.

Il fit une pause, puis se retourna vers la table-plateau et replaça le bouchon sur la carafe en cristal. Il ouvrit deux bouteilles d'eau et les apporta au lit.

Il lui en donna une et s'assit à ses côtés. Elle se déplaça quelque peu pour lui faire de la place contre la tête de lit. Il allongea les jambes à côté d'elle et s'appuya, tout en prenant une grande gorgée.

Dora s'appuya contre son épaule, soulagée qu'il soit revenu au lit et ne soit pas resté loin d'elle par dépit. Seul un homme plein de confiance serait revenu ainsi, pensa-t-elle. Elle tendit la main pour prendre la sienne qui reposait sur ses genoux. Immédiatement, il la lui pressa.

— Dev, nous n'avons pas parlé de *ton* mariage, remarqua-t-elle, contente d'être tous les deux assis ensemble contre la tête de lit, à regarder l'océan à l'horizon, au lieu d'être face à face.

Ce qui facilitait quelque peu la franchise.

— Tu aimais ta femme ?

— Je pensais que oui. Je ne dirai pas le contraire.

— Tant mieux, dit Dora.

Elle n'aurait pas aimé penser qu'il n'avait pas été amoureux de sa femme.

— Ashley et moi nous sommes mariés longtemps après que nous avons rompu, clarifia-t-il.

— Pourquoi avez-vous divorcé ?

Un long soupir gronda dans la poitrine de Devlin.

— J'ai tout gâché. Je couchais à gauche et à droite. J'étais trop jeune pour me marier, trop stupide pour apprécier ce que j'avais. Nous nous sommes accrochés plus longtemps que nous aurions dû. Je pense qu'aucun de nous deux ne voulait reconnaître s'être trompé. Surtout après la naissance de Leigh Anne. Mais quand Ashley a finalement pris sa décision, je ne me suis pas élevé contre elle. Je ne pouvais pas. En vérité, le divorce a été une expérience difficile. Nous en portons encore tous deux les cicatrices. Mais avec le recul, je vois bien que c'était pour le mieux.

– Comment se porte-t-elle ?

– Elle s'en tire bien. Elle va bientôt se remarier.

Elle le regarda.

– Ça ne te dérange pas ?

– Non, répondit-il rapidement.

Puis, avec plus de sincérité, il reprit :

– Je suis content pour elle. C'est un type bien. Il fera un bon père pour Leigh Anne. Mais elle sera toujours *ma* petite fille. Je ferais n'importe quoi pour elle. Le fait de divorcer ne change rien à ce qu'un père ressent pour son enfant.

Dora pensa alors à Cal, et malheureusement pour Nate, se dit que Devlin avait raison.

– Où vivent-ils ?

– À Mount Pleasant. Ils ont une très belle maison sur la crique. Pas très loin.

– Tu vois souvent ta fille ?

– Une fin de semaine sur deux, et nous nous arrangeons pour les fêtes. Je n'ai jamais manqué une seule rencontre à l'école ou un seul de ses récitals de danse, dit-il avec une certaine fierté.

Elle sourit, heureuse de l'entendre.

Il se déplaça contre la tête de lit pour la regarder dans les yeux.

– Chérie, je sais bien que nous parlons beaucoup du passé, de nos souvenirs quand nous avions 16 ans. J'aime que tu me fasses sentir de nouveau comme ça. Et que moi, je te fasse aussi te souvenir.

Il se tut un instant en jouant avec ses doigts.

– Mais je sais bien que nous ne sommes plus des jeunes. J'ai assez de maux et de douleurs pour me le rappeler.

Il éclata d'un rire rauque.

– Je ne suis plus le surfeur téméraire que tu as connu. Je suis un homme, aujourd'hui. Mais juste parce que je suis devenu adulte, je n'ai pas à être vieux, qu'en penses-tu ?

Elle remua la tête et déplaça sa main pour la mettre sur la sienne.

– Non, pas du tout. J'adore le fait que tu es toujours spontané et amusant. Tu me rends heureuse.

Il inclina la tête.

– Je sens qu'il y a un « mais » qui s'en vient…

Elle sourit avec tristesse.

– Mais… comme tu disais, j'aime mener une vie calme, avec ma maison, mon jardin. Mon fils. J'aime passer la soirée à la maison. Tandis que toi…

Elle le regarda dans les yeux.

– Tu sors tout le temps. Tu entres dans le bar et Bill sait ce que tu bois. Tu parles du Dunleavy comme de ton bureau.

– Ça va avec mes affaires. Je sors avec les clients quand ils le peuvent, c'est-à-dire souvent la fin de semaine ou en soirée. Je les emmène au restaurant pour discuter de nos transactions et aussi pour ajouter un peu de couleur locale.

– C'est strictement pour les affaires ?

– Non, bien sûr que non.

Il fit une pause.

– Qu'est-ce que tu es en train de dire ? Tu ne penses pas que je peux mener une vie calme ?

– Je sais seulement ce que je vois.

Il regarda de nouveau les mains de Dora.

– Et tu n'as pas pensé au fait que je me sentais peut-être seul ?

Elle le regarda brusquement dans les yeux, dont le bleu brillait comme des torches contre son bronzage rougeâtre, comme pour transpercer de leurs flammes ses arguments. Elle avait une certaine difficulté à saisir cette notion : Devlin Cassell, se sentir seul ?

Jamais Dora n'avait considéré cette possibilité. Elle remua la tête avant de la placer contre sa large et puissante épaule. Il la serra plus fort dans ses bras.

– Dev, dit-elle en se forçant à être franche. C'est tellement important pour moi que tu m'aimes. Sois patient avec moi. Je ne suis pas capable de prononcer ces mots. Pas tout de suite. Ce n'est sans doute qu'un document, mais j'ai besoin que mon divorce soit prononcé, une fois pour toutes, avant de pouvoir aller plus loin. Pour quoi que ce soit de plus, je ne suis pas encore prête.

Il soupira, mais sa main lui tapota doucement l'épaule.

– D'accord, chérie. Je ne te presserai pas.

– Merci.

– Pourvu que tu ne sois pas en train de me repousser de nouveau.

– Ce n'est pas le cas. Je te le jure.

Dora tapota sa poitrine de la main.

– Je suis ici, avec toi.

Il se pencha et lui embrassa le dessus de la tête.

– Et c'est là que je veux que tu restes.

~

Le lendemain matin, Dora se réveilla emplie de lumière. Dès qu'elle atteignit la plage, elle se mit à courir. Sans s'être étirée. Elle se mit simplement à courir, ses poings montant et descendant le long de son corps. Ses pieds frappaient le sable tassé, l'un après l'autre. À sa droite, l'océan était une masse de vagues agitées et déferlantes.

Tu es forte. Tu peux y arriver. Tu peux atteindre ton but.

Elle répétait ces mots sans cesse, comme un métronome battant la mesure. Il fallait aussi qu'elle y croie.

De la sueur lui coulait sur son front, mais elle continua, passé le phare, en direction de Breach Inlet. Elle se souvint de la première fois qu'elle avait atteint ce point, le premier jour de son programme de marche. Elle était fatiguée, assoiffée, à peine capable de mettre un pied devant l'autre. C'était ce matin-là que Devlin l'avait retrouvée. Jamais elle n'avait eu aussi mauvaise allure et pourtant, il avait trouvé qu'elle était belle. Dora rit tout haut, entendant ces sons de joie telle une sonnerie de clairon dans le vent qui soufflait, en ce début de matin.

Elle atteignit le bras de mer et revint sur ses pas, toujours au même rythme. Son cœur semblait sur le point d'exploser, mais Dora continua de courir pour la distance qui lui restait à franchir. Ses muscles se tordaient de douleur, mais elle était allée trop loin pour abandonner avant d'avoir atteint son but. Plus d'excuses. Aujourd'hui, elle allait y arriver.

Elle courut, son cœur battant à tout rompre, jusqu'à ce qu'elle ait atteint l'extrémité nord de Sullivan's Island où il était encore possible de courir. Enfin, Dora s'arrêta, à bout de souffle, les mains sur les hanches, de la sueur dégoulinant le long de son visage. Elle était épuisée mais triomphante. Un grand sourire sur s'étira sur son visage. Elle avait réussi !

Elle était sur le sable en train de laisser le vent frais rafraîchir son corps, son regard parcourant cette portion de plage de la petite île qu'elle aimait tant. Au-delà, l'océan Atlantique remuait comme une bête féroce, grognant et crachant, réveillée par la tempête.

Elle rit tout haut, sa voix se mêlant au grondement des vagues. Elle en avait fait du chemin pour arriver à ce point, ce matin. Son homonyme, Eudora Welty, avait raison. L'amour d'un lieu pouvait guérir l'âme.

Dora tourna la tête pour regarder la partie arrière de l'île où la crique faisait la course avec les vagues, où les spartinas bruissaient dans le vent, où les aigrettes festoyaient. Au-dessus de la cime des arbres, elle pouvait à peine voir le belvédère de Sea Breeze. Elle sourit tandis que les paroles de Mamaw retentissaient dans sa tête.

Retrouve-toi, et tu retrouveras la voie vers chez toi.

CHAPITRE 20

Dora se doucha pour ensuite mettre un léger fourreau estival, puis emporta son café et un bol de céréales complètes sur la véranda arrière. Le soleil était tel un œil spectral dans le ciel, offusqué par une armada de nuages gris. Elle contourna plusieurs contenants de légumes et d'herbes à planter tout en traversant la véranda pour rejoindre Mamaw et Lucille, en train de jouer aux cartes à leur place habituelle, sous l'auvent. Les bourrasques le faisaient claquer.

Elle prit place à table à côté de Carson, qui lisait l'*Island Eye*.

— Bonjour, salua-t-elle en approchant. La tempête se prépare.

Les femmes levèrent la tête et la saluèrent.

— Il était bien tôt quand tu t'es levée et que tu es sortie, dit Mamaw.

— J'espère que je ne t'ai pas réveillée.

— Mon Dieu, non, répondit Mamaw. À mon âge, on ne dort jamais bien. Harper s'est réveillée quelques minutes après ton départ.

Mamaw regarda en direction du jardin.

— La chère petite a fait du café, a fait le plein et s'est mise immédiatement au travail pour planter ces parterres de fleurs.

Elle prit une petite gorgée de thé en continuant de l'observer, puis tout en baissant sa tasse, elle reprit :

— Je vous jure, regardez-moi cette fille soulever ces sacs de terre. Ils doivent peser autant qu'elle.

Regardant vers le jardin, Dora vit Harper en train de soulever d'énormes sacs de composte et de vider leur contenu dans deux bacs à fleurs neufs.

Lucille pouffa de rire.

— Elle est petite, mais elle est fougueuse.

— Dora, pourquoi n'es-tu pas déjà avec elle dans le jardin ? la questionna Mamaw. C'est ton projet à toi aussi, après tout, non ?

— Bon sang, non, répondit Dora tout en mastiquant ses céréales. Harper s'en est emparée. Je suis dans ses jambes, maintenant.

Carson baissa son journal en riant.

— Voilà qui fait changement.

— Pas vraiment, rétorqua Dora avec un air médusé. Elle n'a rien du petit animal docile que je pensais qu'elle était. J'ai presque peur d'elle.

Mamaw éclata de rire tout en prenant une carte, la gardant levée pendant qu'elle décidait si elle la gardait ou si elle défaussait.

— Elle doit avoir commandé tous les livres de jardinage jamais écrits. Sa chambre en est remplie. Je serais même prête à parier qu'elle lira chacun d'eux.

— Et tout ça, qu'est-ce que c'est ? demanda Carson en désignant les contenants.

— Des plants de légumes, indiqua Dora.

— Exactement ce dont nous avons besoin, maugréa Lucille en prenant une carte. Plus de légumes. Comme je souhaiterais qu'il lui prenne l'envie de m'élever un beau cochon. Ou quelques poulets.

– Ne lui en parle surtout pas ! s'écria Mamaw. Sinon, on nous livrerait des poulets dès demain.

Elle jeta sa carte sur la table.

– Ne t'en fais pas. Le zonage de Sullivan's Island interdit les animaux de ferme, l'informa Dora.

– Ça n'arrêterait pas mademoiselle Harper si elle s'y mettait, déclara Lucille en prenant la carte de Mamaw.

– La pauvre chérie, marmonna Mamaw. Mais maintenant, silence, la voilà qui approche.

Les femmes se turent tout en regardant Harper en train de traverser la cour en secouant la terre de ses vêtements. Ce qui se révéla être un exercice futile. Elle était recouverte de la tête aux pieds de terre qui, avec toute sa sueur, se transformait rapidement en boue.

– Elle n'a même pas l'air essoufflée, s'émerveilla Dora.

– Salut, vous toutes, dit Harper en approchant.

Les trois femmes la regardèrent avec des yeux écarquillés tellement elles étaient choquées que leur petite New-Yorkaise les ait saluées à la mode du Sud.

– Si ce n'est pas le comble, ça, murmura Lucille.

– C'est pour vous taquiner, déclara Harper avec un petit rire. Encore que je dois dire que cette expression est accrocheuse.

Elle se tourna vers Dora tout en se versant un peu d'eau d'une bouteille isotherme.

– Dora, je suis contente que tu sois de retour. J'aurais besoin de ton aide. Il faut que je plante tout ça avant qu'il se mette à pleuvoir.

– Désolée, Mademoiselle Pouces verts, s'excusa Dora, sans avoir toutefois moindrement l'air de l'être.

Harper grogna et regarda Carson d'un air plein de supplication.

– Carson…

– Ne compte pas sur moi, protesta Carson. Je déteste le jardinage.

– Ohh, allez, gémit Harper. Il faut que toutes ces plantes soient dans la terre avant qu'il pleuve.

Ses yeux se mirent à briller en même temps qu'elle se lança dans un monologue narrant tous ses progrès.

– J'en ai trop fait pour tout gâcher maintenant. Il y a trois variétés différentes de laitue, des tomates de patio, oh ! et des fines herbes. Elles sentent tellement bon. Du persil, du thym, du romarin, de la sauge, de l'origan, de l'aneth et beaucoup de basilic. Elles ne sont pas mignonnes ? Tellement petites… Je les appelle mes bébés.

Elle se tourna alors vers Lucille.

– Lucille, ce sera un potager juste pour toi, dit-elle avec fierté. Dans quelques semaines, tu n'auras qu'à y faire une petite balade pour cueillir ce qu'il te plaira.

Lucille lui sourit gentiment.

– C'est vraiment bien. Merci, ma petite.

Elle jeta un coup d'œil en direction de Mamaw.

– Harper, j'aimerais vraiment t'aider, affirma Dora, mais j'emmène Nate jouer. Ce matin, nous avons une leçon de kayak. Encore que…

Elle regarda les nuages qui se profilaient dans le ciel.

– J'espère qu'elle ne sera pas annulée à cause de la tempête.

Toutes regardèrent alors ces nuages annonciateurs de la tempête tropicale qui s'avançait à toute vitesse en provenance du sud.

– Elle est vraiment en train d'arriver, dit Mamaw. Peu importe, vous ne devriez pas aller sur l'eau, aujourd'hui.

– Tous ces nuages ont maintenant un nom officiel, les informa alors Carson.

Elle jeta un regard vers Lucille.

– Tu devines ?

Comme Lucille haussait les épaules, Carson s'exclama :

– On a appelé cette tempête tropicale Lucy ! C'est pas marrant, ça ? Je crois que c'est tout simplement approprié qu'on donne ton nom à une tempête, espèce de vieille baudruche.

Les filles éclatèrent de rire tandis que Carson se penchait pour faire la bise à Lucille.

Celle-ci grogna.

– On m'a jamais appelée Lucy de toute ma vie et jamais on le fera. Moi, j'ai toujours été Lucille.

Mamaw ne rit pas.

– Ces tempêtes d'été peuvent être d'une violence surprenante. Elles sont costaudes. J'en ai vécu trop pour ne pas les prendre toutes au sérieux. L'été dernier, la tempête tropicale Debby a complètement balayé les dunes. Elle les a tout simplement arrachées.

Elle joignit les deux mains pour mettre tout le groupe au travail.

– Les filles, peu importe vos plans, aujourd'hui, il faut nous préparer pour cette tempête. Il faut rentrer les coussins, mettre tout ce qui est léger ou qui peut être soulevé par le vent dans le garage. Harper, tu dois ranger tous tes outils de jardinage. Il ne faut pas que quoi que ce soit devienne un missile emporté par le vent et qui briserait une fenêtre. On n'est jamais trop prudent.

– Mamaw, chaque fois qu'il y a une tempête, tu paniques, souligna Dora. Cette maison résiste aux tempêtes depuis plus d'un siècle.

– Mais c'est parce que je me prépare ! Et je te ferai savoir, jeune femme, que cette maison est peut-être toujours debout, mais j'y ai fait faire bien des travaux au fil des années. L'ouragan Hugo a bien failli l'emporter au grand complet. Une fois qu'on a vécu une chose pareille, on se méfie toujours de l'océan.

– Amen, marmonna Lucille.

— Lucy promet d'être une sacrée tempête, renchérit Carson en regardant le ciel. Je le sens toujours dans mes os. C'est le changement dans la pression atmosphérique.

Dora regarda de nouveau le ciel avec ce sentiment de mauvais augure que toute personne sur la côte ressent à la veille d'une de ces tempêtes estivales ayant reçu un nom.

— Au moins, ce n'est pas un ouragan.

— Mais les prévisions météo annoncent des vents puissants, dit Harper en regardant le ciel avec méfiance. Je m'inquiète pour mes plantes.

Elle prit une grande respiration.

— J'y vais. Il faut qu'elles soient toutes plantées avant que la tempête commence.

Harper avança pour soulever un contenant de fines herbes et le transporta dans ses bras graciles avec l'aisance d'un ouvrier.

— Mais qui donc est cette fille ? demanda Carson, le menton contre la paume de sa main. Où va-t-elle donc chercher toute cette énergie ?

— C'est le fanatisme des convertis, ma chère, répondit Mamaw. C'est irrépressible.

— Puisqu'on parle d'énergie, avança Dora à l'endroit de Carson, j'ai remarqué que tu as encore fait la grasse matinée, ce matin. Et depuis ton retour, tu n'es pas allée faire de surf ou de surf cerf-volant une seule fois. Avec les vagues que la tempête est en train de provoquer, j'étais pourtant convaincue que tu serais là-bas avec tous les autres casse-cou.

— Je suis toujours un peu fatiguée par notre voyage. Je ne me sens pas très bien, c'est tout.

Elle regarda Lucille.

— Je pense que j'ai la même chose que toi.

Lucille émit un petit rire nasal.

— Mon chou, t'as pas la même chose que moi.

Carson se pencha alors contre l'épaule de Lucille et déclara avec humour :

– En tout cas, t'as sûrement pas ce que j'ai.

La manière qu'eut Carson de dire cette phrase fit que Mamaw leva rapidement la tête pour croiser le regard de Dora, puis celui de Lucille. À ce moment précis, les trois femmes partagèrent un regard entendu. Et, simultanément, elles regardèrent Carson avec des yeux méfiants.

Dora se rapprocha de sa sœur.

– Carson, es-tu enceinte ?

~

– L'air est tellement humide que je pourrais le boire, se plaignit Mamaw.

Des gouttes de sueur perlaient sur son front, et ses cheveux étaient pleins de frisottis.

La tempête tropicale Lucy devenait de plus en plus violente en se dirigeant vers le nord, le long de la côte. La mer rugissait d'anticipation, résonnant partout dans l'île. Une humidité épaisse recouvrait la côte comme un voile. Elles avaient toutes mis la main aux préparatifs pour l'arrivée de la tempête, qui était prévue pour le soir.

Mamaw inspecta une dernière fois la propriété afin de s'assurer que tous les pots de fleurs, l'équipement de jardinage, les coussins et autres babioles avaient été rangés de manière sûre à l'intérieur.

– Nous avons terminé. Nous avons chaud et nous sommes en nage, déclara alors Carson, les bras levés pour refaire sa queue de cheval. Allons à la plage.

Mamaw était contente de voir un peu plus de couleur sur son visage, ce matin. Elle portait un haut de bikini et un pantalon de yoga qui lui arrivait bas sur les hanches. En regardant son ventre plat, Mamaw avait du mal à imaginer qu'une nouvelle vie était en train d'y prendre forme. Carson avait refusé de discuter de sa grossesse et après avoir reconnu son état, s'était réfugiée dans sa chambre, fermant la porte derrière elle. Mamaw avait cru qu'elle entendrait peut-être un petit coup à sa porte et que Carson se glisserait dans sa chambre, comme elle faisait d'habitude pour bavarder un peu. Carson gardait résolument le silence.

Harper s'approcha dans un maillot de bain Speedo noir et un sarong avec un grand chapeau mou sur la tête. Elle avait des serviettes de plage sous les bras.

– Tu as envie de venir ? demanda-t-elle à Mamaw.

– Oh, je ne crois pas, ma chérie. Pas aujourd'hui.

Derrière elle, Dora transportait un grand sac en toile, et le visage de Nate était strié d'écran solaire blanc.

– Mais pourquoi ne viens-tu pas, Mamaw ? insista Dora. Tu n'es presque jamais allée à la plage, cet été. Ce serait comme autrefois.

– Je ne veux pas laisser Lucille seule, répondit Mamaw. De toute manière, il y a certaines choses dont je dois m'occuper avant la tempête. Allez-y, les enfants, et amusez-vous bien. Mais Carson, tu ne vas pas sur l'océan, compris ? l'avertit-elle en transperçant sa petite-fille d'un regard ferme. Écoute-le rugir. Le courant sous-marin est mortel.

Carson se contenta d'esquisser un petit sourire suffisant, sans répondre. Mamaw savait bien que de belles vagues dans les eaux de Charleston étaient un appât puissant pour les surfeurs des environs. Elle savait aussi que, comme pour tout le reste, Carson ferait ce qu'elle aurait décidé de faire.

– Ça s'applique à toi aussi, Nate, dit-elle en se tournant vers Dora. Ne le laisse pas aller dans l'eau.

– Ne t'en fais pas, Mamaw. Nous ne le laisserons pas.

Mamaw regarda le groupe s'éloigner d'un pas nonchalant en se tapotant la cuisse du bout des doigts. Dès qu'ils eurent disparu derrière la haie, elle regarda sa montre et se dépêcha de monter l'escalier pour rentrer dans la maison. Elle se dirigea directement vers le téléphone de la cuisine et composa un numéro qu'elle avait noté sur un papillon adhésif. Après deux coups, un homme répondit.

– Devlin Cassell.

– Devlin, Marietta Muir à l'appareil.

– Mamaw !

La réponse débordait de chaleur.

Mamaw ne sut que répondre pendant un instant, tant elle était surprise que Devlin l'appelle Mamaw.

– Pardonnez-moi d'être aussi familier, Madame Muir. Chassez les habitudes, elles reviennent au galop.

– Il n'y a pas de mal. Mais *Madame Muir* est peut-être plus convenable, considérant la nature de nos affaires.

– Bien sûr, Madame Muir.

– Les filles sont allées à la plage. Tu as du temps, maintenant ?

– Pour vous ? Bien sûr que oui. Je serai chez vous dans un instant.

Il pouffa de rire tout bas de cette manière pleine d'aisance dont elle se souvenait qu'il le faisait autrefois.

– Je connais le chemin.

~

Mamaw ouvrit la porte à un homme bien habillé, aux épaules larges et aux lunettes de soleil noires. Il les retira tout en souriant, ce qui lui permit de reconnaître ses étonnants yeux bleus.

– Devlin Cassell. J'ai du mal à te reconnaître !

Il était plus grand et plus large que dans ses souvenirs. Ses cheveux blonds étaient bien coupés, mais toujours aussi incoiffables. Ce qui lui donnait l'air jeune même dans son pantalon beige au pli sophistiqué et son polo coûteux.

– Madame Muir, vous n'avez pas changé, affirma-t-il avec un grand sourire.

– Entre, je t'en prie.

Elle le fit entrer.

– Ne tiens pas compte de l'allure de la maison, en ce moment. Les filles et moi, nous avons passé la journée à tout retourner pour la préparer à la tempête !

Tout en pénétrant dans la maison, Devlin faisait aller sa tête de droite à gauche et il parcourait les pièces du regard. Mamaw aurait voulu que le soleil brille, Sea Breeze étant à son mieux quand le soleil pénétrait par les fenêtres, mais avec la tempête qui se préparait, les pièces avaient un air sinistre. Mamaw avait allumé chacune d'elles. Tandis qu'ils traversaient la maison, la lumière dorée donnait aux parquets de pin un lustre additionnel. Devlin, de son côté, s'attardait en particulier sur les détails historiques qui, comme tous deux le savaient, ajoutaient à la valeur de la maison. De temps à autre, il s'arrêtait pour noter quelque chose dans son carnet ou pour faire un commentaire. *On ne voit pas ce genre de moulure tous les jours.* Quand ils sortirent sur la véranda arrière, Devlin s'arrêta, posa ses mains sur ses hanches et regarda dans la direction de la vaste étendue de la crique. La marée était haute, et une brume argentée provoquée par la tempête en train de se préparer était comme en suspension au-dessus des marécages, donnant au paysage un aspect féerique.

– Voici ce pour quoi ils viendront. La vue à un million de dollars, dit-il au bout d'un moment. Ou, dans ce cas précis, à plusieurs millions.

Il émit un petit sifflement.

– J'avais oublié à quel point cette maison était bien située.

– Oui, eh bien, je crois qu'à l'époque, c'était sur Dora que tu avais l'œil.

Il croisa son regard et pouffa de rire.

– En effet. C'est toujours le cas.

Il marqua un temps avant de demander :

– Ça vous gêne ?

Elle fut touchée de constater que son opinion lui importait assez pour qu'il lui pose la question.

— Tout dépend de ta sincérité.

Elle inclina la tête et joignit les mains, choisissant ses mots avec soin.

— Dora est une femme traditionnelle, avec des valeurs traditionnelles. Le divorce est difficile pour elle.

— Ça, je le sais.

Mamaw serra ses bras autour d'elle-même, soudain surprise par la chute de température.

— J'ai toujours pensé que si un homme veut vraiment faire partie de la vie d'une femme, il fera un effort en conséquence.

Elle se tourna alors vers Devlin et le regarda droit dans les yeux.

— Nous n'avons pas vu l'ombre de Calhoun Tupper depuis que Dora est revenue de l'hôpital. Mais je pense que Dora et toi vous êtes vus assez fréquemment, au cours des dernières semaines.

Il hocha la tête.

— Tu as rencontré Nate ?

— Pas encore. Je voudrais bien. Mais Dora préfère attendre.

— Elle est très protectrice envers ce garçon. Trop, peut-être, mais elle a de bonnes raisons.

Devlin se retourna pour lui faire face, le regard plein de sincérité.

— J'essaie de ne pas la presser. Elle m'a dit que je ne devais pas. Mais, poursuivit-il avec sérieux, je veux que vous sachiez que mes sentiments pour Dora sont réels. Et profonds. Je ne lui ferai aucun mal. À Nate non plus. En fait, dans tout ça, celui qui risque le plus d'avoir mal, c'est moi.

Le sourire de Mamaw éclaircit son visage. Quel homme charmant et authentique Devlin était-il devenu !

— Dans ce cas, je crois qu'aucun de nous deux n'a d'inquiétude à se faire. Et si nous rentrions ? La température a dû baisser de 10 degrés depuis que tu es arrivé, et la pluie ne devrait plus tarder.

Ils retournèrent à l'avant de la maison. Le regard de Devlin s'arrêta sur le cottage, et il s'immobilisa en face de lui et examina la pittoresque maison.

– Nous pouvons entrer jeter un coup d'œil ?

– Pas aujourd'hui. Lucille se sent mal. Elle est en train de se reposer. Je ne veux pas la déranger. En plus, avec le changement de température, j'ai bien peur que les filles rentrent d'un instant à l'autre. De toute manière, c'est briqué comme le pont d'un navire.

– Et le garage ?

– Plein de poussière, de toiles d'araignée et d'objets sans intérêt, mais solide.

– Très bien. Eh bien, je vais retourner à mon bureau et établir des comparatifs pour que nous puissions commencer à discuter du prix.

Ses yeux brillèrent.

– Mais je peux vous affirmer dès maintenant qu'en ce moment, il n'y a rien de comparable sur le marché. Avec à la fois la valeur historique et une vue incroyable…

– Alors tu penses qu'elle pourrait se vendre rapidement ?

Il sourit.

– Dans mon Rolodex, il y a des gens que je pourrais appeler tout de suite qui attendent qu'une maison comme la vôtre soit en vente. Oui, Madame Muir, je pense qu'elle pourrait se vendre très rapidement.

Mamaw fut soulagée et remplie de gratitude. Elle regarda en direction du cottage en imaginant Lucille qui y était allongée. Mamaw avait l'intention de téléphoner à quelques médecins et de déterminer s'il y avait des traitements qui pouvaient être envisagés. Avec de l'argent disponible, elle pourrait affronter le cancer.

– Je suis si contente.

— Quand voudriez-vous la mettre en vente ?

— Le plus tôt possible.

Devlin fronça les sourcils.

— Vraiment ? Je pensais que Dora m'avait dit que vous vouliez attendre jusqu'à l'automne.

— C'est ce que je pensais, à l'origine. Mais des circonstances récentes m'ont fait changer d'avis, encore que je ne voudrais pas quitter Sea Breeze avant la fin de l'été.

— Très bien, Madame. Alors je pense que j'ai tout le nécessaire. Je communiquerai avec vous le plus tôt possible.

Il se tourna et se dirigea vers sa voiture. C'était une grosse voiture allemande, noire, brillante, et l'air coûteuse. Il se pencha pour ouvrir la portière avant de s'arrêter et de regarder en direction de la rue.

Mamaw entendit aussi leurs voix et sentit son estomac se nouer. Elle avait espéré qu'ils auraient terminé leurs affaires avant leur retour. Le tonnerre gronda soudain, et une bourrasque fit tourbillonner du sable dans les airs. Dora et Nate apparurent entre les hautes haies qui bordaient la propriété. Elle était en train de lui parler, mais s'arrêta soudainement en voyant Devlin. Peu après, Harper arriva, suivie de Carson, qui sourit et lui envoya la main quand elle le vit.

— Hé, Dev ! cria Carson en s'approchant de lui. Je me demandais quand nous te verrions. Comment tu vas ?

— Bien. Très bien, répondit-il cordialement, tout en jetant un regard inquiet en direction de Dora.

Dora ne dit rien. Elle resta interdite aux côtés de Nate.

— Eh bien, comme tu es beau, bien habillé comme ça, le taquina Carson. Es-tu venu pour enlever notre petite sœur pour le dîner ?

Elle regarda Dora par-dessus son épaule d'un air interrogateur.

— Je… euh…

Devlin hésita et regarda Mamaw pour déterminer ce qu'il devait répondre.

Alors Mamaw s'avança.

– C'est moi qui ai demandé à Devlin de venir. Il est venu me donner une estimation de la maison.

Carson eut l'air mortifiée.

– Tu mets la maison en vente *maintenant* ?

– Je veux seulement obtenir certaines informations, il n'y a pas de quoi en faire un drame. Laissons ce pauvre homme rentrer chez lui avant que la tempête s'abatte sur nous.

– Devlin, attends, dit Dora en s'approchant de lui. Je voudrais te présenter mon fils.

Elle fit signe à Nate de s'approcher.

– Nate, viens faire la connaissance d'un ami très cher, monsieur Cassell.

Les yeux de Devlin s'agrandirent en même temps que son sourire.

– Hé, Nate. Très heureux de faire enfin ta connaissance. Ta maman m'a beaucoup parlé de toi. En fait, elle ne peut pas s'empêcher de parler de toi.

Il lui tendit la main.

Intérieurement, Dora fit la grimace en sachant que Nate ne lui serrerait pas la main.

– Salut, répondit Nate en détournant le regard vers la maison.

Ce fut tout à l'honneur de Devlin de laisser retomber sa main le long de son corps sans s'offusquer.

– J'espère que tu viendras sur mon bateau, un jour. Je connais des endroits où il y a beaucoup de dauphins, des endroits où ils utilisent l'échouement pour attraper leurs poissons. Tu sais ce que c'est ?

Nate fit non de la tête.

– Alors je te montrerai. Ta maman m'a dit que tu aimais les dauphins.

Nate regarda l'homme, hocha brusquement la tête avant de se tourner vers Dora.

– Je peux rentrer ? J'ai froid.

– Je vais l'emmener, suggéra Harper. Salut, Devlin, ajouta-t-elle par la même occasion.

– À bientôt, Dev, le salua Carson en lui envoyant la main et en suivant Harper. Tu devrais te dépêcher. Il va se mettre à pleuvoir des cordes.

Ce fut au tour de Mamaw de lui tendre la main.

– J'attends ton rapport incessamment, dit-elle, et sans rien ajouter, elle se tourna et se dépêcha de monter l'escalier.

Dora attendit qu'ils soient tous rentrés. Des éclairs sillonnaient le ciel et quand la porte d'entrée se fut finalement refermée, un grondement de tonnerre assourdissant secoua le ciel. Dora s'approcha davantage de Devlin et il passa les bras autour d'elle, la serrant contre lui. Le regardant avec un sourire coquet, elle le surprit en lui donnant un long et intense baiser.

– Qu'est-ce que j'ai bien pu faire pour mériter ça ? demanda-t-il paresseusement, sans vouloir arrêter.

– Tu as été gentil avec mon fils. Et tu me manques.

– Je suis *là*, déclara Devlin.

Puis, en la regardant dans les yeux, il poursuivit :

– Tous les jours et toutes les nuits. Et je n'ai pas l'intention de partir.

CHAPITRE 21

Ce soir-là, comme l'avaient prédit les météorologues, la tempête tropicale Lucy faisait siffler et claquer les fenêtres. La pluie s'abattait sur le toit, mais à l'intérieur de Sea Breeze, les lampes brillaient gaiement. Les femmes avaient décidé de narguer la tempête en faisant un pique-nique dans la maison. Elles avaient déplacé les meubles du salon, disposant des couvertures sur le parquet et apportant de la nourriture du réfrigérateur.

Mamaw était pelotonnée dans son fauteuil et écoutait ses petites-filles, allongées sur les couvertures, bavarder comme des pies. Lorsqu'elles se retrouvaient toutes ensemble, on aurait dit que Mamaw était invisible. C'était pour elle une révélation d'entendre leurs anecdotes sur leurs pires rendez-vous romantiques, ou sur les régimes à la mode, les tendances vestimentaires qu'elles adoraient, et leurs souvenirs préférés de leur enfance à Sea Breeze. Tandis que la soirée avançait, ces histoires devenaient plus sérieuses. De temps à autre, elle apercevait Harper en train de prendre quelques notes sur son portable omniprésent.

Tout en discutant, elles se faisaient un festin de poulet froid et de crevettes, de savoureux biscuits salés, d'une variété de fromages, de cornichons et d'olives, d'avocats bien mûrs et d'autant de glace qu'elles pouvaient manger. Mamaw craignait une panne d'électricité pendant laquelle elle fondrait.

À 21 h, la tempête augmenta d'un degré, le vent se mit à hurler comme une banshee et la pluie, à frapper les vitres horizontalement. Soudainement, les lumières vacillèrent et tout devint noir. Mamaw agrippa la main de Lucille, assise à côté d'elle, entendit les filles prendre toute ensemble une grande respiration et Nate pousser un cri plein d'effroi.

Carson saisit alors la lampe de poche qu'elle gardait à ses côtés et en une pression, le long faisceau de lumière ramena le calme dans le salon.

– Aucune inquiétude à se faire, les rassura-t-elle. Nous avons des bougies et des allumettes sur la table.

Bien vite, le salon fut animé par une lumière dansant contre les murs et au plafond.

– C'est comme du camping, remarqua Dora en se tournant vers Nate.

Il était pétrifié, assis les genoux repliés près du menton, les yeux écarquillés. Sa mère lui fit un sourire d'encouragement.

– Tu ne trouves pas ?

Il ne répondit pas, préférant se rapprocher d'elle.

– La tempête se fait plus puissante, déclara Harper en regardant par la fenêtre, les sourcils froncés par l'inquiétude. Vous êtes sûres que ce n'est pas un ouragan ?

– Non, ma petite, c'est pas un ouragan, ça, répondit Lucille avec un léger gloussement. Si c'en était un, tu t'en rendrais compte. La maison entière serait secouée, pas seulement les fenêtres. Et nous ne serions pas assises ici. Nous aurions quitté l'île pour attendre quelque part au nord qu'il soit passé. Après Hugo, plus jamais je ne resterai dans cette île pendant un ouragan. Assurément, conclut-elle en remuant la tête. Alors, te fais pas de bile. C'est juste une bonne grosse tempête d'été.

Sur ces entrefaites, l'électricité fut rétablie.

Il y eut un soupir de joie et de surprise.

— Tu vois ? dit Lucille avec un sourire suffisant. Qu'est-ce que je te disais ? Juste le vent d'été.

Mamaw eut alors une idée qui, espérait-elle, détournerait l'attention de chacune d'elles et de Nate de la tempête qui s'intensifiait. Elle se dirigea vers sa chaîne stéréo et se mit à chercher dans sa discothèque. Ses doigts parcoururent les boîtiers des CD jusqu'au moment où elle trouva Frank Sinatra. Sortant le disque, elle le plaça dans le lecteur et le mit en marche. Un déclic et un ronronnement se firent entendre, puis la voix veloutée de Frank Sinatra.

The summer wind came blowin' in from across the sea[8].

— Edward et moi avions l'habitude de danser sur cette chanson pendant les tempêtes, déclara Mamaw en se souvenant du passé, de la nostalgie dans la voix.

— Je m'en souviens, affirma Carson en se levant. Dans la grande maison sur East Bay. Une fois, j'étais cachée dans l'escalier, et je vous ai regardés.

Elle tendit les bras.

— Mamaw, danse avec moi.

Mamaw saisit les mains que lui présentait Carson.

— Avec plaisir, accepta-t-elle en riant gaiement quand sa petite fille assuma la direction de la danse.

Toutes deux étaient grandes et glissaient avec grâce sur le parquet.

À ce moment, Dora se leva et tendit les mains vers Nate.

— Allez, Nate. Tu es l'homme de la maison. Tu dois faire danser les dames.

À la surprise générale, Nate se leva. Elles l'applaudirent toutes en le voyant prendre les mains de sa mère et se mettre à danser un deux temps maladroit.

— Je pense que jamais elle n'oubliera cette danse, chuchota Carson à Mamaw.

8. N.d.T.: Le vent d'été vint souffler de la mer.

– Moi non plus.

– Je t'aime, Mamaw.

– Je le sais. Moi aussi, je t'aime. Et mon amour est inconditionnel. Tu le sais, n'est-ce pas ?

Des larmes montèrent dans les yeux de Carson et elle hocha la tête tout en serrant les lèvres.

Harper se leva à son tour.

– Allez, Lucille. Nous n'allons pas nous laisser mettre de côté !

Elle aida Lucille à se lever et en lui prenant les mains, elles se mirent à danser, tout doucement.

Mamaw se sentait radieuse en regardant autour d'elle tout le monde en train de danser dans le salon éclairé à la chandelle. Personne ne se précipitait vers la porte pour aller prendre l'avion ou pour aller bouder dans sa chambre. Elles étaient toutes là, ses filles de l'été, ensemble, exactement comme elle l'avait toujours espéré. Elle rendit donc grâce à cette tempête d'été qui les avait réunies pour cette soirée si spéciale.

Elles firent rejouer la chanson, changèrent de partenaires et dansèrent une nouvelle fois, accompagnées par son rythme lent. Comme Nate refusait de danser avec quiconque sauf sa mère, ce fut Carson, cette fois, qui dansa avec Harper. Mamaw prit la main de Lucille, l'entraînant dans un doux mouvement oscillatoire, tout en chantonnant la mélodie.

Soudain, Lucille eut le souffle coupé et se tordit de douleur.

Elles furent toutes pétrifiées.

Mamaw empoigna les bras de Lucille et la maintint fermement tout en donnant des ordres.

– Carson ! Aide-moi à l'installer sur le canapé. Dora, ses pilules sont dans ma salle de bain. Va vite les chercher. Harper, apporte-lui un verre d'eau.

Immédiatement, les filles se mirent au travail. Au bout de quelques minutes, Lucille se reposait sur le canapé, le bras de Mamaw toujours autour de son épaule. Carson,

Dora et Harper étaient regroupées autour d'elles, pleines d'incertitude et d'angoisse. Nate était assis sagement sur la couverture.

— Ce n'est pas la grippe, ça.

Carson regarda Mamaw pour obtenir une confirmation. Celle-ci remua la tête.

— Ce n'est pas à moi de te répondre.

Elle regarda Lucille.

En dépit du vent qui hurlait de l'autre côté des fenêtres, le silence régnait dans le salon. Lucille leva lentement les yeux pour regarder Carson. Elle se tourna ensuite pour regarder Harper et Dora. La douleur avait un peu diminué, et même si elle se tenait toujours le bas du ventre, son visage semblait serein.

— Bon, bon, n'ayez pas l'air si inquiètes, dit Lucille d'une voix faible. Ce qui m'arrive est aussi naturel que le vent qui souffle de l'autre côté des fenêtres. Je suis malade, c'est tout.

— Malade comment ? demanda Dora.

Lucille soupira, résignée.

— Le cancer.

Il y eut un silence de surprise, puis Carson s'agenouilla et posa la tête sur les cuisses de Lucille.

— Oh, Lucille…

— Quel type de cancer ? voulut savoir Harper.

Sur ce, les trois filles s'y mirent toutes, se lançant dans de nouvelles questions, des suggestions, des recommandations sur les meilleurs centres médicaux où Lucille pourrait être traitée.

— Arrêtez de parler sans arrêt ! les interrompit Lucille en levant les mains. J'ai déjà discuté de tout ça avec votre grand-mère et je n'ai pas l'énergie de recommencer. J'ai pris ma décision, vous m'entendez ? dit-elle fermement, les faisant taire. J'ai vécu ma vie avec dignité. J'ai l'intention de mourir avec dignité.

— Je sais que c'est difficile à accepter, concéda Mamaw aux filles. Mais Lucille a pris sa décision. Maintenant, c'est à nous de nous assurer qu'elle soit aussi à l'aise que possible.

— Eh bien, je déteste mettre fin à la fête, reprit Lucille, mais je suis fatiguée et j'ai besoin d'aller me coucher. Donne-moi la main, ma petite, indiqua-t-elle à Carson. Aide une vieille femme à se lever.

Mamaw et Carson prirent chacune un de ses bras et l'aidèrent à se lever, lentement. Elle grogna sourdement et grimaça, sa souffrance étant évidente. Dora et Harper se prirent la main pour se soutenir l'une l'autre.

— Emmenez-la dans ma chambre, l'intima Mamaw.

— Quoi ? Non, non. Je veux être dans mon lit, intervint Lucille.

— Plus tard, quand la tempête se sera calmée. Pour le moment, repose-toi un peu dans le mien.

En dépit de ses protestations, Lucille s'installa dans le grand lit à baldaquin de Mamaw pendant que Dora et Harper retapaient des oreillers pour les glisser derrière elle.

— Retournez faire la fête, les intima Lucille en agitant la main pour qu'elles quittent la chambre. C'est pas une veillée funèbre. Je suis seulement fatiguée. Allez... Mes précieuses petites, ajouta-t-elle.

Carson, Harper et Dora l'embrassèrent chacune à leur tour avant de quitter la chambre avec réticence. Mamaw les mena jusqu'à la porte.

— Tout ira bien. Elle a besoin de se reposer. Je vais me coucher, moi aussi. À demain matin. N'oubliez pas d'éteindre les bougies avant de vous retirer.

Elle ferma la porte de sa chambre avec un soupir de soulagement. Quelle soirée ! Elle se sentait épuisée par tout ce qui s'était passé. Elle mit rapidement sa chemise de nuit, se brossa les dents tout en écoutant la tempête qui résonnait toujours sur le toit comme un tambour. Elle éteignit, puis entra dans sa chambre, que seule la lumière bleue inquiétante de la veilleuse éclairait.

— Je peux aller dans mon lit, maintenant, déclara Lucille en repoussant les couvertures.

— Oh, non, pas question, répondit Mamaw en se dépêchant de rejoindre Lucille pour replacer les couvertures sur sa poitrine. Il souffle un vent de tempête, un des pires qu'on ait eu depuis longtemps. Je ne veux pas que tu sois toute seule dans ton cottage. Mets-toi à l'aise ici, mon amie, car tu vas dormir dans cette maison jusqu'à la fin.

— Mais il n'y a pas d'autre lit !

— C'est la raison pour laquelle tu vas dormir ici.

— Où dormirez-vous ?

— À côté de toi.

— Je ne peux…

— Tu ne vas pas en faire un drame. Je suis trop fatiguée pour argumenter avec toi. De toute manière, je doute qu'aucune de nous deux ne dorme beaucoup avec le vent en train de hurler et la pluie qui se fracasse contre le toit.

Lucille regarda en direction de la fenêtre.

— Il pleut tant qu'on dirait que c'est le déluge du Seigneur.

— J'espère que les pauvres petites plantes de Harper survivront. Elle a tellement travaillé…

Mamaw soupira en se mettant au lit aux côtés de Lucille. Elle tenta de bouger le plus lentement possible afin de ne pas remuer le matelas. Lucille lui avait dit que la douleur s'empirait, et cela travaillait Mamaw. Elle savait qu'il restait peu de temps avant qu'elle doive avoir recours à des soins palliatifs.

Mamaw s'allongea sur le dos et tira la couverture jusqu'à son menton. Regardant sur le côté, elle vit Lucille, soulevée par des oreillers, allongée complètement immobile, comme si elle avait peur de bouger.

— C'est une première, ça, dit-elle alors en pouffant de rire.

Lucille rit doucement.

– C'est incroyable.

Mamaw rit de nouveau. Jamais elle n'aurait pu s'imaginer 50 ans plus tôt être un jour couchée dans le même lit que sa bonne.

– Nous avons traversé bien des années, mon amie. Vécu bien des changements.

– Mais peut-être jamais autant que cet été.

Mamaw laissa échapper un rire fatigué.

Lucille fit claquer ses lèvres.

– Veux-tu un verre d'eau ? demanda Mamaw.

– Non. J'ai la bouche sèche à cause de ce médicament, c'est tout.

– Alors un peu de glace. Tu pourrais la mâcher.

– Non, ça va.

Elles restèrent allongées en silence, à écouter la tempête.

– Je suis contente que tu leur aies dit. Il fallait qu'elles soient au courant. Pour pouvoir se préparer.

– Sans doute.

– Elles t'aiment beaucoup.

– Je le sais.

Lucille tourna la tête vers Mamaw.

– Ça me réconforte.

– Tu vas me manquer, admit Mamaw d'une voix brisée.

– Ça aussi, je le sais, répondit Lucille. Mais je veillerai sur vous, comme d'habitude.

– Ça ne sera pas la même chose. Qui me remettra à ma place, quand tu seras partie ? Tu es la seule qui le fasse.

Dans la pénombre, Lucille rit doucement.

– Oh, je pense bien que les filles prendront la relève.

Mamaw soupira.

– Je suppose que tu as raison.

Elles pouvaient entendre les trois femmes en train de bavarder dans le salon.

– Je m'inquiète pour elles, dit doucement Mamaw.

– Oui…

– Harper semble si seule. Et les attentes de sa famille sont un tel fardeau. Sa mère… Comment pourra-t-elle découvrir ce qu'*elle* veut faire ? Ou trouver un mari qui réponde aux critères des James ?

– Vous vous inquiétez pour *Harper* ? s'enquit Lucille avec irascibilité. C'est celle pour laquelle je m'inquiète *le moins*, moi.

– Pourquoi ?

– D'abord, c'est la plus jeune, elle n'a que 28 ans. Pour quelle raison ça vous inquiète qu'elle trouve un type ou non ? Elle a tout son temps.

– À mon époque, la plupart des femmes étaient mariées à 28 ans.

– Eh bien, cette époque est révolue, complètement révolue. Deuxièmement, elle est riche comme Crésus. Ou en tout cas, sa mère l'est. Cette petite n'a pas besoin de se trouver un mari ou un emploi pour vivre. Et pour mener la belle vie.

Elle souleva le menton brusquement pour souligner ce point.

– Je ne me suis pas mariée, moi, parce que je ne voulais pas d'un homme qui me dise quoi faire. J'aime avoir ma propre vie. Qui vous dit que ce n'est pas la même chose pour Harper ?

Un sourire traversa le visage de Lucille.

– Si j'avais de l'argent comme Harper, mon Dieu…

Elle leva les yeux au ciel et sourit de nouveau.

– Qu'aurais-tu fait ? demanda Mamaw, curieuse.

– Qu'est-ce que je n'aurais pas fait…

Les deux femmes éclatèrent toutes les deux de rire comme deux vieilles amies à l'aise dans cette amitié datant de plusieurs décennies qui les reliait.

– Et vous n'avez pas besoin de vous inquiéter pour Dora non plus, poursuivit Lucille.

– Non ? Il lui reste tant de décisions à prendre. Le divorce n'est pas encore finalisé… Si vraiment il y a un divorce.

– Oh, il va y avoir un divorce.

– Comment le sais-tu ? la questionna Mamaw.

– Difficile à dire, sauf que ce n'est plus de Calhoun Tupper qu'elle rêve, aujourd'hui.

Mamaw esquissa un sourire, en étant elle aussi arrivée à cette conclusion.

– C'est l'autre qui me fait perdre le sommeil.

Lucille remua la tête.

– Carson…

– Qu'est-ce que nous allons faire de cette fille ?

– Je n'en sais rien, dut reconnaître Mamaw.

Elle avait très peur pour Carson.

– Je pensais qu'elle était en voie d'aller mieux. Et maintenant, un bébé. Et son jeune homme, qu'est-ce qu'il devient ? Il y a un bout de temps que je ne l'ai pas vu par ici.

– Blake ? J'ai entendu dire qu'elle avait rompu.

– Seigneur, ayez pitié. La voilà qui s'enfuit d'un autre homme ?

Mamaw soupira.

– Elle a besoin de nous plus que jamais.

– Elle a besoin de vous, rectifia Lucille. Moi, je ne serai plus là.

– Ne dis pas une chose pareille. Bien sûr que si.

Lucille ne répondit pas.

– Dieu merci, elle a arrêté de boire, songea Mamaw tout haut. Imagine si elle avait toujours été en train de boire quand elle a conçu ce bébé… C'est un petit miracle. La pauvre petite souffre du même fléau que son père, mais je suis fière de ses efforts. Toutefois, elle ne peut boire une seule goutte d'alcool tant qu'elle est enceinte.

– Va-t-elle seulement le garder ? s'enquit Lucille.

– Bien sûr qu'elle va le garder.

– Mieux vaut attendre et voir ce qui va se produire.

Elle regarda longtemps Mamaw.

— Ne vous mêlez pas de ses affaires.

— J'ai le droit de m'inquiéter.

— De vous inquiéter, oui. De vous en mêler, non.

— Arrête de me regarder méchamment, toi, vieille bique.

Pour toute réponse, Lucille se contenta de glousser.

— Nous avons élevé nos filles pour qu'elles soient des femmes fortes et indépendantes, reprit Mamaw sur un ton plus sérieux. Et c'est ce qu'elles sont. Mais mon Dieu, j'ai un peu honte d'admettre que pour moi, elles sont toujours mes petites filles. Je voudrais qu'elles soient toutes casées. Mariées. Je suis trop vieux jeu ? C'est ce que les filles pensent...

— Vous et moi, nous sommes d'une autre époque. Les choses sont différentes, aujourd'hui. Ces filles veulent plus, s'attendent à plus, et même exigent plus. Qui dit que le mariage est la réponse à tout ? Regardez Dora ! Elle a tout fait correctement. Elle s'est mariée jeune avec un homme respectable, elle a eu un mariage grandiose, pour lequel monsieur Edward et vous avez payé. Elle s'est installée dans cette grande maison et a eu un enfant. Elle s'est conformée au modèle que vous lui avez prêché dès sa naissance. Et maintenant, qu'est-ce qui lui arrive ?

Mamaw ne dit rien.

— Voici ce que je pense, poursuivit Lucille. Notre petite Dora est en train de se relever, de se redresser les épaules, et elle va recommencer à zéro. Elle donne l'exemple à ses sœurs cadettes. Je suis tellement fière d'elle que ma poitrine est sur le point d'éclater.

Mamaw tendit la main vers celle de Lucille et la saisit.

— Merci, Lucille. C'est ce que j'avais besoin d'entendre. Tu vois ? Voilà ce dont je parle, dit-elle en reniflant. Tu es ma meilleure amie. Qu'est-ce que je vais devenir sans toi ?

— Vous deviendrez plus vieille et plus sage. C'est ainsi que vont les choses.

Elle fit une pause.

– Nous nous sommes bien amusées, ce soir, non ?

– Oh, oui, acquiesça Mamaw en esquissant l'ombre d'un sourire.

– Le vent d'été soufflait, mais nous avons dansé. C'est de ça qu'il faut se souvenir, Marietta. Quand les temps sont durs, il suffit de danser.

CHAPITRE 22

Dora était assise en tailleur à côté de Harper sur le lit à baldaquin en laiton. La tempête et l'heure tardive avaient apporté de la fraîcheur et de l'humidité, et elles étaient toutes les deux enveloppées dans des couvertures. Elle laissa son regard parcourir tous les changements qui avaient eu lieu dans sa chambre : le papier peint pétale de rose et blanc, la coiffeuse en laiton et en miroir, le tapis Aubusson. Tous ces changements matériels étaient représentatifs du goût de Dora, mais aussi un signe ostensible des changements qui avaient eu lieu dans son être durant cet été.

C'était d'ailleurs la même chose pour ses sœurs. La chambre de Harper était plus sereine, classique. Celle de Carson, typique du style de la côte, avec un côté bohémien chic. En leur donnant leurs propres chambres, Mamaw avait offert à chacune de ses petites-filles, au sein de Sea Breeze, un sanctuaire où se réfugier des tempêtes qu'elles devaient affronter.

Dora leva la tête pour regarder Carson, debout à la fenêtre, les bras croisés devant elle comme un bouclier en train de regarder les feuilles des palmiers secouées par le vent. Le rugissement incessant des vagues résonnait, et Dora se demanda quelle serait l'étendue des changements qu'elle constaterait sur la plage, le lendemain matin.

– Carson, viens, l'intima Dora.

Carson rejoignit ses sœurs sur le lit. Harper se rapprocha d'elle et tira la couverture qu'elle avait sur les épaules pour en recouvrir en partie celles de Carson.

– C'est bien. Nous sommes toutes ensemble en train de bavarder, remarqua Dora.

– Comme autrefois, convint Harper.

– Mais ça ne sera pas toujours comme ça, non ? demanda Carson d'une voix déprimée. Penser que nous allons perdre Sea Breeze est déjà assez difficile… Mais Lucille ?

Elle remua la tête.

– C'est insupportable.

– Mais ça ne veut pas dire que nous, nous ne pouvons pas toujours être ensemble, reprit Dora. Quelque part.

– Non ? s'enquit Carson.

– Tout dépend de nous, répondit Harper. Pendant toutes ces années, il y avait Sea Breeze, mais aucune de nous ne venait. C'est à nous de décider de faire un effort.

– Ouais, eh bien, n'oublions pas que c'est Mamaw qui nous a fait revenir, souligna Carson. Qu'arrivera-t-il quand elle sera partie ? Quand nous n'aurons plus Sea Breeze ?

– Ne sois pas macabre, la réprimanda Dora.

– Je ne suis pas macabre, seulement réaliste. Et maintenant, je ne peux m'empêcher de m'inquiéter de ce qui va lui arriver. Elle a 80 ans. Comment va-t-elle se débrouiller sans Lucille ? demanda-t-elle. En particulier quand nous serons toutes parties ?

Carson regarda l'eau qui ruisselait le long des fenêtres. On aurait dit que la maison pleurait, pensa-t-elle.

– C'est exactement la *raison* pour laquelle Mamaw nous a réunies ici, dit Dora. Elle savait que ce jour viendrait, et elle voulait que nous soyons proches, de nouveau, comme devraient l'être des sœurs.

– Même si sa manière de procéder était un peu machiavélique, reconnut Harper avec un sourire ironique.

– J'ai l'impression, reprit Carson d'une voix basse et tremblante, que tout ce que j'aime me glisse entre les doigts.

– Cet endroit a toujours été notre pierre angulaire, admit Dora, consciente de son rôle en tant qu'aînée. Nous sommes toutes secouées. Je dois reconnaître que même si Mamaw parlait de vendre Sea Breeze, ça ne m'avait jamais paru réel. Pas jusqu'à aujourd'hui, quand j'ai vu Devlin venir pour une estimation. Je ne sais pas ce que vous en pensez, mais moi, ça m'a remis les pendules à l'heure. Mamaw ne plaisante pas. Elle va vendre la maison, et nous n'aurons plus Sea Breeze où retourner.

Elle regarda Harper et Carson.

– Alors, que ferons-nous, une fois que Sea Breeze sera vendue ? Allons-nous rester en contact ?

– Oui, affirma immédiatement Harper. Même si je ne sais pas encore où je serai ou ce que je ferai. Il me reste un mois pour décider quand je partirai d'ici.

– Tu ne retourneras pas à New York ? demanda Dora.

– Peut-être, mais en tout cas pas pour vivre avec ma mère.

Elle remua la tête avant de repousser une mèche de cheveux cuivrés de son visage.

– J'en serais incapable. Je considère aller en Angleterre, poursuivit-elle. Ne serait-ce que pour y séjourner un peu. Juste pour jeter un coup d'œil, voir comment je me sens. J'aimerais aller voir ma grand-mère James pendant quelque temps. Je pensais que je serais nerveuse et pressée, en train d'envoyer mon CV à des millions d'entreprises. Mais ce n'est pas le cas. Il n'y a rien qui presse.

Harper ramena davantage la couverture sur elle.

— Je sais que ça va paraître un peu bizarre, mais j'ai l'impression que quelque chose va arriver après quoi tout sera clair.

— Comme quoi ? demanda Dora, que cela intriguait.

— Je ne sais pas, avoua Harper en esquissant un sourire. Je ne fais rien de particulier, s'empressa-t-elle d'ajouter. Je considère mes options. Je me réserve certaines choses. Mais surtout, en quelque sorte… j'attends.

— Tu attends ? questionna Dora d'un air incertain. Ce n'est pas ton genre.

Harper haussa les épaules et eut l'air un peu embarrassée.

— Je le saurai quand ça se produira. Mais peu importe où je me retrouverai, je vous promets que je resterai en contact avec vous.

— Au fond, pour chacune de nous, c'est la question fondamentale, n'est-ce pas ? Un peu comme si nous étions sur un navire sur le point d'accoster. Je ne sais pas vraiment où je vais me retrouver, moi non plus, dit Dora.

Elle fit la grimace.

— D'ici la fin de l'été, je serai en plein divorce. *Et* en train de vendre ma maison.

Elle joignit les mains dans un geste de supplication.

— Mon Dieu, je Vous en supplie, qu'il y ait quelqu'un pour l'acheter.

Elle baissa les mains et se mit à faire le décompte sur ses doigts.

— *Et* je dois trouver un endroit où habiter. Un emploi. Une nouvelle école pour Nate.

Dora laissa échapper une bouffée d'air et un léger sifflement.

— C'est trop pour moi, voilà qui est sûr.

— Tu as Devlin dans les coulisses, lui rappela Harper.

— Dev… C'est un chic type qui a toujours l'œil à tout. C'est ce que j'aime le plus chez lui. Il est détendu avec ce qui, moi, me tracasse. Mais il est aussi intelligent et il a réussi. Il m'aide à rester terre à terre. Et mon Dieu, il sait tellement bien s'y prendre avec moi.

Elle sourit, un peu embarrassée. Elle regarda son annulaire sans alliance. La contusion avait disparu, mais la peau restait plus pâle là où l'anneau avait été, autrefois.

– J'ai pris ma décision. Une décision fondamentale.

Elle leva la tête et vit Carson et Harper qui la fixaient.

– Je vais vraiment divorcer. Je ne peux pas reprendre avec Cal. Ça me rend triste, reconnut-elle. C'est difficile de briser une famille. Sauf que nous n'en étions pas vraiment une, et je sais que je ne pourrais plus vivre comme ça. Je sais que nous serons tous les deux plus heureux que lorsque nous étions ensemble.

– Je suis contente que tu aies pris cette décision.

Harper se pencha pour placer la main sur l'épaule de Dora.

– Je sais que ce n'était pas facile.

Carson regarda Dora de côté.

– C'est à cause de Devlin ?

Les joues de Dora rougirent un peu.

– Évidemment, mes sentiments pour Dev m'ont aidée à prendre cette décision. Mais il n'était pas le facteur décisif. N'oublie pas que c'est Cal qui m'a quittée. Nous nous dirigions vers un divorce acrimonieux quand j'ai eu ma crise. Ma chère petite sœur, s'il y a une chose que j'ai apprise, cet été, c'est que je ne retournerai pas dans un mariage sans amour. Ça ne me suffit pas.

Carson inclina la tête et examina Dora, un léger sourire se profilant sur sa bouche.

– À la bonne heure.

– Mais je ne veux pas m'accrocher immédiatement à un homme, poursuivit Dora. Je pense que je veux être une femme non mariée pendant quelque temps.

Elle leva les yeux.

— Cet été, c'est à mon tour. Je pensais que j'étais égoïste, que je me concentrais sur mes seuls besoins et sur ce que je voulais. J'ai passé ma vie à me préoccuper des besoins des autres, à essayer de les rendre heureux, à rechercher leur approbation. J'aurai bientôt 40 ans. Il est plus que temps que je détermine comment je veux passer les 40 prochaines années de mon existence.

Elle se redressa et la couverture glissa de son épaule.

— Vous vous rendez compte que je n'ai jamais habité seule ?

Harper remua la tête, incrédule.

— Jamais ?

— Jamais, répondit Dora en tirant de nouveau la couverture sur son épaule. Je suis passée directement de la maison de ma mère à celle de Cal.

Elle remua la main.

— Sauf pour l'université, bien entendu. J'habitais sur le campus, et j'avais tout un tas de colocataires. Ça ne compte pas.

Elle soupira.

— J'ai toujours habité où on m'a dit d'habiter. Je n'ai jamais loué mon propre appartement. J'ai un peu hâte de le faire.

— Où ? demanda Carson.

Dora considéra cette question.

— Je n'irai pas aussi loin que New York ou l'Angleterre, évidemment, dit-elle en souriant à Harper.

Sur ces mots, elle repensa au visage de Devlin, à leurs moments ensemble sur son bateau, quand ils avaient préparé le crabe ensemble en buvant de la bière, regardé le soleil se coucher. Elle pensa à l'exaltation qu'elle ressentait en courant sur la plage, en regardant le passage des marées, en ramassant des coquillages avec Nate.

— Je vais rester en Caroline du Sud, c'est certain. Je voudrais une petite maison avec un peu de terrain où je peux jardiner et qui n'a pas ou presque pas besoin d'être entretenu.

Je comprends maintenant à quel point je me suis isolée. Comment je me suis mise à manger pour compenser le vide que je ressentais. Cette fois, je vais renouer avec mes anciens amis, je vais aussi m'en faire de nouveaux, retrouver une place dans ma communauté. Je pense que je vais rester ici, sur la côte. J'aime cette région, reconnut-elle de tout son cœur. Et Nate aussi.

Le visage souriant de son fils lui revint à l'esprit.

– Il se porte mieux quand il est près de la mer.

Elle prit une respiration et regarda Carson et Harper.

– Mais où que j'aboutisse, je vais rester en contact avec vous. Je vous le promets. Je vais avoir besoin de mes deux sœurs pour traverser tout ça.

Dora et Harper se tournèrent alors vers Carson pour la regarder.

– Et toi, Carson ? demanda Harper pour l'inciter à parler.

Celle-ci se contenta de baisser la tête et de hausser les épaules, sans vouloir se compromettre.

– Tout va bien ? demanda Dora.

– Non. Tout ne va pas bien, riposta-t-elle, presque avec défi. C'est loin d'aller bien.

Elle regarda ses sœurs, les yeux brillants de colère.

– Vous deux, aussi imparfaits soient-ils, vous avez des systèmes de soutien en place. Vous avez une famille qui couvre vos arrières. Moi, je n'ai que Lucille et Mamaw. Et cette maison. Et maintenant, tout ça est en train d'être balayé comme le vent balaie le sable sur les dunes. Prévoir ce que je serai en train de faire cet automne me paraît presque impossible. Alors, pardonnez-moi si je suis incapable de voir plus loin que la semaine prochaine.

Dora tendit la main et la posa sur l'épaule de Carson.

– Tu nous as aussi. Nous sommes là, Harper et moi. Oh, mon chou, nous savons bien que c'est une période difficile pour toi. Mais nous serons à tes côtés jusqu'au bout. Hé, tu pourrais même venir vivre avec moi, dit-elle en lui donnant un coup de coude pour l'encourager. Ce ne sera rien de luxueux, mais je t'aiderai à prendre soin de ton bébé.

Carson s'écarta de la main de Dora.

— Un bébé ? Je n'ai pas de bébé.

Dora eut l'air confuse.

— Mais, je pensais…

Carson se raidit et sa voix devint glaciale.

— Eh bien, tu te trompais.

Peu à peu, le visage de Dora montra qu'elle était en train de comprendre.

— Tu penses te faire avorter ?

— Bien sûr que oui, répondit Carson en serrant les poings sous la couverture. Je ne suis pas mariée, je suis sans emploi, sans endroit où habiter.

— Carson, dit Dora en se penchant vers elle et en repoussant la couverture, et Blake, lui ?

La voix de Carson tremblait sous l'émotion.

— Ne lance pas ce sujet.

— Carson, je…

— Dora, intervint Harper sur un ton d'avertissement. Tu ne vois pas qu'elle a du mal à se faire une idée ? Ce n'est pas à toi de prendre cette décision. Lâche prise.

Dora regarda Harper, laissant ses paroles prendre tout leur sens. Lâcher prise. Lâcher prise sans se débattre était justement ce qu'elle avait essayé de faire tout l'été. Mais la décision de Carson était importante. Il y avait des choses qu'elle devait lui dire pour l'empêcher de prendre une décision qu'elle risquait de regretter pour le reste de sa vie. Par exemple, comme elle avait eu du mal à devenir enceinte de Nate, ou toutes les fausses couches qu'elle avait subies, devant rester au lit pendant un mois entier chaque fois, tout en prenant plus de 20 kilos par la même occasion. Il fallait qu'elle garde ce bébé.

Dora regarda Carson, assise droite, prête à livrer combat, des larmes reluisant dans ses yeux du bleu des Muir. Et soudain, quelque chose la frappa. Elle pensa à sa mère : elle avait toujours un « il faut » à sa disposition dans de tels moments pour faire rentrer sa fille dans les rangs. Dora ne voulait pas dire à Carson ce qu'il *fallait* qu'elle fasse. De toute manière, par le passé, entre elles, ça n'avait guère donné de bons résultats.

Dora voulait avoir une relation avec sa sœur, une relation basée sur l'amour et la confiance. Elle repensa à leurs appels téléphoniques quand Carson était en Floride, appels pendant lesquels elles avaient parlé de tout et de rien. Dora voulait que sa sœur décroche le téléphone et l'appelle une fois qu'elles auraient quitté Sea Breeze.

Elle pressa ses doigts contre ses paupières. Harper avait raison. Ses opinions ne correspondaient pas à ce que sa sœur avait besoin d'entendre maintenant. La vie de Dora pouvait bien traverser une horrible tempête en ce moment, mais au moins pouvait-elle commencer à apercevoir une éclaircie à travers les nuages. C'était de cela que Carson avait besoin. D'un rai de lumière pour lui redonner espoir.

Dora regarda donc de nouveau Carson et s'adressa à elle d'une voix calme dépourvue de toute accusation.

– Il y a quelques mois, je t'aurais sans doute dit ce qu'il fallait que tu fasses.

Elle rit avec autodérision.

– Et je n'aurais pas eu peur de te dire ce que je pensais, non plus.

– Je pense que je peux deviner, répondit sèchement Carson.

– Sans doute. Mais c'est ce que *moi*, je pense, souligna Dora avec franchise. Nous sommes tellement différentes. Nous avons le même père, mais nous n'avons pas eu la même éducation, nous n'avons pas les mêmes croyances religieuses, la même culture, le même style de vie. La liste est interminable.

– Même si nous avions grandi dans la même maison, intervint Harper, nous serions toutes les trois différentes.

– D'accord, oui, concéda Dora. Mon chou, moi-même, en ce moment, j'en ai plein les bras. Je n'ai pas à me décharger sur les autres. Je suis la dernière personne qui devrait te donner des conseils.

Elle s'arrêta et vit l'air stupéfait sur les visages de Carson et de Harper. C'était un peu irritant, mais gratifiant à la fois; leur choc confirmait à Dora qu'elle avait fait le bon choix.

– Ce que je suis en train d'essayer de te dire, reprit Dora, qui avait besoin d'aller jusqu'au bout, est que je ne sais pas vraiment ce que tu es en train de vivre. Quand je suis tombée enceinte, je n'avais pas de décision à prendre. J'étais mariée. Je voulais un enfant. Et pourtant, j'ai eu des problèmes.

Le visage de Carson perdit son agressivité et Dora vit qu'elle l'écoutait.

– J'ai fait fausse couche après fausse couche. Chacune d'elle m'a brisé le cœur. Je voulais tellement avoir un enfant, et j'étais incapable d'en porter un. J'avais l'impression d'être une ratée. Puis, j'ai eu Nate. Mon petit garçon chéri.

Dora eut les larmes aux yeux et elle les essuya. Elle ne voulait pas se montrer émotive en ce moment, seulement être honnête.

– Être mère, c'est difficile.

Elle prit une grande respiration avant d'exhaler.

– Bon. Je vais vous raconter ceci. Je ne l'ai encore jamais dit, en tout cas, jamais de vive voix.

Elle serra la couverture sur ses épaules.

– J'ai eu le cœur brisé quand j'ai appris que Nate souffrait d'autisme. Au début, je n'avais aucun moyen de déterminer la gravité de son état. Je ne savais pas s'il pourrait parler, s'il lui serait possible de communiquer ou même d'aller aux toilettes. On m'a dit que j'étais égoïste, que je devais penser à mon enfant, pas à moi-même. J'ai essayé. J'ai vraiment essayé.

Dora avala sa salive avec difficulté, sentant d'anciennes émotions remonter à la surface.

– Mais au fond de moi-même, je pleurais la perte de l'enfant que j'espérais avoir. L'enfant parfait…

Elle remua la tête.

– Je sais que ça paraît horrible. C'est pour cela que je n'ai jamais parlé à qui ce que ce soit de ces sentiments. Pas même à Cal.

Elle renifla.

– Surtout pas à Cal.

Dora leva la tête pour déterminer la réaction de ses sœurs, craignant de voir dans leurs yeux qu'elles la critiquaient ou la jugeaient. Voyant que ce n'était pas le cas, elle poursuivit.

– Depuis, j'ai beaucoup évolué. Je sais maintenant qu'il n'existe pas d'enfant parfait. J'aime Nate tel qu'il est. Il faut peut-être que je lui enseigne à saisir les signaux émotionnels, mais lui aussi a des choses à m'enseigner. Je sais que j'aurai toujours mal quand je vais le voir à l'école et que je le trouve en train de manger seul, ou quand il n'est pas invité aux fêtes d'anniversaire. Ou encore, quand je suis incapable de combattre son angoisse lorsqu'il est entre les griffes d'une de ses crises. Mais c'est ce que n'importe quelle mère ressent quand elle est incapable de rendre la vie parfaite pour son enfant.

Elle sourit timidement et haussa les épaules.

– Ce n'est pas facile d'être mère. Mais voici ce que je veux que tu saches. Chaque jour, je suis pleine de gratitude parce que j'ai cru que je ne pourrais pas avoir d'enfant et qu'aujourd'hui, j'ai ce cadeau si précieux.

Dora examina le visage de Carson et vit la vulnérabilité dans ses yeux. Elle savait qu'il y avait encore tant de choses qu'elle pourrait dire. Elle sentait ces paroles lui déchirer la poitrine. Mais Carson était trop fragile. Dora devait avancer avec prudence.

– Ça ne sera pas facile, quel que soit ton choix. Dans un cas comme dans l'autre, plus jamais ta vie ne sera la même.

Elle tendit la main et la posa sur l'épaule de Carson.

– Tu es ma sœur, et je t'aime. Quel que soit ton choix, je serai là pour toi.

Carson se pencha vers elle et glissa les bras autour de Dora.

– Merci, dit-elle en chuchotant, les lèvres tremblantes.

– Moi aussi, je suis là, renchérit Harper en passant ses bras graciles autour de ses deux sœurs.

~

Carson était allongée sur le côté, les mains sous sa tête et les yeux grands ouverts. Elle était restée au lit à écouter la tempête se dissiper lentement en s'éloignant de l'île. À l'extérieur de la maison comme à l'intérieur, une paix temporaire régnait de nouveau. À travers les lamelles des volets, elle vit les premières lueurs grises de l'aube. Elle entendit les oiseaux dans les arbres environnants chanter l'aube et annoncer avec entrain le jour nouveau.

L'aurore avait toujours attiré Carson. Elle sortit du lit et mit un kimono de soie sur ses sous-vêtements. L'attachant à la taille, elle se rendit dans le couloir en faisant attention de ne pas réveiller ses deux sœurs qui dormaient côte à côte dans le lit de Dora. Elle les avait entendues parler jusqu'aux petites heures du matin.

Elle ouvrit la porte d'entrée, grimaçant quand son grincement vint interrompre le silence. En sortant, elle sentit immédiatement la douceur humide de l'air qui suivait toujours les tempêtes d'été. De lourdes gouttes de pluie pesaient sur les feuilles du chêne, le long de son écorce et dans les flaques qui jonchaient le sol. Une brume nacrée régnait sur l'île, et en descendant l'escalier, elle eut l'impression de pénétrer dans un autre monde.

Un bruit attira son attention. Elle en suivit la provenance, tournant la tête vers le cottage. Elle vit alors Lucille dans sa robe de chambre et ses pantoufles en train de monter lentement l'escalier qui menait à sa véranda à l'avant. Carson traversa rapidement l'allée de gravier froid pour la rejoindre.

— Laisse-moi t'aider à monter l'escalier, dit-elle en lui prenant le bras.

Les os de la vieille femme semblaient aussi légers et creux que ceux d'un oiseau. Elles atteignirent la véranda et s'arrêtèrent pour que Lucille reprenne son souffle. Carson ne pouvait se souvenir de l'avoir jamais vue aussi essoufflée et cela l'effraya.

— Je veux me coucher dans mon lit, indiqua Lucille.

— Bien sûr. Je vais t'ouvrir la porte et allumer. Je ne voudrais pas que tu tombes dans le noir.

— Je pourrais me déplacer dans ma maison les yeux fermés, grommela Lucille, mais elle attendit tout de même que Carson ait allumé et qu'elle lui tienne la porte ouverte.

Carson suivit ensuite Lucille dans le cottage. Il reluisait de propreté. Les murs étaient peints d'un blanc pur, mais les pièces d'artisanat qui les décoraient étaient vibrantes des couleurs vives propres aux artistes afro-américains les plus populaires de Charleston. Partout où elle regardait, elle pouvait voir des signes de la personnalité de Lucille, ainsi que ses ouvrages manuels : les paniers de glycéries, les coussins brodés, le jeté qu'elle avait tricoté. Il était facile de comprendre que Lucille aimait son cottage, qu'elle y était heureuse.

Cependant, en pénétrant dans sa chambre, Carson sentit l'odeur de renfermé propre à la maladie et aux médicaments. Elle aida Lucille à retirer sa robe de chambre et à se coucher sur son lit de fer noir. Lucille était devenue si petite et avec les kilos, toute sa robustesse avait disparu. Elle avait l'air d'une enfant avec ses yeux noirs si larges sur son visage, et ses cheveux gris frisottaient autour de sa tête comme une auréole, engloutie dans la couette en patchwork aux couleurs vives. Carson laissa son regard parcourir la pièce, s'arrêter sur la robe de chambre de Lucille posée sur la chaise de salon, sur le grand bouquet de fleurs d'été et la table de nuit encombrée par les flacons de médicament.

– Voilà, c'est mieux comme ça, grommela Lucille. J'aime être dans mon propre lit. Sous mon propre toit.

Elle cligna lentement des yeux plusieurs fois, l'air exténuée. Puis, son regard chercha Carson ; l'ayant trouvée, Lucille lui sourit faiblement et tapota le matelas.

– Approche-toi, ma petite.

Carson alla s'asseoir au bord du lit en faisant attention de ne pas bousculer Lucille. C'était déchirant de la voir si faible et si fragile. Pour elle, Lucille avait toujours été ce pilier puissant, inébranlable, aux idées arrêtées qui la soutenait. Cette femme l'avait élevée. Elle avait été une véritable mère pour elle, tout autant que sa grand-mère. Carson retint donc sa respiration tout en tentant en vain de réprimer ses larmes.

– Pourquoi tu pleures ? demanda Lucille.

Carson renifla et remua la tête.

– Je ne sais pas, laissa-t-elle échapper.

– Il doit y avoir quelque chose, parce que tu pleures rarement. Dis-moi.

Carson ne voulait cependant pas lui dire qu'elle pleurait parce qu'elle ne pouvait supporter de la voir si faible, si malade. Parce qu'elle ne pouvait imaginer la vie sans elle. Aussi lui parla-t-elle de l'autre source de ses larmes, en sachant que Lucille était sans doute la seule personne qui pouvait l'écouter sans la juger.

– Je me sens tellement perdue. J'ai tellement peur.

– À cause de cette vie qui est en train de grandir en toi ?

Carson prit une grande respiration et hocha la tête.

— Je ne sais pas quoi faire.

— Tu n'as pas à faire quoi que ce soit.

Carson était incapable de la regarder.

— Je pense que si.

— Je vois.

Lucille devint silencieuse.

— Tu trouves que je suis une personne horrible ?

Lucille renifla et remua la tête.

— Tu as des problèmes. Et tu as peur. Je m'en rends bien compte.

— Je pense m'en aller.

— Bien sûr.

Carson fronça les sourcils et leva la tête.

— Pourquoi dis-tu ça ?

— Parce que chaque fois que tu as des problèmes, tu t'enfuis.

— Non, ce n'est pas vrai !

De sa main aux lourdes jointures et aux ongles courts que Carson trouvait belle, Lucille tapota la sienne.

— Si ma petite, c'est ce que tu fais. C'est ce que tu as toujours fait. Je te connais depuis que tu es née. Quand quelqu'un s'approche trop de toi, tu prends la fuite. Carson, tu ne peux échapper au genre de peur que tu as en toi en ce moment. Tu penses que si tu ne laisses rien ou personne s'approcher de toi, tu ne souffriras pas de nouveau, comme quand ta mère est morte, ou quand ton père t'a emmenée de chez nous pour aller en Californie. J'ai toujours pensé que ta Mamaw aurait dû empêcher que ça arrive. Tu pleurais comme tu es en train de pleurer maintenant.

Elle soupira lourdement.

— Et maintenant, tu es bouleversée parce que moi aussi, je vais partir. Allez, ne dis pas le contraire, dit-elle en remuant la main devant la bouche ouverte de Carson. La stricte vérité est que je *vais* mourir, il n'y a rien que tu peux y faire, et ça te fait peur. Je le vois dans tes yeux. Et tu as peur que ta Mamaw meure elle aussi. Eh bien, ma petite, oui, un jour, elle va mourir !

– Non, cria Carson, les épaules tremblantes, les larmes jaillissant de ses yeux.

Elle plaça sa tête contre l'épaule de Lucille comme elle le faisait quand elle était petite.

– Ne me laisse pas toute seule. Je ne veux pas que tu t'en ailles.

Lucille lui tapota la main tandis que Carson laissait sortir les larmes refoulées, trop longtemps gardées à distance. Des larmes de tristesse pour la maladie de Lucille, pour sa grossesse, pour sa rupture avec Blake, pour sa culpabilité envers Delphine, et pour tout le chagrin qui, elle le savait, restait à venir.

Quand elle eut fini, Carson se redressa et chercha un mouchoir.

– Tu te sens mieux ?

Carson haussa les épaules.

– Je me sens vidée.

– Pleurer un bon coup, c'est comme laisser de la vapeur s'échapper d'un tuyau. C'est nécessaire, sinon il explose.

Carson se moucha.

– Je pleure beaucoup ces temps-ci.

– Les hormones…

– Mon Dieu…, dit Carson avec un long soupir.

– Toi et moi, nous prenons toutes deux part au cycle de la vie. Le commencement et la fin. Je trouve ça plutôt rassurant, pas toi ?

Carson regarda par la fenêtre.

– Tous, nous venons au monde seul, et nous le quittons seul.

Lucille tapota la main de Carson pour attirer de nouveau son attention.

– Mais c'est le fait de partager notre vie avec les autres qui la rend digne d'être vécue. Et qui la rend plus facile à vivre. Alors, quand le temps sera venu pour toi, tu sauras que tu leur laisses une partie de toi.

Lucille se redressa contre ses oreillers. Son visage était crispé par la douleur provoquée par cet effort tandis que Carson les retapait. Une fois qu'elle se fut replacée, Lucille regarda de nouveau Carson de ses yeux foncés perçants.

– Dis-moi ce qui vraiment te rend malade, ma petite.

Carson baissa la tête. Sa confusion et son désespoir étaient comme un trou noir aspirant toute la lumière de sa vie. Elle condensa ses émotions si ambivalentes en paroles.

– J'ai peur.

Elle se dépêcha de s'essuyer les yeux.

– Et tu as raison. Je n'aime pas ça. Je suis pétrifiée ; je me sentais comme ça quand je flottais sur l'océan en regardant le requin dans ses yeux sanguinaires. J'étais incapable de bouger. C'est comme ça que je me sens maintenant. Mon esprit est incapable d'en venir à une décision.

Lucille grimaça et rejeta ce dernier point du revers de la main.

– Et pourtant, tu t'en es sortie ! Tu as regagné le rivage. Tu vois ? Voilà exactement ce dont je parle. Ma petite, tu as des instincts sûrs. Autrefois, je t'observais quand tu allais sur l'océan et que tu chevauchais les vagues, en me demandant l'impression que ça pouvait faire.

– Je ne savais pas que tu me regardais surfer.

– Eh bien pourtant, si. Ta Mamaw et moi, nous te regardions toutes les deux. Tu sais, cette manière que tu as de bouger tes pieds et tes jambes, de te déplacer juste un peu à gauche ou à droite, cette manière que tu as de chevaucher une vague qui te ramène jusqu'au rivage.

Elle laissa échapper un petit rire.

– Quand tu es en mer, tout ça, ça peut avoir l'air d'être naturel chez toi, mais moi, je sais que tu te levais tôt jour après jour pour aller sur l'océan, peu importe le temps. Après toutes ces années, ton corps sait exactement comment se comporter. Or *maintenan*t, tu doutes de toi-même ? Petite, arrête de penser ! Nous sommes peut-être tous sur la plage en train de t'applaudir, mais c'est comme je te disais : sur l'eau, tu es seule. Tu dois te fier au fait que tes instincts te mèneront là où tu es censée aller.

– Mais ce n'est pas de la mer dont il est question. C'est de la vie. C'est différent.

– Non, aucune différence.

Lucille la regarda d'un air raisonnable, ses beaux yeux pleins d'intelligence irradiant de foi et d'encouragement.

– Carson, chérie, la vie est exactement comme la mer. Elle est belle et profonde, et les vagues ne cessent de revenir. Parfois, elles deviennent trop agitées, parfois elles sont plus calmes. Il suffit de les chevaucher, Carson, comme tu l'as toujours fait.

Lucille perdit son sourire en même temps que sa voix diminuait.

– Quelle que soit ta décision, n'aie pas peur. Je ne veux jamais plus t'entendre prononcer ces mots. Compris ?

Carson hocha la tête.

– Tu as des instincts sûrs. Suis-les. Tu sauras quoi faire.

Ses paupières se fermèrent et elle tapota la main de Carson une dernière fois.

– Maintenant, je suis fatiguée. Je n'ai pas fermé l'œil dans le lit de ta Mamaw. Allez, va, laisse-moi me reposer, hein ? Juste un moment.

Carson se pencha sur Lucille pour l'embrasser. Elle sentait la vanille.

– Fais de beaux rêves, Lucille, murmura-t-elle.

Carson sortit du cottage et ferma doucement la porte derrière elle. Elle resta au bord de la véranda et redressa la tête dans la chaleur du soleil matinal. Le brouillard s'était levé, mais il pleuvait encore un peu. Les buissons, les fleurs et le gazon n'étaient plus courbés par la pluie battante et tentaient de se redresser et de secouer ces gouttes d'eau. Des morceaux de feuilles et des débris jonchaient l'allée de gravier, laissés par la tempête. En levant la tête, elle vit le soleil pousser ses rayons de couleur dorée à travers les nuages en train de se disperser. Derrière eux, des teintes pastel de rose et de bleu s'étiraient déjà à travers le ciel du matin.

Dans les airs, les oiseaux chantaient avec de plus en plus d'entrain et au loin, elle entendit le rugissement de l'océan. Comme à son habitude, elle répondit à son appel. Carson traversa l'allée de gravier en direction de la plage, le regard rivé sur le ciel.

CHAPITRE 23

Lentement, Mamaw s'éveilla. Elle ouvrit un œil, bâilla, puis rassembla ses esprits après la longue nuit agitée. Soudain, elle se rappela, et tourna la tête vers l'oreiller à côté d'elle.

Lucille était partie.

Évidemment qu'elle était partie, pensa-t-elle avec un soupir épuisé. Sans doute s'était-elle glissée hors de la chambre dès le premier signe de rémission de la tempête. C'est qu'elle aimait son lit.

La porte coulissante de ce qui avait été son boudoir et qui était maintenant la chambre de Harper était ouverte. En se redressant sur un coude, Mamaw étira le cou pour y jeter un coup d'œil. Elle vit que le lit n'était pas défait. Elle avait entendu les filles bavarder comme des pies dans l'autre chambre jusqu'au moment où elle s'était endormie. Elle se demanda jusqu'à quelle heure elles étaient restées debout. Elle espérait qu'elles avaient passé une de ces nuits blanches pendant lesquelles des liens se tissent, des liens dont elles se souviendraient longtemps, qui les rapprocheraient en dépit de la distance qui les séparerait.

La maison était silencieuse. Mamaw mit sa robe de chambre de soie rose et ses pantoufles, puis entra dans sa salle de bain et en prenant son temps, procéda à sa toilette, se lavant le visage, se brossant les dents, mettant de la crème et se passant un peigne dans les cheveux. Elle ouvrit la fenêtre et sentit que la brise apportait l'odeur de boue des marais et la douce senteur de terre que la tempête avait laissées.

Elle mit ses sous-vêtements, un pantalon ample et une tunique, puis se rendit dans le salon en se réjouissant de voir la lumière du soleil y pénétrer par les fenêtres. Le vieux chêne qui dominait le jardin devant la maison l'inquiétait tout particulièrement. Ces branches si longues suspendues au-dessus de la maison la préoccupaient toujours. Elle sourit, soulagée, en constatant qu'une fois encore, le vieil arbre avait résisté aux vents puissants. *Cher vieil arbre,* se dit-elle avec affection.

La journée serait bonne, pensa-t-elle en se rendant dans la cuisine d'un pas léger. L'horloge sonna 8 h. Il était donc si tard ? C'était étrange que la maison soit si silencieuse. Puis, elle mit du café moulu dans la machine et de l'eau dans la bouilloire. Suivirent deux tranches de pain complet dans le grille-pain. En chantonnant une mélodie sans nom, Mamaw prit le plateau au motif floral que Lucille préférait, sur lequel elle plaça un bol, une tasse et une soucoupe au motif floral qui faisaient tous les trois partie du même service de porcelaine de Limoges, ainsi que des couverts en argent. Elle mit ensuite la bouilloire sur la cuisinière et se dépêcha en direction de la porte d'entrée pour y prendre le journal. Les pavés étaient trempés et des feuilles provenant des arbres et des buissons jonchaient le sol comme des soldats morts après une bataille. Il y aurait du nettoyage à faire plus tard dans la journée, se dit-elle. Elle vit que le calme régnait du côté du cottage. Elle fut contente que Lucille dorme encore.

La bouilloire était en train de siffler quand elle revint dans la cuisine et l'arôme riche du café frais remplissait l'air. Elle s'en versa une tasse, puis se mit à préparer le petit déjeuner de Lucille. Elle mangeait si peu maintenant que Mamaw devait la tenter avec ses plats préférés et de belles présentations. En lui servant plusieurs repas par jour, Lucille mangeait davantage. Mamaw ne voulait pas qu'elle perde plus de poids. Elle prit les rôties du grille-pain, et sans y mettre de beurre, qui dérangeait l'estomac de Lucille, elle étala une épaisse couche de confiture de mûres sur le pain. Puis, elle remplit le bol de myrtilles, versa le thé et disposa le tout joliment sur le plateau. Lucille, en dépit de son esprit pratique insolent, aimait ce qui était joli.

Toujours en chantonnant, elle prit le plateau, mais dut se redresser en sentant son poids. Elle pouvait bien se sentir comme une jeune fille, elle n'en avait pas moins la force d'une vieille femme, se dit-elle en se réprimandant. Néanmoins, elle traversa la maison, franchissant les portes, les marches, les pavés et l'allée de gravier jusqu'au cottage de Lucille. Elle posa le plateau sur la table de la véranda et, par courtoisie, frappa avant d'ouvrir la porte.

— Lucille, c'est moi !

Reprenant le plateau, elle entra dans le cottage tout en chantonnant sa joyeuse mélodie.

— Voici le petit déjeuner, annonça-t-elle en s'engageant dans le couloir qui menait à la chambre de Lucille.

Dans sa chambre, les rideaux étaient toujours tirés, et une étrange lumière crépusculaire y régnait.

D'une épaule, elle ouvrit la porte.

— La tempête est terminée et le soleil…

Mamaw se tut quand elle vit Lucille sur son lit, toujours endormie. La pauvre, se dit-elle. Elle avait dû être épuisée après toute l'excitation de la soirée de la veille. Mamaw déposa le plateau sur la commode, soulagée de son poids, et se tourna pour s'approcher du lit.

Elle s'arrêta brusquement. Soudainement, toute sa joie la quitta d'un trait pour être remplacée par une sensation d'effroi. Dans la pénombre, Lucille était allongée sur le dos, les bras le long de son corps, la tête inclinée vers les fenêtres. Mamaw sentit son sang se figer. Lucille ne dormait pas. Elle semblait regarder le soleil du matin. Seulement, Mamaw le savait, ses yeux ne voyaient plus.

Le cœur de Mamaw se mit à battre comme celui d'un oiseau pris au piège tandis qu'elle se rapprochait du lit. Avec hésitation, elle tendit le bras et posa sa main sur la poitrine de Lucille. Son cœur ne battait plus. Elle était allongée, immobile, le regard vide. Mamaw lui saisit la main. Son corps n'était pas encore froid. Immédiatement, elle fut au désespoir.

Je viens donc tout juste de manquer son trépas ? Si seulement je n'avais pas traîné. Si je m'étais dépêchée, si je m'étais réveillée un peu plus tôt… Elle était seule quand elle était morte. En réprimant un sanglot, Mamaw porta la main de Lucille jusqu'à sa bouche et l'embrassa avant de la serrer contre son cœur. *Je n'ai pas pu te dire adieu.*

~

Après être restée aux côtés de Lucille un moment, à verser de chaudes larmes et alternativement, à observer d'un regard vide l'enveloppe qui avait abrité sa plus chère amie, Mamaw sortit du cottage. Elle s'arrêta sur le seuil de la véranda en s'appuyant contre sa colonne blanche. Elle observa un univers qui, s'il était similaire de bien des manières à celui qu'elle avait observé plus tôt ce matin, n'en était pas moins différent.

Lucille les avait quittées. Elle était incapable d'y croire. Bien sûr, elle savait que Lucille était mourante, elle comprenait que la fin était proche ; mais pas si proche, pas aujourd'hui. Elles avaient passé la nuit à bavarder. Il semblait impossible que plus jamais, elles ne discuteraient ensemble.

Elle porta la main à sa gorge tandis que sa nature pratique prenait le dessus. Il y avait des choses qui devaient être faites, des appels à passer. Malheureusement, elle était expérimentée en ce qui concernait la mort. Elle devrait rentrer et s'y mettre, se dit-elle. Mais elle était incapable de remuer ne serait-ce qu'un muscle. Toute l'énergie qui l'habitait à peine un moment plus tôt quand elle s'activait dans la cuisine semblait l'avoir abandonnée, la laissant se sentir si vieille. Engourdie.

Le poids et l'engourdissement de son cœur l'épuisaient. Elle avança lentement jusqu'au fauteuil à bascule. De l'eau s'était accumulée sur le siège. Au point où elle en était, ça n'avait plus d'importance. Elle se laissa glisser sur le siège en sentant l'humidité froide pénétrer ses vêtements.

Mamaw connaissait bien le chagrin. Après tout, il ne pouvait y avoir de pire chagrin que celui de perdre son enfant. Et pourtant, elle avait survécu. Quand Edward était mort un an après Parker, elle avait cru devenir folle. Elle ne pensait pas pouvoir continuer. Ni le vouloir. C'était Lucille qui s'était occupée d'elle, qui l'avait ramenée à la vie, en lui interdisant de s'apitoyer sur son sort. Et une fois de plus, elle avait persévéré.

Mais aujourd'hui ? Lucille n'était plus là. Tous ses proches étaient morts. Pourquoi continuer à se battre ?

Une bourrasque remua les branches de l'arbre et des gouttes de pluie éclaboussèrent son visage. Mamaw eut le souffle coupé par cette sensation froide. Détournant la tête de l'ondée, elle vit le fauteuil à bascule de Lucille qui se balançait à côté du sien. Son souffle se prit dans sa gorge. Elle pouvait sentir la présence de Lucille, tout à fait réelle, très proche. Si proche qu'elle prononça son nom.

— Lucille ?

Il n'y eut pas de réponse. Seulement le chant des oiseaux et le bruissement des feuilles.

— Vieille idiote, grommela-t-elle pour elle-même.

Ce n'était que le vent d'été. Pourtant, en fermant les yeux, elle sentit toujours la présence de Lucille.

Au loin, le tonnerre gronda doucement. Mamaw ouvrit les yeux et vit que le soleil s'était profilé derrière les nuages.

Elle s'appuya sur les bras de son fauteuil et se leva avant de retourner au bord de la véranda. En avançant dans la brume, elle sentit sa froide humidité contre sa peau. En regardant les alentours frais et couverts de rosée, Mamaw se rappela les paroles de Lucille. *Quand les temps sont durs, il suffit de danser.*

Elle étira les bras et leva le visage pour accueillir le soleil et la pluie. Avançant sur la pointe des pieds, elle tourna sur elle-même. Elle était vivante! La nuit avait été remplie de terreur, mais le soleil du matin s'était levé sur un jour nouveau, en dépit du chagrin et de la souffrance.

Mamaw baissa les bras et retourna vers Sea Breeze en prenant le temps de parcourir du regard sa maison et le paysage qu'elle aimait. La vieille maison avec ses fenêtres à meneau, ses escaliers de grande envergure pleins de grâce et ses pignons avait survécu à la tempête, elle aussi. Elle ne voulait pas rentrer tout de suite. À l'intérieur, les filles dormaient toujours. Mamaw voulait être seule encore quelques instants avec ses souvenirs.

Elle s'engagea sur le chemin de petits cailloux qui faisait le tour de la maison. Elle croisa la douche extérieure et près de la véranda, elle aperçut les bacs de fleurs de Harper. Les petites tiges des plants avaient été courbées par la pluie violente et le vent, et certaines des minuscules feuilles étaient complètement couvertes de boue. Mais d'autres, les plus vaillantes, s'étaient déjà redressées et avec un peu de temps, la plupart se ravigoteraient au soleil.

Elle quitta l'ombre tachetée pour la lumière. Le soleil était chaud sur sa peau humide. L'herbe trempée mouillait ses pantoufles, mais elle n'en tint pas compte et continua son chemin vers la crique. L'air était chargé de cette odeur forte de boue des marais et de cette douceur faisant suite à la pluie, ce qu'elle appelait le parfum de la côte. Elle prit une grande respiration, se sentant purifiée en regardant le vert revigoré des herbes marines. Elle avança en balançant les bras à travers le domaine trempé de pluie jusqu'au jardin de Harper.

Qui aurait pensé que Harper aurait les pouces verts ? Voilà que cette chère petite citadine était en train de s'enraciner sur la côte, se dit-elle en observant les fleurs qui venaient tout juste d'être plantées. De grosses gouttes de rosée perlaient lourdement sur les roses qui, elle le savait, avaient été plantées spécialement pour elle. En se penchant, elle cueillit la plus belle et la tint tendrement au creux de ses mains. Elle était d'un rose vif et avait à peine ouvert ses pétales au soleil. Elle la porta à son nez. Le bouton n'avait pas vraiment de parfum, mais elle se glorifia en pensant que c'était la première rose qu'elle avait cueillie dans son jardin depuis des années.

Juste à ce moment, elle entendit le cri perçant d'un balbuzard provenir de la crique. Elle regarda, cherchant le grand oiseau de proie chasseur de poissons. Elle avait toujours aimé ce courageux oiseau. Portant la main en visière au-dessus de ses yeux, elle l'aperçut qui, avec grâce, volait en boucle au-dessus de l'eau, à la recherche d'une proie. En cette saison, il devait y avoir dans son nid des oisillons en train de pousser des cris perçants pour recevoir leur petit déjeuner.

– La voilà ! entendit-elle soudain en provenance de la véranda.

Tournant la tête vers la maison, elle vit, dans la lumière, ses petites-filles avancer vers elles. Ses filles de l'été. Dora dans une robe fluide au motif floral, Harper dans un fourreau de soie des plus chic, et Carson déjà en maillot de bain sous son short. Elles étaient si différentes, et pourtant unies par le sang. Ensemble… Mamaw sentit sa poitrine se gonfler en pensant que Lucille et elle avaient pris la bonne décision en faisant revenir les trois femmes ici, chez elles, à Sea Breeze pour ce dernier été. C'était leur triomphe commun, et ces jeunes femmes étaient leur legs.

Mamaw sentit son cœur se réchauffer et battre d'amour. En dépit de toutes les questions à régler, en dépit de toutes les décisions qu'il restait à prendre, en ce matin troublé, en regardant ses petites-filles, elle redécouvrit une raison de vivre.

Oui, elles avaient besoin d'elle, aujourd'hui peut-être plus que jamais. Pourtant, pas plus qu'elle avait besoin de ses petites-filles.

Elle leva le bras au-dessus de sa tête et fit un grand geste dans leur direction.

Ses petites-filles arrivaient vers elle.

Mamaw ouvrit les bras.

– Je suis là !

REMERCIEMENTS

Je dois tant de remerciements à la docteure Pat Fair de la NOAA pour son mentorat et son amitié ; à Stephen McCulloch de la Florida Atlantic University ; et à Lynne Byrd de l'hôpital pour cétacés Mote Marine. Aussi, un cordial remerciement à l'équipe pleine de dévouement du Dolphin Research Center, en particulier Joan Mehew, Mandy Rodriguez, Linda Erb, Rita Irwin, Mary Stella, Becky Rhodes et Sheri Peiloch. Toutes mes félicitations à Joan Mehew qui a gagné le prix Wounded Warrior Project Carry Forward de 2013 ! Certains de mes lecteurs pourront reconnaître le Dolphin Research Center et l'hôpital pour cétacés Mote Marine que je décris dans ce livre ; toutefois, les séances décrites, les personnages et les dialogues, présentés avec leur approbation, sont le pur produit de mon imagination.

Comme toujours, mes remerciements les plus sincères et tout mon amour à Marguerite Martino, Angela May, Kathie Bennett, Buzzy Porter, Ruth Cryns et Lisa Minnick pour leur soutien inestimable.

Des remerciements aussi pour la fabuleuse équipe de Gallery Books : Lauren McKenna, Louise Burke, Jennifer Bergstrom, Elana Cohen, Jean Anne Rose, Ellen Chan,

Natalie Ebel, Liz Psaltis, et tous ceux, chez cet éditeur, qui ont toujours soutenu mes livres. Des remerciements et tout mon amour à mes agents du Trident Media Group : Robert Gottlieb et Kimberly Whalen, Sylvie Rosokoff, Adrienne Lombardo et Tara Carberry. Et de nombreux mercis à Joseph Veltre, de Gersh.

Par ailleurs, je tiens particulièrement à souligner le livre pour enfant *Shackles,* écrit par Marjory Wentworth (Legacy Publications). Sa belle histoire sur la découverte de menottes d'esclaves dans son jardin de Sullivan's Island a été une inspiration pour moi.

Enfin, tout mon amour et mes remerciements à mon mari, Markus, pour toutes les tasses de café, les verres de vin, les poignées d'amandes, et ses mots d'encouragement à toute heure du jour et de la nuit.

Ne manquez pas la suite de la série

Les étés sur la côte

LA FIN DE L'ÉTÉ

www.ada-inc.com
info@ada-inc.com